庫

雄気堂々

上巻

城山三郎著

新潮社版

2330

雄気堂々

上巻

序曲　流産祝

あまり人目にはつかないが、日本橋常盤橋《ときわばし》公園をはじめ東京のどまん中に、いくつかの銅像となって残っている人物がある。渋沢栄一である。

自分で金を出すようにして銅像をつくらせる人もある世なので、銅像即えらい人という気はないが、それでも一昔前までは、銅像が社会の人物評価のひとつの目安であったとはいえよう。

もっとも、渋沢栄一自身は、銅像をつくるという話が出るごとに、まるい顔をしかめた。

「また雨ざらしにされるのは、ごめんだね」

いかにも御本人が生きながら風雨にさらされるといった感じであった。

古い像には、「子爵《ししゃく》・渋沢栄一」とある。爵位もまた一昔前までの人物評価の尺度と考えると、三井、岩崎（三菱）、住友、古河《ふるかわ》、大倉など、大財閥の一族でも男爵どまりの中で、経済人でたったひとり、子爵にぬきん出たのが、渋沢であった。

設立し関係した企業五百、同じく関係した公共・社会事業六百といわれ、近代日本の無数の礎石を築いた人といえる。

「雨ざらしはごめんだ」の意を体してか、丸の内かいわいの渋沢像のいくつかは、屋内に在る。

帝国劇場正面玄関に在った大理石像。これは、渋沢の古稀《こき》を祝ってつくられたものだが、明るいふんい気の好きな渋沢は、除幕式には、きげんよく出席した。

各界の名士が行儀よく居並ぶ中で、主催者の福沢桃介《ももすけ》があいさつした。

「……渋沢先生は福徳円満なお顔立ちだが、必ずしも美男ではない」

といったとき、

「ノー、ノー!」

と、大声で叫んだ男があった。当の渋沢栄一である。満場爆笑した。

桃介は苦笑しながら、渋沢に目礼して続けた。

「先生は気が若い。いまそのようにつけ足そうと思っていたところで……。こうして胸像にしてみますと、たしかに美男と申せましょう」

まる顔に太い鼻っ柱。下り目の眉《まゆ》。柔和な眼は、右がやや小さい。そして右の口もとに、ガンを手術したくぼみがある。

小肥《こぶと》りで上半身はがっしりしているが、足が短い。そのせいか、この自称「美男」は、ほとんど胸像ばかり残している。

胸像のひとつは、皇居前の赤煉瓦《れんが》づくりの美しい建物、日本の金融資本の中枢《ちゅうすう》ともいうべき銀行集会所二階ロビーに安置されている。最晩年の姿らしく、これはまことに福徳円満。翁《おきな》か媼《おうな》か、わからぬ顔、大黒さまを思わせる表情をしている。

そういえば、渋沢には「明けの大黒」というあだ名があった。

勝負ごとが好き。それも、いつもねばり勝ちである。徹夜して、みんながくたびれ、頭がもうろうとした夜明けごろになって力を発揮し、にこにこしながら、まき上げる。「明けの大黒」といわれたゆえんである。

若いころは、一週間ぶっ続けで花札もやった。幕末、最初に洋行するときに着た中古の燕尾服《えんびふく》は、賭碁《かけご》で手に入れたものであった。

この「明けの大黒」ぶりは、七十歳を過ぎても変らなかった。

四男である渋沢秀雄氏の回想によると、夜十時ごろ帰宅する渋沢は、孫ほども歳《とし》のちがう息子が学生仲間とトランプをやっているところへ、笑顔でやってくる。

「なかなか御精が出ますな」

などといって坐《すわ》りこむ。そのうちに、ポーカーなどおぼえて、仲間に加わった。金のやりとりをするわけでなく、記録の上での勝負だが、それでも熱を入れる。

夜ふけて十二時過ぎ、

「きりのよいところで、そろそろおやすみになりませんか」

と、兼子夫人(後妻)が顔を見せる。

「はい、はい、もうすぐおしまいだよ。構わんから、先におやすみなさい」

と、老子爵はうわのそらの返事。

一時、二時、三時……最初は老人の体を案じていた学生たちが、しだいに形勢が怪しくなる。逆に、老人は上り調子。

「まことに何ともはや御愁傷のいたりで……」

などと、にこにこ顔。夜がしらむ。老いたる「明けの大黒」のひとり相撲になってくる。

夜が明けきって、渋沢ははじめて我に返る。七時ごろには、もう訪問客がつめかけてくるのだ。

「さあ、さあ、さあ、さあ」

自分を叱《しか》りつけるようにして立上り、畳廊下にスリッパの音を立てて洗面台にいそぎ、羽織を着ると、そのまま客との応接に移って行く。

後には兼子夫人も花札をおぼえ、親子で徹夜して花札をたのしんだりした。

渋沢は、晩年まで精力的であった。老いることを知らないし、老いる気もない。一度、百何歳とかの老僧が居るときいて、大倉喜八郎と二人で招いて健康法をきくことにした。

ところが、講義にきた老僧は、二人の受講生が結構、高齢なのにおどろいた。ためしに三人の年齢を合計してみようということになったが、数が多過ぎて暗算ができない。ソロバンを持って来させて、ようやく二百七十七歳と答えの出たこともあった。

渋沢自身も百歳まで生きるつもりであった。

ある日、服部《はっとり》時計店の服部金太郎が将棋をさしているところへ、渋沢がにこにこしてやってきた。

「いまイタリヤの骨相学者に人相を見てもらいましたら、わたしは百七つまで生きるそうです」

服部は将棋の駒《こま》を投げ出して、立上った。

「そりゃたいへんだ。渋沢さんに百七つまで生きられちゃ、これからどれだけ寄付金の御用があるかわからない。将棋どころじゃありません。もっとかせがなくちゃ」

成功は社会のおかげ。成功者は社会に恩返しすべきだというのが、渋沢のそぼくだが強い信念であった。社会事業などには必ず応分の寄付をするとともに、世の成功者たちに呼びかけて寄付させるのも、渋沢が三十代からはじめて一生を貫いた仕事であった。

四男秀雄氏の伝える渋沢の言葉。

「金は働きのカスだ。機械を運転しているとカスがたまるように、人間もよく働いていれば、金がたまる」

「わたしが、もし一身一家の富むことばかり考えたら、三井や岩崎にも負けなかったろうよ。これは負けおしみではないぞ」

渋沢にはそれだけの能力があった。「負けおしみ」ではないことは、渋沢の事業歴が示している。

常盤橋公園の渋沢像は、渋沢の案じた通り、雨ざらしになっているひとつである。そこは大銀行やデパートをまわりに城壁のようにめぐらした都心の要《かなめ》の地である。日本銀行をふくめ、それら大銀行や大会社の多くは、何らかの形で生前の渋沢に関係があった。

日本銀行は総裁に迎えようとしたが、渋沢ははねつけた。大蔵大臣になることも、渋沢はことわった。井上馨《かおる》が総理になろうとするときであった。明治の元勲たちの中で、井上ひとりがまだ総理になっていなかった。伊藤博文、山県有朋《やまがたありとも》、松方正義らは、ぜひ井上内閣を発足させようとしたが、井上は、

「渋沢が大蔵大臣にならなければ、引受けぬ」

といった。元老や重臣たちは、入れ代り渋沢説得にのり出した。「きみがやれば、井上も総理になれるのだから」と。

だが、当時、第一銀行頭取だった渋沢は、この話をことわり続けた。理由は簡単であった。

「わたしは実業家で通す決心です」と。

かつて若くして大蔵次官を目前にする地位に進みながら、官尊民卑に反撥《はんぱつ》して野に下った渋沢であった。二度と政界官界へ足を入れぬと、自ら誓っていた。

渋沢の拒絶にあい、井上は組閣をあきらめ、ついに井上内閣は日の目を見ることはなかった。

だからといって、井上は渋沢をうらみはしなかった。

「もし失敗して退くようだと、末路に傷がつく。きみが引受けてくれなかったおかげで、その心配がなくなった」

これも負けおしみではなかったようで、井上はわざわざ渋沢を呼び、内閣流産祝の宴をはったのであった。

雨ざらしの像の中、渋沢に生きうつしという銅像は、飛鳥山《あすかやま》の旧渋沢邸跡に在る。下町を見下ろす台地のはずれで、木々が茂り、閑静なところだが、渋沢が死んだ日の翌朝、この庭の茂みの中に、一人の怪漢がひそんでいるのが発見された。

怪漢は、十一月の夜寒《よさむ》の中を、一晩中、戸外で正坐《せいざ》していた。

「ここで、かげながらお通夜《つや》させていただきました」と。

ある鉄工所の経営者であった。不幸な生れで、渋沢が院長をしていた養育院で育てられたが、渋沢は多忙な体なのに、名前だけの院長でなく、養育院のために骨折り、子供たちをかわいがった。その男には、親代りに思える人だったという。

渋沢の死は、経済界だけでなく、ひろく市民たちに惜しまれた。

青山斎場には、約四万という会葬者がつめかけ、このため告別式を一時間くり上げてはじめたが、焼香の列をさばききれず、式を打切るまでに延々三時間半もかかるという有様であった。

天皇からは、「高ク志シテ朝ニ立チ、遠ク慮《おもんぱか》リテ野ニ下リ、経済ニハ規画最モ先ンジ……」にはじまるかなり長い弔慰の御沙汰書《ごさたしょ》を受けた。中に「社会人の模範で、内外の仰ぎ見るに値する人物」という意味のお言葉もある。

「……渋沢翁《おう》は、我実業界の元老、大御所と称せられたが、しかしその足跡より之《これ》を見れば、まさに我社会的の元老であり大御所であつた。それだけ翁の存在は我国の在来の偉人の類型を脱したものであつた。吾等《われら》は今日の時代、翁の如《ごと》き人物のまた出《い》でんことを望んでやまぬが、その後継者たり得る人は誰《たれ》であらうか……」（東京日日新聞）

「……かならずしも短命といふべきでないに拘《かかは》らず、しかもその長逝《ちようせい》は、特に国家多難の今、痛惜の情に耐へないものである。思ふに、翁のごとく、真に一国民として、将《はた》また一市民として、その尽すべきを尽し、その果すべきを果し得るもの、世上幾人を算すべきであらうか……」（東京朝日新聞）

「……実業界隠退後に於《お》ける渋沢子爵は、日本国民中の元老であり、社会的に日本公民中の第一の代表者であつた。凡《およ》そ公共的性質を有する重なる事業に於《おい》て、子爵が、直接又は間接に其《その》指導者たり又は其援助者たらざるものはなかつた。九十余年の長き生涯の晩年を、最もよく社会公共の為《ため》に尽したる渋沢氏の如きは、他に全く其例を見ざる所にして、即《すなは》ち日本国民中の長老とし、日本公民中の第一代表者として、一代の尊敬を集めた所以《ゆゑん》である……」（時事新報）

といった風に、各新聞は最大級の讃辞をつらねて、渋沢の生前の功績をたたえた。

当時すでに「サラリーマン」という雑誌があった。かなり尖鋭《せんえい》な論調の雑誌だが、そうした雑誌にも、

「大きな人物の落つるのは寂しい。大きくして暖みのある人格の世を辞するのは限りなき愛惜だ。渋沢翁は明らかにブルジョアジイの一人であるが、その故《ゆゑ》に翁を憎むものは不思議にない。大衆はブルジョアジイに対して根深い反感を持つが、翁に対してだけは除外例だ。無産政党の人達でさへも『よき、をぢさん』と考へてゐるものが多い……」

といった書出しの追悼文が見られた。

短歌雑誌「アララギ」には、同様な立場の人のものと思われる歌がのった。

資本主義を罪悪視する我なれど
君が一代は尊く思ほゆ
これらのほめ言葉に対し、草葉の陰で渋沢は、苦笑しながら「ノー、ノー!」と叫んでいそうな気がする。

本郷真砂《まさご》町のいきな女性の住まいに、ときどき人力車で渋沢栄一に似た人物がやっ

てくる。

他の明治の元勲たちが妾《めかけ》を置くのなら、「どうせあいつらは、そういう人間なんだ」と問題にする気にもならぬが、それが渋沢では何となく勘弁できない。渋沢だけは、そんなことをするはずはないという気がする。もし渋沢なら、ひとつみんなで現場をつかまえて、冷やかしてやろうと、一高生たちが相談したエピソードが、大佛《おさらぎ》次郎『激流』に紹介されている。

一高生までも、渋沢を人格者として買いかぶっていた。

生前、渋沢は、

「わたしのしたことは、俯仰《ふぎよう》天地に恥じない」

そういってから首をすくめ、

「ただひとつだけ例外があるが」

と、弱々しくつけ足した。

日本女子大・東京女学館の創立に骨折り、一時は女子大の学長までつとめ、婦道を説いたりした渋沢としては、つい声も弱くなる。

「私の娯楽中には甚《はなは》だ宜《よろ》しくないものもある。私は屢々《しばしば》いふことであるけれども、彼《か》の維新前後に於ける社会秩序の混乱時代に身を処して来たので、周囲の境遇上悪いことの娯楽を覚えたのであつたが、若い時代の習慣はなかなかぬけ去らぬもので、今日までそれが、余弊を残してゐる」

とも書いている。

渋沢が社長をしている会社に突発事件が起り、部下が苦心して渋沢の妾宅《しょうたく》を捜し出し、訪ねて行ったことがある。

すると、女名前の家の中から、渋沢の大声が筒抜けにきこえてきた。

「かようなところに、渋沢のおるべき道理がありません。御用がおありなら、明朝宅のほうをおたずねくださいと申上げなさい」

自分で自分は居ないと声をはり上げるあたり、いかにも渋沢らしい。

こうした夫渋沢栄一について、兼子夫人は晩年、子供たちによくつぶやいていた。

「お父さんも論語とはうまいものを見つけなさったよ。あれが聖書だったら、てんで守れっこないものね」

渋沢は生涯、論語を愛し、論語の文献を集め、講読会を開き、儒教倫理を説いた。ただし、論語には、夫人の指摘する通り、女性に対する戒めはない。

渋沢は最後まで野人であった。伊藤、山県など下級武士上りの明治の元勲たちが、もっともらしい系図づくりに精を出し、「清和源氏の系譜はばかにくはしいくせに、有朋の曾祖父《そうそふ》になるともう名前が不詳で某と書かれてをり」（服部之総《しそう》著『明治の政治家たち』）などということをやっていたのに対し、渋沢は「武州血洗島《ちあらいじま》の一農夫」で押通した。

源氏の末らしいという者もあったが、

「こんなところへ流れてくるのだ。どうせろくな先祖ではない」

と、とり合わなかった。その「血洗島の一農夫」の昔にひきかえしてみよう。

祝《しゅう》　言《げん》

血洗島は、江戸から二十里、中仙道深谷《ふかや》宿からさらに北へ二里ほど入ったところに在る。

関東平野のふところ深く、ところどころ木立があるだけの広々とした農村で、遠く赤城、榛名《はるな》、妙義の山々や、晴れた日には浅間や日光の男体山《なんたいさん》も見渡せる。武蔵国《むさしのくに》というより、もはや上州に近い感じで、秋から冬にかけては、名物のからっ風も強い。

渋沢・尾高両家の祝言の日は、よく晴れたが、珍しく風のおだやかな、冬の好日であった。

山々の眺めもよかったはずだが、花嫁の千代には、ただ戸外がむやみと明るく、家の中が逆にひどく暗かったおぼえしかない。祝言に緊張しただけでなく、ひとつには、気分が悪かったためでもある。

その日朝早く髪結が来てからというもの、髪の支度や着付に時間がかかるばかりで、昼少し過ぎの祝言の時刻まで、千代は何ひとつ口にしなかった。また、食べる気もなくしていた。

家を出る直前、母がはじめて気づいたように、

「精が出るから、これをおのみ」

と、卵を二つ割り、茶碗《ちゃわん》に受けて出してくれた。千代はくすりと思ってのみこんできたのだが、それが、かえっていけなかった。

式に移って、三々九度の盃《さかずき》を受ける。盃はただ口をつけるだけでもよかったのに、千代は注がれただけはのまねばならぬと思いこみ、眼をつむって流しこんだ。

(これで、渋沢千代になった)

と思い、ほっとしたつもりのはずであったが、生理的には、よくなかった。からっぽの胃の中で生卵が黄色い眼をむいているところへ、冷たい酒を突っかけたため、胸がにわかに苦しくなった。

披露の座敷に坐《すわ》ってからも、気分の悪さに耐えることにけんめいで、まわりの話声も耳に入らなくなった。周囲のすべてが、暗く遠くなって行く。

千代は、うつむきながら、そっと下唇をかんだ。結婚とは、何も見えず聞えぬ暗い穴ぐらの中へ、こうしてずるずるひきこまれて行くことのような気がした。

「ねえさん、どうかした？　顔色がすぐれないよ」

いつの間に来たのか、弟の平九郎が、千代の背のところで、片膝《かたひざ》ついて声をかけてきた。

千代が物が言えないでいると、舅《しゅうと》になる市郎右衛門が、千代に眼を当てたまま、半ば励ますように言った。

「心配ない。厚化粧のせいだ」

千代は、夫になる渋沢栄一を斜めに見た。

だが、栄一は、千代の兄の尾高新五郎と酒をくみ交わしながら、話に夢中になっていた。自分の花嫁が隣に居るのも、忘れてしまっている。いや、まわりの客や、そこが祝言の席であることも、忘れかけている。

千代は少し口惜《くや》しくなった。

「あのう……」

と、千代はすがるように言った。

栄一はふり向いた。まる顔にやや下り目の眉《まゆ》。千代を見る眼はやさしかった。

「わたし、ちょっと席をはずさせていただきます」

「ああ、いいとも」

栄一は、屈託なく言った。千代の顔色など眼にとめてもいなかった。すぐまた新五郎との話に戻る。相変らず、江戸での動きや、水戸や長州の志士のことなど話合っているのであろう。

ロシヤの使いが品川に来たというし、江戸では井伊大老の審問がきびしく、多くの志士たちがとらえられたり、処刑されているという。こわい話、血なまぐさいうわさが、この武蔵国のはずれの血洗島村までも流れてきていた。

栄一に無視されても、千代はがっかりはしなかった。わたしは、まだ若い。わたしはわたし。妙な気づかいをされるより、夫には若者らしく、しゃんとしていてほしい。花婿《はなむこ》栄一は、十九歳、千代も十八歳。お互いに顔色を案じ合う歳《とし》ではない。

だが、そこまで考えて、千代には、ふっと、ひっかかるものがあった。

栄一は、家業である藍《あい》の商売や農業を手伝いながらも、新五郎などに師事して、まだ勉強中の身。いつかは江戸に遊学したいという希望を持っている。いわば、学生の身分である。

千代も勉強好きであった。男たちと同じように読書を教えてと、兄の新五郎にせがんだこともあった。

二人はいとこ同士であり、幼な馴染《なじみ》でもあった。お互いに相手がきらいではなかったが、といって、はげしく愛し合って、学生結婚に至ったというのではなかった。

この結婚には、思惑があった。それも、当人たちより、まわりの思惑があった。思惑があって、早く進められた結婚であった。

市郎右衛門には、栄一はたったひとりの男の子である。利発で働き者の息子だが、ひとつ心配なのは、栄一の関心が外に向き過ぎることであった。藍や田の作物だけを見ていてくれればいいのに、若い者同士集まって、政治の話をする。水戸や江戸から志士が来たからといって、話を聞きに行く。政道の批判をする。

そうしたことにだんだん熱が入って、家をおろそかにしてしまう不安があった。一人息子であるだけに、何とか栄一の眼を内に向け、家につなぎとめておきたい。それには、早く嫁を持たせておこうとの思惑あってのことであった。

早く嫁を持てば、男は気が変って家に落着く。たしかに、多くの若者について、それがいえた。ただ、千代は少しは栄一の気持がわかるだけに、果して思惑通りに行けるかどうかに自信が持てない。むずかしい結婚、気の重い結婚になりそうであった――。

千代は、暗い厠《かわや》へ行って吐いた。生卵と神酒《おみき》が出てしまうと、気分もすっきりした。

（さあ、しっかりしなくては）

千代は、花嫁姿の自分自身に言聞かせた。

「ねえさん、大丈夫かい」

手水鉢《ちょうずばち》のところで、平九郎が待っていた。体の大きいのに似合わず、心のやさしい弟であった。

千代の実家では、一度は母が家出するというさわぎもあったが、学者肌の長兄の新五郎といい、この弟といい、兄弟には恵まれた。ただ気がかりといえば、次兄の長七郎が、まるで雲と風に誘われるようにして、志士たちとともに流浪《るろう》していることである。嫁をとって落着かせなくてはならぬのは、栄一よりも、長七郎であった。

「ねえさん、何を考えている」

「長七郎兄さんのことを思って」

「栄一さんも言っていた。この祝言に長七郎さんに出てもらえぬのが、何より残念だと」

千代は一度はうなずいたが、

「でも、兄さんが出れば……」

長七郎は、このかいわいの若者の中で、いちばんの過激派であった。剣の腕も立つ。村の老人たちにして見れば、いちばんの危険人物であった。放浪の旅に出ているのが、むしろ幸い。めでたい席へはうっかり呼べない男と見られている。

「兄さん、どこに居るのかしら」

「江戸ではないようです。井伊大老の御詮議《ごせんぎ》がきびしゅうて、江戸には居《お》れまいということです」

「では……」

「ひょっとして村へ戻られるかも知れません」

「困るわ」

千代は思わずつぶやいた。長七郎が来ては、眠ろうとしている栄一の気持に火がつく。不安になった。長七郎の妹というより、早くも栄一の妻の立場になっていた。千代とても女。できれば、平穏な家庭を営みたい。外の嵐を呼びこむことはない。

千代のつぶやきが不満なのか、平九郎は顔をくもらせた。

千代は座敷に戻った。胸の中が軽くなったため、はじめて座敷の様子が目に見え、耳にきこえた。

千代の右手では、栄一と新五郎、それに、親戚《しんせき》の喜作といった若者たちが話しこんでいる。少年の平九郎も、座敷に戻ると、その話の輪のはずれに坐った。

話は相変らず政治のことらしかった。「水戸」とか「公儀」とかいう言葉がきこえてくる。中心の栄一は、まるい頰を桜色に染め、眼を輝かせていた。童顔なので、少年のようにさえ見える。ひとにすすめられれば、すぐにも刀を抱えてとび出して行きそうであった。

一方、千代の左手では、舅の市郎右衛門や渋沢本家の宗助といった老人たちが話合っていたが、そちらでは、話よりも酒がはずんでいた。

若者には若者の、老人には老人の世界がある。二つの群れ、二つの世界のそのまん中に、花嫁人形のように、千代ひとりぽつんと坐らされたかっこうであった。

男たちはそれぞれ別の世界に住み分ける気かも知れぬが、千代たち女は、二つの世界をつなぎ合わさなくてはならない。血気にはやる若者を、幼な妻の手で老人の世界につなぎとめねばならない。

利発な栄一が、そのことに気づかぬはずはない。それでいて、この早い結婚を承知したのには、栄一にも栄一の思惑あってのことであろう。その思惑とは、何なのか。

千代が栄一に探るような眼を向けるのと、ほとんど同時に、本家の宗助が声をはり上げた。

「栄一よ。おまえも、これでやっと一人前になるようだな」

あから顔の高い鼻。渋沢一族の長老を以《もつ》て任じている。

言葉には、毒があった。もともと、男は元服を過ぎれば一人前と見なされているはず。

「これまで一人前でなかったとでも」

すかさず、栄一が問返した。

「そうよ。おまえ、もう忘れたか。岡部の代官所へ伴うたときのことを。あのときのおまえのたわけた答弁。あれは、半人前の子供の答えじゃった」

座は静まった。若者たちも黙り、老人たちも黙った。しぜん、二つの群れが見合う形になった。

「もう、その話は……」

市郎右衛門が手をあげて、おろおろした。代官所の一件は、その場にはふさわしくない話題であった。

それより二年前の安政三年、領主安部摂津守《せつつのかみ》から、御用金調達につき近くの岡部の陣屋《じんや》へ出頭するよう命じてきた。市郎右衛門は病気のため出られず、代りに栄一が宗助ら二人と同道した。

村へ千五百両、栄一の家へは五百両の割当てであった。

「金子《きんす》入用につき申しつける」

代官は、頭ごなしに命令した。

すでに栄一の家だけでも、領主の先祖の法要だとか、姫さまの嫁入りだとかで二千両あまり調達している。形は貸付だが、実は召上げである。さらに五百両ほしいなら、他に口のきき方もあろう。

栄一は、腹が立った。

宗助たちは、

「ありがたくお受けします」

と平伏したが、栄一は顔を起したままであった。

「わたしは、御用の趣を承ってくるようにとの父の指図でまいりました。いちおう村に帰って父に話しました上で、あらためてお受けにまかり出ます」

百姓のせがれの口から思いがけぬ返事をきいて、代官はとまどった。この男ばかではないかと、あざける気にもなった。

「その方、いくつになるか」

「十七歳でございます」

「その歳なら、女あそびもするであろう。三百両や五百両、何でもない金ではないか。御用を足せば、身柄もよくなる、世間への面目も立つ。この場でお受けせよ。いったん帰ってなど、手ぬるいことは許さぬ」

代官は、おどしたり、ののしったりした。宗助たちもうろたえ、しきりに栄一の頭を下げさせようとする。

栄一は、ますます腹が立った。ただ同じ返事をくり返すだけ。ついには、後はどうなってもよい、代官めがけてなぐりかかろうという気にさえなった。

代官にしてみれば、御用金調達は、一応は相談という形をとるものの、命令と変りはない。その場で受けぬ者はなかったのに、栄一ひとり若いくせに言を左右にする。それに少しもおそれいったところがない。まことにふらち千万《せんばん》というわけであった。

「若者をこんな風に増長させるとは、村の年寄りどもはどういう料簡《りょうけん》なのか」

と、宗助たちは代官に叱られ、面目をつぶして村に帰った。

それからというもの、栄一は村の老人たちから、はっきり、要注意の若者と目されるようになった。逆に、若者たちの間では、「やはり、負けぬ気の栄一」と、評判が上った。

(大金をたのむ以上は、相当の扱いをすべきである。それを百姓だからとばかにするのは、不都合千万。さして教養のあると思えぬ代官が、あのようにいばるのは、幕府の政治向きが悪いせいであろう)

と、栄一自身も、政治に対して眼が開けた気がした。(いつかきっと代官を見返してやる)と、発奮して勉強するきっかけにもなった——。

「岡部の陣屋のことは、忘れてはいません。宗助どのは忘れても、わたしは一生忘れるものですか」

「半人前が身にしみたというのか」

「半人前のままの宗助どのたちこそ、あわれに思えたのです」

「これ、栄一」

と、あわてる市郎右衛門。

栄一は、黙って顔の向きを変えた。若者は若者でまた話の輪に戻った。

老人たちは、酒をあけに戻る。ばらばらである。かすかな風が座敷を吹きぬけた。

千代は相変らず花嫁人形のように動かずにいた。二つの群れの間で、動きがとれなくなっていた。

奥武蔵のこのあたり、風が強いだけでなく、気象のはげしい土地柄でもある。ただの米づくりだけでなく、野菜をつくり、蚕を飼い、藍玉をつくるなどという商いじみた仕事をするためもある。中仙道などの街道が走って、人々の流れに洗われているせいもある。

村と村、部落と部落、家と家とが、はり合っている。その村の中、家の中で、さらに若者と老人がはり合うようになって、村はとめどもなく解体して行きそうであった。

「千代」

耳もと近く、市郎右衛門の声がした。はじかれたように向直る千代に、

「箸《はし》をつけなさい」

市郎右衛門は、眼で膳部《ぜんぶ》を指していった。

「夜が長い。元気をつけておかにゃいかん」

「……はい」

「早く子供を産んでおくれ。何も心配はいらん。子供さえできれば……。話はそれからじゃ」

市郎右衛門は、身をのり出すようにして、ささやいた。

市郎右衛門は、ただの百姓ではない。学問があり、藍の商売にも長じている。渋沢

の家を立て直し、名主にまでなったひと。

そのりっぱな舅が、力をこめていってくれる。

「案ずることはない。早く子供を産んでくれればいいのじゃ」

暗くひんやりする穴の中に、千代には、ふいに赤ん坊が光り輝いて見える気がした。

赤ん坊が泣き、赤ん坊が笑えば、若い父親の栄一も、舅の市郎右衛門も、いっしょに声をそろえて笑うであろう。千代が苦労するまでもなく、赤ん坊の笑顔が栄一をひきとめてくれるかも知れない。

精をつけ、元気をつけるために、千代は箸をとった。

「そう、そう、その調子。少しでも、お腹《なか》にいれておきなさい」

銚子《ちょうし》の代りを運んできた千代の母やえが、畳ひとつ先から声をかけた。千代はうなずいたが、煮魚をひと口食べると、箸を置いた。やはり、食欲はない。

千代は、座敷の中を見渡した。

右手に栄一を中心に若い男たち、左手に宗助ら年輩者たち。その前を、女たちが酒や料理を運んで往来している。その女たちの中に、栄一の母えいの姿のないのが、気になった。

「母さん、お姑《かあ》さんは、どうされました」

やえは、小さく笑った。

「おえいさんは、また、いつものくせが出て」

「えっ」

「病みほうけのりんのところへ、ひと走りして、ごちそうの残りを届けてくると……」

舅の市郎右衛門がききとがめ、にがい顔をした。

「こんなときに出かけて、しようのない女だ」

「まあまあ御祝儀《ごしゅうぎ》のおすそわけなんですから。情を深くしておけば、きっとよいことがあると思ってのことなんでしょう」

やえが、とりなした。

近くの鹿島《かしま》神社の脇《わき》に、癩病《らいびょう》を病むりんという名の貧しい中年女が居た。医学知識の進んでいない当時のことである。不治の伝染病だというので、誰もがこわがって避けているのに、渋沢えいだけが、平気で親しくつき合っていた。

市郎右衛門に叱《しか》られても、「お医者さまは、うつらぬといいなさった」と、出かけて行く。村人たちは、そうしたえいを、まるで白痴のようだと、あきれて眺め、いまにうつされるぞとうわさし合っていた。

やえが千代ににじり寄った。

「お姑さんがどうであろうと、おまえは病みほうけのりんに近づくのではないよ」

「でも……」

「おまえひとりのことではない。おまえの産む赤子にかかわってくることだからね」

千代は答えなかった。

姑《しゆうとめ》が親切にしようというのに、嫁が遠ざかっていられるだろうか。だが、舅《しゆうと》が反対し、いつか産む子供にさしさわりが出てきても困る。

それにしても、えいのひとの良さが、うらめしくもあった。そのひとの良さは、栄一の中にも受けつがれているはずである。市郎右衛門と栄一とえい。近所の人間ひとりのあしらいについても意見のちがう中で、嫁としてどうふるまえばよいのであろうか。

酒がきいてきたのか、老人たちが祝いのうたをうたいはじめた。

「あらめでた、めでたやな……」

手拍子をとり、ゆっくりとうたう。

そのうたごえの中で、やえが、さらに一膝《ひざ》、千代に近づいた。千代の眼をまっすぐに見、押殺した声でいった。

「千代、嫁いだ以上は、もうどんなことがあっても、この家を出てはいかんよ」

そういってから、眉《まゆ》の間のしわを深め、

「わたしにこんなことをいう資格はないかも知れんが、わたしがぶざまな思いをしただけに、おまえにたのむんだよ」

やえは、新五郎の方に眼をやり、

「ほんとに、あのとき新五郎が来てくれなかったら、いまごろわたしはどうなっていただろうね。おまえたちにも、どんな思いをさせていたことだろう」

「もういいのよ。忘れたことだわ。わたしの五つのときのことだもの」

家と家とがはり合って生きる土地柄。尾高の家とやえの実家とがはり合った。財力は、やえの実家の方が上であった。このため、尾高の家の老人たちは、何かにつけて、やえをにくみ、いじめた。

やえには、新五郎はじめ四人の子供がいたが、ついに居たたまれず、実家へ逃げ帰った。

千代たち幼い子供の悲しみをよそに、両家の老人たちはにらみ合ったままであった。そうしたとき、まだ十六歳の新五郎がひとりでやえの実家に出向いた。「もう覚悟して出てきたことだから」というやえに、新五郎は、子は可愛《かわい》くないのか、我意のために子をすてるのが母親の道かと、いましめ、また、このままでは妹や弟は泣死にすると、情に訴えた。

やえはその言葉に負け、息子に伴われて尾高の家へ詫《わ》びをいれて戻ったのであった。

新五郎は、近在いちばんの孝行息子といわれるようになった――。

やえと千代は、申合せたように、新五郎を見た。

新五郎、栄一、喜作……。老人たちのうたをよそに、三人は相変らず夢中になって話しこんでいる。栄一にしても孝行息子という評判なのだが、そうした孝行息子たちを落着かなくさせる時代の風が吹いてきている。

何がおかしいのか、若者たちのはずれにちょこんと正坐《せいざ》していた年少の平九郎が、声を立てて笑った。その眼だけが、兄たちに負けずに熱っぽい。

「ここに長七郎が居たらねえ」

と、やえ。やえにしてみれば、子供全部がそろうということだが、千代は長七郎の加わるのがこわい。黙ったまま聞流していた。

老人たちの祝いうたが終った。すかさず、若者の中から栄一が立上った。

「ありがとうございました。それでは、お返しにひとつ」

若者たちが手をたたき、老人たちはひきずられるように、まばらな拍手をした。

栄一は、座敷の中央へ滑り出ると、腰に手を当てた。

ほんとうなら、若者たちの誰かが祝いうたをうたうべきなのだが、花婿が先頭を切る。そこが、いかにも栄一らしい。千代は、たのもしく、また恥ずかしいような気持で、栄一を見上げた。

栄一は、ひとつ深呼吸してから、高い声で吟じはじめた。

「雄気堂々、斗牛を貫く……」

栄一の好きな詩。千代も何度かきいたことがある。

宗助が赤い鼻をふくらませて、つぶやいた。

「百姓のくせして、お武家のせがれのような気でいる」

そのとき、玄関で叫び声が起った。同時に、荒い足音が座敷に向ってくる。

「長七郎さん」

追いすがる女たちの声を後ろに、総髪《そうはつ》長身の男が、黒いつむじ風のように、座敷にとびこんできた。野袴《のばかま》に無反《むぞり》の大刀。異様な風体であった。祝言の席だけに、よけい、その異様さが目立った。老人たちは、顔をしかめた。

「長七郎、おまえ、よく……」

やえが走り寄る。千代も、お兄さんと叫びたいのをこらえた。

何カ月ぶりであろう。長七郎は、またひとまわり、たくましくなった感じであった。ややつり上った太い眉と眼。がっしりした口もと。その顔に、総髪がよく似合った。

「やれやれ、今度こそ、お武家のせがれが、とびこんできたわい」

宗助が吐き出すようにいう。老人たちの表情は、一様にこわばった。ようやくその空気に気づいたやえが、長七郎をたしなめるように、

「おまえ、どうして、いきなり……」

「祝いにきたのじゃ」

口調まで侍らしくなった長七郎に、宗助が浴びせかけた。

「そうではあるまい。大老さまの検察がこおうて、臆病風《おくびょうかぜ》に吹かれて村に逃げ戻ったのじゃ。いっそ、とっとと、赤城か、榛名の山奥へでも逃げこむがよい」

「いや、わたしは、しばらく村にわらじをぬぎます」

長七郎は、若者の輪を見る。

若者たちは大きくうなずき、栄一は自分の横に席をつくって長七郎を呼入れた。

招かれざる客ではあったが、花嫁の兄であり、花婿《はなむこ》がそうして迎え入れた以上、追立てるわけにも行かない。

長七郎は、どっかとあぐらをかいた。運ばれてきた酒を勢いよくのみ、しゃべり出

した。

「幕府のすることは無茶苦茶だ。水戸への勅諚《ちよくじよう》は、とりつぶす。憂国の同志たちを次々ととらえて処刑する。勝手に通商を開いたため、品物はどんどん海の外へ出て行って、物価は高うなる。毛唐《けとう》どもは横浜で大うかれ。それに比べて……」

たまりかねたように、宗助が手をあげた。

「長七郎、黙らぬか。おまえは、演説をしに戻ってきたのか」

「お祝いです。天下の形勢を知らせるのが、花婿への何よりの祝いになる。そうじゃろう、栄一君」

栄一は大きくうなずいた。そういう長七郎を、うっとりと見つめる。千代は、不吉なものを感じた。兄さん出て行って、と叫びたくなる。

「困ったやつじゃ」

宗助のつぶやきを、長七郎はにっこり笑って受けた。

「そうそう、困ったといえば、このごろ江戸で流行の困りもの一ツトセぶし。これをお祝い代りに御披露しよう」

長七郎は、胸をそらせて立上った。その名の通り六尺近い長身、総髪が黒ずんだ梁《はり》につかえそうである。

長七郎は、左手を刀の柄《つか》に、右手で拍子をとって、うたい出した。

「一ットセ、ひろい日本ばかにして、あめりか毛唐人がはたりきて、この困りもの。

二ットセ……」

若者たちが熱っぽい眼で見上げる。

「三ットセ、みなさんいうのにちがえなし、横浜できたが世のつまり、この困りもの」

千代は、救いを求めるように、長兄の新五郎を見た。若者たちの中では最年長、彼等の学問の師である新五郎ならと思ったのだが、その新五郎まで、いかにも満足そうな眼で、長七郎のうたうのを見上げている。

「五ットセ、いつまで交易いたすのか、日ましに諸色《しょしき》も値が上る、この困りもの」

長七郎は、村の若者たちの夢をになって生きている男であった。

もともと、長七郎を遊学に出したのは、長兄の新五郎であった。世の中は、ゆれ動こうとしている。これからの若者は、村にとじこもってばかりは居られない。学問するにしても、四書五経だけを読んでいるのでは、時代にとり残される。江戸や諸国の風に触れ、生きた学問をしなくてはだめだと、まわりを説き、旅費を工面して送り出した。

当の新五郎自身がそうした渇きを感じたのだが、孝行息子であるために家にとどまり、その夢を弟長七郎に託した。いまその夢が、期待通りに大きく成長して戻ってきたのだ。

若者たちがききしびれる中で、長七郎はうたい続けた。

「八ツトセ、やがて見しゃんせ、この国が、だんだんづまりにつまるだろ、この困りもの。九ツトセ、このままてをおく事ならば、そろそろ謀反《むほん》も起ります、この困りもの」

「長七郎、言葉を慎め」

宗助が立上って、叱った。おまえこそ、すておくわけに行かぬ、という形相《ぎょうそう》であった。老人たちの何人かも立上った。

長七郎は、逆に、腰を下ろして、あぐらをかいた。うすく笑って、

「はてさて、何が気にさわりました」

「そのうただ。謀反も起るとは何事じゃ」

宗助がどなった。

長七郎は、すまして答えた。

「これは、江戸でのはやりうたでございます」

「うそをいえ。そんなうたのことは、きいてはおらんわ」

「心ある者だけがうたって居るうたでございます。心なき者の耳にはきこえぬうた」

長七郎は、そういって、にやりと笑い、

「それにしても、困りもののうたに困られるとは、それこそ困りもの」

若者たちの間から笑いが漏れる。

宗助は、怒りで次の言葉が出ない。拳《こぶし》をにぎりしめて、ふるわせている。

「長七郎、宗助さまに何を……」

やえがおろおろし出すのを見て、その拳をやえにつきつけた。

「親が益体《やくたい》もないから、こんな子ができる」

長七郎の表情が変った。笑いが消え、眼がすわる。

「宗助どの、もう一度、いまの言葉をおきかせ下さい」

宗助は首を横に振った。

「もうよい。おぬしらと話すことはない」

そういうと、老人や女たちに向直った。

「さあ、お開きじゃ、お開きじゃ」

いいながら、玄関の方へ歩いて行く。客たちも、いっせいに腰を上げた。

冬の日は短い。戸外にも、すでにうすく闇《やみ》が下りはじめていた。

老人たちに続いて、若者たちも立去った。ただ、栄一まで尾高兄弟について、いっしょに出て行ってしまった。尾高家は、隣の手計《てばか》村。その村境まで送ってくるといって。

女たちは、台所で跡かたづけにかかった。千代も花嫁衣裳《いしょう》をぬぎ、すばやくふだん着に着替えて、女たちの仲間に加わった。

「お嫁さんはいいよ。休んでなさい」

「そうとも。千代には、今夜はたいへんな夜なべ仕事が残っている」

女たちがひやかす中で、千代は赤くなりながら、洗いものを手伝った。花婿の栄一が出て行ってしまった以上、千代ひとり人形然と坐《すわ》っているわけにも行かない。女たちの中に居た方が、いっそ気楽であった。

舅の市郎右衛門も、藍倉《あいぐら》をひと廻りしてきてから、座敷に行灯《あんどん》をともし、帳簿に眼を通しはじめた。

田舎の生活はきびしい。祝言の日だからといって、一日として生活の営みを停止するわけには行かない。

少々まがぬけていたのは、姑のえいである。

「りんがたいそうよろこんでのう」

と、にこにこしながら戻ってきたが、すでに客が帰ってしまったときいて、眼をまるくする。

えいの声をききつけて、市郎右衛門が台所へ顔を出した。

「えい、いいかげんにしろ。今日はどういう日だと思っているんだ」

「……すみません」

えいは、小さくなり、首をすくめた。

すなおにあやまられて、市郎右衛門は拍子ぬけし、

「だめだぞ、おまえ」

吐きすてるようにいうと、座敷へ戻った。

「ごめんなさい、ごめんなさい」

えいは、夢からさめたように、女たちに頭を下げ、いそいで洗いものの仲間に加わった。

「ほんとに、おえいさんは鉄砲玉だからね」

「相変らず、おえいの羽織なのよ」

女たちのつぶやきにも、えいは、はい、はい、とうなずく。千代は、横目で見なが

ら、かわいいお姑さんだと思った。

まだ栄一が子供のころ、えいは風が出ると、きまって栄一の羽織をかかえて、遊び先へかけつけた。「栄一はいませんか」とたずねながら、田んぼの中の一本道を子供の羽織を抱えて走るえいの姿は、村の名物になり、「おえいの羽織」と笑われた。

からっ風の本場である。風が出たからと、子供に羽織を着せに走る女はいないし、そのために風邪をひくような子供もいない。そうした中で、えいだけが、わき目もふらずに羽織をかかえて突っ走った。

それは、一人息子だから溺愛《できあい》するというより、えいには、病みほうけのりんとのつき合いに見られるように、ひとり、ばかのように思いこんでしまう一面があった。どこかが抜けている。それは、ひとをいらいらさせもしたが、また、えいを可愛く、大きな女に見せもした。

一刻《いっとき》ほど後に、台所のかたづけも終った。まだ、栄一は戻らない。

「困った婿《むこ》さんだよ。ひとつ、渋沢千代の困りぶしでもつくるか」

「尾高の梁山泊《りょうざんぱく》にのまれてしまったんよ。長七郎も戻ったことだしね。何だかこわいよ、あの男」

女たちは、またひとしきりしゃべってから、帰って行った。

市郎右衛門とえいが座敷にひきこもり、千代は若夫婦の寝所に当てられた部屋で、寒々とした行灯の灯を相手に、栄一の帰りを待った。

女たちがいった通り、栄一は、村境で見送るどころか、隣村の尾高の家へ行って話しこんでいるのであろう。そこの二階の屋根裏で、新五郎は若者たちに漢学を教え、また、政道を憂《うれ》えて、毎夜のように若者たちと議論し合っている。新五郎、長七郎、喜作、栄一ら、行灯を囲んで話に夢中になっている若者たちの顔が、千代には眼に見えるようであった。

それに、尾高の家は、千代には、昨日まで暮していた懐《なつ》かしい我が家である。そう思うと千代は、自分もとんで帰りたいような、せつない気分になってきた。

四角四面

新しい年（安政六年・一八五九年）が明けて間もなく、祝言《しゅうげん》に使ったのと同じ渋沢家の座敷に、別の顔ぶれの客が集まった。

市郎右衛門に藍葉《あいば》を売っている近郷近在の藍づくりの農家の主《あるじ》たちで、毎年新春に、市郎右衛門がその主《おも》だった人たちを、ごちそうに招くしきたりであった。

ただ、その年は、少し勝手がちがった。

座敷の入口に栄一が控えていて、何か帳面を見ながら、一人一人、席に案内する。年長者を上座に、自然にできていた席順とはちがい、例年きまって下座に坐《すわ》っていた若い男を、いきなり床の間を背にした座ぶとんのところへ連れて行ったりする。

「栄一さん、困るよ。わしをこんなところへ……」

めんくらった男に、栄一は、座ぶとんの前にある「横綱」と書かれた札を指す。

「これでいいのです。あなたは昨年は横綱の成績です」

「なんだって」

「あなたのつくった藍葉の質は、最上等でした。今日は座興に、藍葉の出来ぐあいの順序に番付をつくってみたのです」

座ぶとんの前には、「横綱」「大関」から「十両」に至るまでの札が並んでいる。

「こりゃおもしろい」という男もあれば、「どうして、うちのが十両なんだ」と、からむ男も出る。すると栄一は、待構えていたように、帳面を見ながら、「下葉があがっていた」とか「肥料が少なく、光沢がなかった」とか、説明し出した。

男がいい返せば、栄一もさらに意見をいう。まわりの男も誘いこまれて口をはさむ。改良するにはこうして、いや、ああすればいいと、次々に議論がはずんで、酒の入る前から、座敷には活気がみなぎった。例年なら、ぽつりぽつりと世間話をしているはずなのに、衆智《しゅうち》を集めての勉強会を開いた形になった。

負けぬ気の強い土地柄である。いまいましく思うことがあっても、一方では、(よし、来年こそは)と、内心で発奮する。みんなが前向きになるので、議論も空転しない。栄一のねらった通りのふんい気となった。

いいかげん座の空気が熱くなったところで、市郎右衛門が出て、

「当地の藍を阿波《あわ》の藍に負けぬ日本一の藍にいたしたいと思いましてな」

と、決意とも弁明ともつかぬあいさつをした。

男たちは、一様にうなずいた。家と家とのはり合いに加えて、男たちは、土地全体として、他国への競争心を燃やした。

市郎右衛門はほっとして、栄一の顔を見た。栄一は得意そうに、ただえまるい顔をなおまるくする。

えいと千代、それに二人ばかり近所の手伝いの女が、手分けして酒を運んできた。千代は、かたくなっていた。はじめて見る栄一の嫁に、客たちの視線が集中してくるのを覚悟して。

だが、客たちは、まだ、藍づくりの話に気をとられていた。横を向いてしゃべりな

がら、銚子《ちょうし》を受けとる男もいる。

千代も、ほっとした。二重にほっとする思いでもあった。

はじめ栄一がその思いつきをいい出したとき、市郎右衛門は、「なるほど」というなずきながらも、すぐには賛成しなかった。よい思いつきだが、何となく才気走った感じがある。大人をなめた小細工に思われ、客の反感を買うことになりはしないか。

市郎右衛門と栄一は、幾晩も議論し合った。えいと千代とは、そのやり合う声をききながら、黙って繕いものの針を運んだ。最後に市郎右衛門は、栄一の思い通りにやらせてみることにした。その意味では、千代としては、ぜひうまく行ってほしいその日の寄合いであった。

藍づくりの話の他に、栄一をほめる声がきこえた。

「栄一さんには、子供のころから感心させられたものじゃ」

栄一が十四歳のとき、祖父について藍葉の仕入れの旅に出た。商売見習いのためだが、祖父の買付けぶりが、栄一にはもどかしかった。中途で祖父をいくるめて宿に残し、栄一は胴巻に金子をいれて腰に結び、見知らぬ村々へたずねて行った。どの農家も、子供だからばかにして、相手になってくれない。だが、栄一は頓着《とんちゃく》しなかった。

「これは、肥料に〆粕《しめかす》をつかっていない」

「乾燥が不十分だ」

「茎の切り方がよくない」

などと、次々に批評した。

子供のころから、市郎右衛門のやることをよく見ていたので、ひと通りの目ができ、批評の言葉も知っていた。

藍づくりたちは、栄一を見直した。

「いや、妙な子供がきたとびっくりして。珍しさもあって、売ったものだったな」

「妙などころか、とびきり上等の跡つぎができて、市郎右衛門さんも満足だろうのう」

市郎右衛門は、微笑しながら、そのほめ言葉を受けた。

ときどき、眼を栄一に向けてみる。

栄一は、次々と相手を変えながら、話しこんでいた。もちろん、「幕府」とか「水戸」とかの話ではない。新五郎たちと話していたのとはまるで別の話題に興じている。それも、生き生きした表情で話しこんでいた。

ただ、市郎右衛門は、手ばなしでよろこびはしなかった。

ほめ言葉はありがたいが、そのため栄一が、こんな仕事はとるに足りぬと、慢心を起してくれては困る。市郎右衛門がいちばん気にしているのは、栄一が家業に落着いてくれるかどうかということである。栄一の思いつきに最後に賛成したのも、それが成功しそうだと見たためではなく、思い通りにやらせた方が、家業に身をいれさせることになると思ったからであった。

よきにつけ悪《あ》しきにつけ、眼のはなせない息子なのだ。

「どうしたら、こんな息子ができるかのう」

「早くから、読書、撃剣、習字をさせたというな」

「百姓町人にはもったいない。侍にでもするつもりだったのかい」

客たちの声に、市郎右衛門はかぶりをふった。

市郎右衛門が栄一に読書などをやらせたのは、これからは百姓町人といっても、ある程度の学問がなくてはならぬ、と思ったからである。市郎右衛門自身、四書五経を読み、字もよくし、詩や俳諧《はいかい》をつくる風流心もある。いま若者たちの師である尾高新五郎に読書の手ほどきをしたのも、市郎右衛門であった。

だが、学問をはじめると、栄一は夢中になった。朝から夜まで本を読んでいる。このため市郎右衛門は、日ならずして、栄一に文句をいわねばならなくなった。

「昼も夜も読書三昧《ざんまい》では困る。書物を読んだといって、儒者になる所存でもあるまい。そうであれば、一通り文義の会得《えとく》ができさえすれば、それでよい。後は追い追いに心を用いて、生涯勉強するようにすればよい」

栄一は、すなおに市郎右衛門の言葉に従った。栄一が藍の買付けや畑仕事に精を出すようになったのは、それからであった。

栄一は、父親に逆らいはしなかったが、しかし、「追い追い心を用いて勉強する」こともやめなかった。そのあげく、国事に関心を持つようになっている。

栄一は、陽気な性格である。その日の寄合いにしてもそうだが、とにかく何でもやってみる、ためしてみるという性質である。失敗してもともとというより、やってみなければ何もはじまらぬというところがある。市郎右衛門のすすめ通りに早く嫁を迎えたのも、そうした気配からであった。結婚してどうしようというより、千代にはあわれだが、結婚してみた上で次の手を考えようという恰好《かっこう》であった。

その辺の行動性が、市郎右衛門には好ましくもあり、不安にもなる。なるほど世間の目には、よくできた孝行息子にも見えよう。だが、親としては、どこかかんじんなところが、つかめていない気がする。たとえば、若者たちといっしょになって国事を論じて夢中になっている栄一と、いま眼前に見るように、藍づくりの話に打ちこんでいる栄一と、いったい、どちらが本気だろうと思う。栄一にきくのもこわいし、また、栄一のことなら、「どちらも本気だ」というかも知れない。

その辺のところがつかめていなくて、何が孝行息子だと思う。

酒が廻り、話がはずんできた。逆に市郎右衛門は気がふさいできた。空洞《くうどう》をかかえているのに、いちばん幸せなひとのように見られているのが、いまいましい。栄一を見る気をなくした。栄一のことを、耳にしたくもない。千代はどうしたのか。目を上げると、台所へ戻ったのか、千代の姿はなかった。

市郎右衛門は腰を上げ、さりげなく台所をのぞいて見た。酒のかんをしている千代の向うで、えいがあわてて何かかくした。

市郎右衛門は、えいを見とがめた。すぐ頭に浮ぶものがあった。

「えい、今日は病みほうけのりんのところへ行ってはならんぞ」

「でも、残りのものが……」

「はじめから人数はわかっている。残りものの出るはずはない。残るとすれば、おまえの落度だ」

「…………」

「残ったのではなく、残したのであろう」

「いえ……」

市郎右衛門は、たたみかけた。

「たとえ沢庵《たくあん》のくさったものでも、やってはならぬ。それに、もし腹でもこわされたら、どうする」

「でも、りんはくさった沢庵さえ、思うように手にできぬ女でございます」

えいはえいで、何としてでも持って行く気になっている。

市郎右衛門は、千代の前で、そうしたことでやり合うのに耐えられなくなった。

「ならぬ。やってはならぬぞ」

もう一度気色ばんでいってから、ふいと千代に向き直った。

「千代も、ききなさい。男が細かいことをいう、渋沢家の分限にも似合わぬと、おぬしも思うかも知れぬが、貴賤《きせん》貧富の別なく、人間には物事のけじめが肝要だ。最初のところをおろそかにすると、万事に気がゆるむことになる。ずるずると、奢侈《しやし》の気持がひろがって行く。こういうのを、奢侈の漸《ぜん》というのじゃ」

「でも、これは……」

口をはさもうとするえいを、市郎右衛門はにらみつけた。

「わしは、恵むのが悪いというのではない。それはそれとして、微を防ぎ、漸を杜《ふさ》ぐ心構えが必要。その心構えなくしては、家は保てんと申すのじゃ」

　市郎右衛門はそういうと、背を向け、座敷へ戻って行った。

　えいが、いたずらっぽく首をすくめた。

「またお得意の説教よ。いつか栄一が江戸へ出たとき、硯箱《すずりばこ》を求めてきた。それまでのがこわれたので、父上にことわって買ってきたのだが、それが桐《きり》の硯箱だったというので、たいそうなおかんむりじゃ。わしはおまえを見限ったと、三日も四日も申され続けた。ほんに栄一がかわいそうじゃった」

　千代は胸の中でつぶやいてみた。

（奢侈の漸）

（微を防ぎ、漸を杜ぐ）

　かみしめている中《うち》、その意味がのみこめてきそうであったし、夫を理解する手がかりにもなりそうであった。市郎右衛門にそんな風にしつけられた栄一には、えいの人情深さと並んで、別の何かがあるはずである。

「むずかしい方じゃ。慈悲心はおありのくせにのう」

　えいは思い出したように溜息《ためいき》をつき、

「さて、どうしたものかのう」

皿に分けて残してある料理を未練そうに見つめる。

相談されても、千代には答えようがない。ただ黙っていると、おえいは突風のようにかけ出して行きそうであった。「おえいの羽織」になりかねない。そのとき、自分はどうすればよいのか。

千代は、酒のかんをつけながら、えいの様子をうかがった。

座敷はにぎやかで、屈託のない栄一の声もきこえてくる。ここで、えいが病みほうけのりんのところへ行こうが行くまいが、たいしたことではないと思えるのだが、市郎右衛門に「奢侈の漸」とか「微を防ぎ、漸を杜ぐ」などときかされた後だけに、放ってもおけない。

一月あまり暮してみて、千代には、舅《しゅうと》市郎右衛門のきちょうめんな性格が、よくわかった。例外を許さない。硯箱ひとつのことで、「おまえを見限った」と、三日も四日もいいそうなところが、たしかにあった。

市郎右衛門は、養子の身である。農業だけでなく藍の商売を手びろくはじめ、渋沢の家を立て直した。よくできたひとであり、それだけに、節倹について、家の者にきびしい。

それに比べれば、実家の尾高家はのびのびしていた。油や雑貨を商ってはいるが、近在の客のたまり場のようになっている。梁山泊《りょうざんぱく》といわれるほど、若い人たちも集まる。撃剣にこり出すと、鹿島神社の脇《わき》に道場をつくったりするなど、むしろ渋沢家とは逆に、分不相応に金をつかうこともあった。

千代には、そうした実家が、ふっと懐《なつ》かしくなる。そして、あらためて自分が嫁の立場に在ることを思った。この家では、とにかく、まず、「微を防ぎ、漸を杜ぐ」ことを心がけなくてはならない。

玄関先で、栄一を呼ぶききおぼえのある声がした。

千代が出てみると、若者仲間の喜作であった。二歳年長で栄一の従兄《いとこ》に当る。角ばった長い顔。寒風に鼻の先を赤くし、息をはずませている。

「道場の一大事じゃ。江戸から二人連れの道場破りがやってきた」

「でも、それは毎度のことではありませんか」

「ちがう。いつものは、草鞋《わらじ》銭かせぎか、一泊めあての修業者じゃ。あの連中なら、わしや栄一でも相手になれる。だが、今日来たのは、正真正銘の道場破りじゃ」

「…………」

「江戸神田お玉ヶ池の千葉道場の真田《さなだ》範之助ほか一名。栄一も知っているが、真田は北辰《ほくしん》一刀流の剛の者。この北関東一円で、真田のため、いくつかの道場主はたたき伏せられ、看板は持去られ、夜逃げした師範もある」

「そのひとに誰《たれ》が……」

「新五郎殿、いや、長七郎さんが勝負されよう。長七郎さんが居《お》られて、まだしも幸いだった」

「長七兄さんなら、大丈夫でしょうか」

「さあ……。それより早く栄一を。二度とは見られぬ勝負、道場が残るか残らぬかの勝負じゃ」

背のびしながら、催促する。勝負ごとが好き、それに、少しあわて者の喜作である。栄一とは、いちばん気の合う仲間であった。

千代は、台所に寄って銚子を持ち、座敷へ入った。栄一に近づいて、耳うちする。

栄一は、はずむようにうなずき、すぐ玄関に出て行ったが、戻ってくると、市郎右衛門に中座の許しを求めた。

市郎右衛門は、一度はしぶい顔をした。商売熱心な孝行息子に裏切られた気がした。(この息子、まだまだ落着かない)と、不安にもなり、舌打ちしたい気分でもあった。

ただ、寄合いは順調に進んで、後は自然にお開きになるばかりになっていた。ことさら栄一をひきとめておく必要もなかった。あやしげな志士の話をききに行くわけではない。撃剣の試合を見に行くだけのことだから、と市郎右衛門は自分自身にいいきかせ、栄一の外出を許した。

「ちょっと行ってくる」

栄一が台所をのぞき、千代に声をかけた。

ちょうどそのとき、勝手口が音もなく開いて、人影が立った。

その姿を最初に見た栄一が、あっ、と叫び声をあげた。ふり返った千代も、続いて叫び声を立てた。

髪はまばら、鼻はそげ、片眼のつぶれた中年女が、戸にもたれるようにして立っていた。千代は、幽霊でも現われたのかと思った。

「りん、おまえ、どうして……」

えいが、おどろいて近寄る。

病みほうけのりんは、ぼろぼろの着物の懐《ふとこ》ろから、笹《ささ》の葉の包みをさし出した。

「これを召上ってもらいてえと思いまして」

笹葉の下から、大福餅《もち》がのぞいて見えた。

「どういうことなんだい」

と、えい。

「正月に、米だの小豆だの、いろいろもらいましただ。いつも親切にして下さるおかみさんに、せめてものお返しがしたいと思って、りんがいっしょうけんめいつくって持ってきたんです」

りんは、よろけるようにしながら、包みをえいの胸もとに突きつけた。

「まずいでしょうが、どうぞ召上って下せえ。りんには、もう二度とつくれねえ餅でごぜえます」

「そうかい、そうかい」

栄一と千代が身をかたくしている中で、えいは包みを受けとった。

「貧しいおまえが……。ありがたく、いただかせてもらうよ」

えいは、濡《ぬ》れていた手を前掛で拭《ふ》いた。

「母上！」

「おかあさん！」

栄一と千代が同時に叫んだ。

病菌のかたまりのような餅。持ってくるりんも非常識だが、さらりとして何の警戒心を持とうとしないえいにも、あきれた。眼が見えない。「おえいの羽織」になっている。

えいは大福をつまみ、ほおばった。

「うん、うん」

と、うまそうに眼を細めてうなずいている。

りんは元気を得た。千代に向い、

「どうぞ、お食べなすって」

千代は当惑した。自分ひとりのことなら、目をつむっても食べよう。「おえいの羽織」の二代目にもなろう。ただ千代には、栄一の子供を産むという未来がある。病菌がうつるようなことになっては困る。

千代は救いを求めるように栄一の顔を見た。

千代の視線を見た病みほうけのりんは、

「若旦那《だんな》も、どうぞ」

と、栄一に向っても、すすめ出した。

大福をつきつけられ、栄一も棒立ちになった。そうしたりんを、えいは別にとめようともしない。

千代と栄一を救ったのは、市郎右衛門であった。

「酒がきれたぞ」

と顔を出し、りんを見て、ぎくりとした。

えいが、りんの来意を告げる。市郎右衛門は顔をしかめながらも、りんに向っては、

「このごろ、加減はどうじゃ」

「ありがとうございます。御親切にしていただきまして。もう、りんはいつ死んでも……」

「元気を出せ。その中に、きっと妙薬が見つかるぞ」

市郎右衛門は、そういってから、栄一に向い、

「栄一、早く行かんか」

続いて千代に、

「千代は酒を座敷へ」

待ちかねていた喜作とともに、栄一は冬がれた畠《はたけ》の中の道を、道場へ向った。正面に、赤城が白金色に光って見える。吹きさらしの風は、強かった。二人は、風に送られ、小走りに道を急いだ。

「おどろいたぞ。病みほうけのりんが、きたではないか」

と、歩きながら喜作。

「おれだって、おどろいた」

と、栄一。

「おぬしの母者は変っているのう」

「うん」

「おぬしも、やがて、そうなるのかのう」

喜作が、半分はからかい、半分は心配して、栄一の顔をのぞきこむ。栄一は苦笑しながら、胸をそらせた。

「一人の病みほうけのりんを救うより、病みほうけの日本を救いたいな」

「同感じゃ」

青年の客気というだけでなく、暗い家から外に出た一種の解放感のいわせる言葉でもあった。

冷たいが、外の空気はうまかった。

「雄気堂々、斗牛を貫く……」

栄一が口ずさむと、喜作も和した。百舌《もず》が、けたたましくなきながら、とび立つ。

栄一は、気分の転換がはやい。うたい出すと、もうそこには、藍《あい》づくり仲間に評判の栄一の姿はなかった。するりと、国士に脱ぎかわっている。少し前の自分にこだわらないし、後に尾をひかない。

冬がれた田や畠には、先の方まで人影はなかった。烏《からす》が数羽、風にさらわれるように舞っている。

栄一は赤城の山に眼をあげていった。

「これからは藍商売も百姓仕事も、ひまになる。しばらくでいいから、江戸へ出たい。江戸の風に吹かれてみたいのう」

「田舎は窮屈じゃ。とくに、おぬしの家は、四角四面でのう」

喜作の言葉に、栄一はにが笑いした。

四角四面といわれたのは、こたえた。栄一は父親を尊敬してはいるけれども、微を防ぎ漸を杜ぐなどというようなことより、もっと大きな世界に生きたい。三日も四日も同じことをうじうじいわれたくない。

同じ人生なら、くだらぬ代官などに頭をおさえられて生きたくはない。尾高長七郎のように、自由にひろい世界の風にひたりたい。

長七郎が、栄一たちの夢であった。いまだって、道場が破られるかどうかということより、長七郎がどれだけ栄一たちの夢にこたえてくれるかを見に行くようなもの。長七郎をきたえたひろい世界の風の音をききに行くようなものである。

「おぬし、この勝負、どちらに賭《か》ける」

と、喜作。

喜作は賭ごとが好きである。何にでも賭ける。栄一は眉《まゆ》を寄せながら、

「……もちろん、長七郎さんに」

「賭の賞品は、大福じゃ」

「大福は、ごめんこうむる」

栄一が病みほうけのりんの大福の話を伝えると、喜作は、

「どうだ。その大福を食べて病気になるかどうかに、賭けてみるか」

「ばかを申せ」

母親に業病《ごうびょう》になられては、かなわない。冗談もほどほどにせよと怒りたいところだが、喜作をにくめない。早のみこみのところもあるが、喜作は竹を割ったような性格である。栄一にとって、子供のときから、いちばん気の合う友だちであった。

喜作もまた、せまい世界に住みあきたようなところがある。江戸へ出るときはいっしょにと、ひそかに栄一と申合せてもいる。

西風に送られ、二人は尾高道場に着いた。

四間に六間の道場。上手から新五郎、長七郎、平九郎の三人兄弟。続いて、村の剣術修業の仲間が十人ほど並んでいる。

向い合って、大男と小男の道場破り二人組。小男は、すでに面小手をつけていた。

「それでは、平九郎、お相手を」

師範代新五郎の声に、道場内にざわめきが起った。

平九郎は、背丈もあり、剣のすじもいい。だが、まだ十二歳である。色白で鼻すじが通り、お小姓にでもしたい美少年であった。

ざわめきをよそに、栄一は平九郎にひそかに拍手した。

栄一は、義弟に当るこの平九郎を買っている。相手のふところにとびこみ、一撃二撃三撃と息もつかせず打ちこむのが、平九郎得意の試合運びだが、栄一自身もその戦法が好きであった。

平九郎は、きびきびと支度し、三尺八寸の竹刀《しない》を持って立上った。

真田範之助に同行した道場破りの小男は、小腰平助という元水戸藩士であった。

二人は相正眼に構えたが、次の瞬間、小腰は平九郎の胴めがけて片手突きにきた。

平九郎は、横に払って面へ。小腰は、それをすかさず受け、胴へ刀を返してくる。はげしいやり合いとなった。静まり返った道場の中に、二人の掛声と斬《き》り結ぶ竹刀の音だけがこだました。

小腰の腕は、平九郎得意の連続的な打ちこみを許さない。といって、小腰自身はしだいに攻めを控え、受け一方に廻り出した。他流試合ずれしている武芸者の常套《じようとう》手段である。相手が手ごわいと見ると、相討ちに持って行こうとするのだ。

平九郎がじりじりし出したのが、栄一にもわかった。

栄一は、自分が平九郎の立場なら、体ごと相手にぶつかってやるところだと思った。栄一にとって、剣は気魄《きはく》であった。技《わざ》の不足を気魄で補うというより、気魄あっての技だと思う。いつも、体ごと相手にぶつかって行った。このため、栄一の得意は「体当り」だと、撃剣仲間からは煙たがられていた。

「この試合、無勝負」

上手から新五郎がどなった。

平九郎と小腰は、別れてもとの席へ戻った。平九郎が汗をぬぐう。澄んだ目が口惜《くや》しそうであった。

その横で、長七郎がゆっくり面小手をつけはじめた。

師範代は新五郎だが、いまでは長七郎の腕が立ちまさっている。道場を代表して挑戦を受ける立場である。

長七郎も大男だが、相手の真田は、それよりさらに一周り大きいあから顔の武芸者であった。金紋のはなやかな朱胴をつけている。

「ほほう、貴殿が相手か」

真田は濁声《だみごえ》でいい、じろりと眼のはしで長七郎を見た。いかにも見下した物いいであった。

真田は立上ると、さらに、

「さあ、御存分に」

と、片手で胴をたたいて見せた。傲慢《ごうまん》無礼な振舞いである。

だが、これは、わざと相手の感情を刺戟《しげき》し動揺させようというかけひきであった。

栄一たちは、体をあつくして長七郎を見守った。

長七郎は平静であった。

「応！」

と受けると、まず右手の片手上段に構えた。いつもの構えである。

真田は正眼につけ、じりじりつめ寄ろうとした。

すると、長七郎はいきなり竹刀を額の上にのせ、手でくるくる廻しはじめた。長七郎得意の剣法である。曲技のように廻しながら、柄《つか》が手に戻ると、面あるいは小手へ、百発百中で打ちこむ。

栄一たちは息をつめた。夢の人物のしびれるような動作である。

相手の真田は、とまどった。子供のあそびでもあるまい。隙《すき》だらけではないか。気でも狂ったのか。

真田はどぎもを抜かれ、また、あきれもしたが、ついで、あなどられたのだと思い、憤然と突っかけてきた。長七郎は、あなどったわけではない。いや、あなどったと思わせるのも、長七郎の剣法の手であった。真田の剣の届くより一瞬早く、長七郎は竹刀の柄をにぎると、

「面！」

と、真っ向から片手打ちに打ちすえた。面が二つに割れるかと思われるほどの、はげしい斬りこみであった。

真田は、よろめいて片膝《かたひざ》ついた。その姿勢のまま茫然《ぼうぜん》としている。信じられぬといった表情であった。

「やったぞ」

と、喜作。相手に賭けたのも忘れ、ひじで栄一をつつく。栄一も、うっとり長七郎を見つめた。そこにはもはや田舎のものではない大きな人間の姿があった。

「残念」

しばらくしてから、真田はしぼり出すような声でいい、立直ると、上段に構えた。

長七郎も上段に構えた。

相上段のまま数刻見合った後、長七郎は今度も敵の意表をつき、片膝折って身を沈めると、右から左へ真田の金紋の朱胴を払上げた。

「胴！」

「うむ、またしても」

真田はうめいた。

他流試合は三本勝負である。これで勝負あった。栄一たちは、讃嘆と安堵《あんど》の息を漏らした。

だが、真田はしぶとかった。いまだに信じられぬという表情で竹刀を構え直した。

「ねがわくは、いま一本」

「何本でも」

長七郎はうなずいて受けた。

見ていて、栄一は不安を感じた。長七郎が腕に自信はあっても、二本連勝した後なので、気のゆるみがあろう。相手の真田は、道場破りで鳴らしてきた武芸者。試合のかけひきについては、千軍万馬《ばんば》の剛の者のはず。何かの勝算あっての挑戦である。最後に長七郎をしたたかに打負かせば、勝負とは別に、真田強しの評判を残すことになる。

栄一の不安をよそに、長七郎は右上段に構えてから、ふたたび竹刀を頭上にのせて廻しはじめた。真田はつめ寄ったが、いきなり竹刀を投げ出すと、長七郎の腰に組みついた。真田は柔術の達人ともいわれた。長七郎を投げつけて、面をむしりとる作戦であった。

組みつかれたまま、長七郎は足を踏み直して仁王立ちになった。次の瞬間、腰払いをかけてこようとする真田を、えいっという気合とともに、抱上げ、横になぎ倒して馬のりになった。逆に、真田の面をとりにかかる。

二人はもみ合った。長七郎が力をふりしぼるのだが、容易に真田の面はとれない。真田ははじめから組みうちを計算し、八重《やえ》からげに面をしめつけていたのだ。栄一は、そこにも道場荒しに生きる者の智慧《ちえ》を見た。この世に生きるとは、そういうことなのでもあろう。

長七郎は、面をとるのをあきらめた。馬のりのまま手をのばし、近くにころがっている竹刀をとろうとした。竹刀を敵の首に当てれば、勝ちになる。

そのとき、一瞬早く、小腰平助がおどり出て、その竹刀をとり上げた。小腰は、さわぎ立つ門弟たちにもきこえるように、

「もはや竹刀での勝負ではない。腕で勝負なされ」

長七郎は舌うちし、

「よしや、これしきの首。ねじり上げても……」

後垂れと顎垂《あごた》れをつかみ、首ぐるみ、ねじきらんばかりの勢いでひく。真田は足で床を打ち、身をもがいて防ぐ。

もみ合いが続き、真田の抵抗が弱まる。

「参ったか」

「参らん」

あえぎながらも、真田は答える。

長七郎は激した。

「参らねば、ほんとうに参らすぞ」

「何とでもしろ」

「ようし」

長七郎は真田の頭を床にたたきつけにかかった。相手がそう出る以上、脳天をぶつけて殺すか、失神させる以外に、勝ちの判定はない。

そこへまた、小腰平助がとび出た。

「いや、待った、待たれい。この勝負、拙者が預かる。長七郎どののお顔は立てる。これ以上の殺意、御無用でござろう」

小腰は新五郎と長七郎に半々にいった。新五郎は、しぶい顔をした。

「よし、長七郎、勝負はそれまでじゃ」

「兄上！」

と、長七郎は無念そうである。喜作たちも腰を浮かせて、口々に不平をいった。だが、新五郎も一度声をかけた以上、とり消すわけには行かない。長七郎を促して、試合をやめさせた。

腕で圧勝しながらも、試合運びでしてやられた形であった。小腰は、「お顔を立てる」とはいったが、その後、「長七郎どのの腕前、田舎に置くには惜しゅうござる」と、ほめただけのこと。こんな風に終っては、何となく技倆《ぎりよう》伯仲して勝負がつかず、互角の試合をしたような印象が最後に残る。そこが、道場荒しに生きる彼等のつけ目のようでもあった。

憤慨している若者たちの中で、栄一ひとり、腕組みして考えこんでいた。

長七郎のきわ立った強さには、やはり、われらの夢の人物と、胸のすく思いがしたが、それとともに、真田・小腰の二人組のやり口にも感心した。

小腰は、それほど腕の立つ男ではないが、小判鮫《こばんざめ》のように真田にくっついて歩くことで、真田を助け、また自らを生かす。ゆかいな男ではないが、それなりの才覚で生き、また、それでひとを生かしてもいる。ひとには使い道があるもの。小腰と組まなければ、真田といえども、ここまで道場破りの名をとどろかすこともできなかったかも知れない。

たとえ道場破りとはいえ、渡世には渡世の道がある。池のような田舎で小さくくらすより、外海の荒波にもまれ、その波をのり越えて自分も生きてみたい、と栄一は痛切に思った。ひとりで心もとなければ、喜作と組んでのり出してもよい。互いにとりえのない人間同士だが、荒波にもまれて行く中、渡世の智慧と力がついて行くことであろう。

試合が終った後、一同は連れ立って、尾高の家へ移った。尾高家の座敷の正面に、真田、小腰を坐《すわ》らせ、酒や料理を出す。

道場破りとはいえ、勝負が終ってしまえば、遠来の客として、ねんごろにもてなすのが、この地方の道場主のしきたりである。野良《のら》の中の道をそこまで歩いていく中に、わだかまりも消えていた。

それに、諸国をわたり歩いてきた武芸者から、ひろい世界の動きをきくたのしみもあった。相手が水戸浪士とあって、よけい、栄一たちの期待も大きかった。

長七郎も、少し青みを帯びた眼を輝かせ、いまは同志として二人を見つめた。

真田が黙々と盃《さかずき》をあけるのに対し、小腰平助は話上手であった。

外国の使臣らが江戸にきて、壮大な寺院などを宿所にし、わがもの顔にふるまっている。そうした外国人たちの機嫌をとるのに、大老・老中たちは汲々《きゆうきゆう》とし、重要な国事まで彼等とひそかに相談している。横浜でも、外国商人が宏壮《こうそう》な邸宅を構え、華やかな服装で街をほしいままに歩き、女を漁《あさ》り、わが四民を鼻先であしらっているなど

と、まるで眼の前に見えるように話した。

大老井伊掃部頭《かもんのかみ》は、こうした幕府を批判する水戸・尾張・越前の三藩主に蟄居《ちつきよ》・退隠を命じ、京都の四公卿《くぎよう》までも退隠させた。同時に、尊王攘夷《じようい》論者のきびしい糺問《きゆうもん》を続けている。

「すでに捕縛せらるる者……」

と、小腰がいいかけたとき、

「いや、わしから申そう」

真田がはじめて口を開いた。

「頼三樹三郎《らいみきさぶろう》先生、橋本左内先生……」

と、重い声。主だった志士の名を、一人ずつ戒名でもとなえるようにつぶやいて、目をとじた。

栄一たちは、暗然とする思いできいた。きき知っている名がいくつもあった。寒々とした行灯《あんどん》の光の輪の中に、若者たちの暗い顔が浮ぶ。

「外夷撃つべし、幕府倒すべし」

長七郎がつぶやく。

しばらくの沈黙の後、小腰が一同の気をひき立てるようにいった。

「大老の横道も永くは続きますまい」

顔を上げる若者たちに、

「決死の志士五十人、一手は大老を襲い、一手は横浜の商館を焼払うとのうわさをきいた」

「まことでしょうか」

と、喜作。

「うわさじゃ」

真田がはげしく打消した。その意外に強い打消し方に、かえって決意や真実味らしいものが感じられた。栄一は、自分の内部に動き出すものを感じた。若者たちの瞳《ひとみ》が輝きはじめる。

小腰は、そこを見てとったように、

「そうでなくとも、新しい力が必要じゃ。幕府も諸藩も、勝手向きはおしなべて窮迫。古い者では手におえず、下士や百姓町人上りの者を登用してきりもりさせているところも、珍しくない。この中からも、きっとそういう人物も出よう」

ごちそうのお礼代りのお世辞と見られまいとして、小腰はつけ加えた。

「たとえば、一橋《ひとつばし》家の平岡円四郎という用人。これができた人で、百姓であろうと町人であろうと、人材なら、いつでも邸《やしき》に呼んで話をきかれる。貴公たちの中に、われこそと思う者があれば、いつでも、わしがおとりつぎ申すぞ」

「いつかは、おねがい申す」

栄一は口走った。心からいったことではないが、また冗談でもない。喜作たちがおどろいて見返す中で、栄一は自分の名を告げておいた。大きく生きるための機会を、少しでもつかんでおきたいと思って。

小腰は、いなすように歯を見せて笑った。

紙一重

千代が嫁いで三年経《た》った。

文久元年（一八六一年）十二月はじめ、中仙道近くの村々では、ちょっとしたさわぎがあった。皇妹和宮《かずのみや》が将軍家へ御降嫁《ごこうか》ときまり、そのお嫁入りの行列が中仙道を通ることになったからである。

本庄から深谷《ふかや》まで三里近くの道のりを、御供廻り荷物の運搬をするようにとの夫役のお達しが、血洗島村にもきた。

夫役の宰領は栄一がすることに、村の寄合いできまった。ところが、当日近くなって、栄一は腰に腫物《はれもの》ができ、床につくほどではないが、歩行が不自由になった。このため、父の市郎右衛門が、代りに出役せねばならなくなった。

にわかの出役に、市郎右衛門はきげんが悪かった。

「ぜんたい若い者に意気地がないから、用のあるときに病気なんぞになるのじゃ」

と、あたりちらした。

栄一は、ただうなだれて、きいていた。市郎右衛門の不愉快な気持は、栄一にもわかりすぎるほどわかった。

「こんどのことは、公武合体と称して、幕府が強いて懇請し奉《たてまつ》ったもの。いわば無理強いの御降嫁、すべてが幕府のためをはかってのこと。御行列が大仰なのも、幕府の威勢がこれこの通り強いと、国中に示そうという奸計《かんけい》じゃ。その末の末の御用を黙ってつとめねばならぬとは、土民は悲しいものじゃ」

市郎右衛門は、かねてそんな風に栄一にいっていた。そうした理解では、栄一と一致していた。

もっとも、市郎右衛門は、そういうことで、栄一の不満を先どりし、なだめながら夫役に送り出すつもりであったのに、当の市郎右衛門自身が出役せねばならぬ羽目になったのだから、ふきげんもひとしおであった。

市郎右衛門が出かけてしばらく後、えいと千代も後を追って、深谷宿に向った。夫役に出る男たちの弁当ごしらえのためである。

風が強く、ときどき冷たいみぞれが頰をはたいた。野良《のら》のそこここには、二日前に降った雪が、まだ残っている。

顔を少し横に向けて風を避けながら、千代は歩いた。嫁いでから、千代は、からっ風の吹く季節がきらいになった。寒さや水の冷たさをいとうためではない。夜の長いこの季節、いつか、何かよくないことが起る気がする。それも、とり返しのつかないことが。

いわれのない予感ではない。冬になると、農事がひまになる。しぜん、若者たちの会合がしげくなる。江戸から得体の知れぬ志士などが、よく訪ねてもくる。夫の栄一が落着かなくなる季節であった。

現にその年の春先、栄一はとうとう市郎右衛門を説得し、農閑期の二カ月だけという条件で江戸へ遊学に出た。喜作もいっしょだった。その二カ月が四カ月になり、一年になるのではないかと、千代は口に出さず案じたが、栄一は約束通り、二カ月後に戻り、何ごともなかった顔で、例年通り、春から秋にかけては畠《はたけ》仕事や藍《あい》商売にいそしんできた。

だが、形こそ例年通りだが、千代は栄一の仕事ぶりが、これまでになくおろそかになってきているのを感じた。熱がなくなっている。

千代は一度実家に寄ったとき、母のやえに話してみた。

「江戸の風にあたると、男は誰しも畠仕事など、しばらくはばからしゅう見えるものなのだ」

やえは、何でもないことのようにいった。

「そんなことで心配していたら、長七郎を持つわたしなど、いくつ命があっても足りはしないよ」

と、さびしそうに笑いもした。

兄の長七郎は、千代の祝言《しゅうげん》に戻ってから、しばらく村に居たが、江戸から道場破りの二人連れがくると、いっしょについて江戸へ行ってしまった。

その後、水戸へ行ったとか、日光へきたとか、あちこち動き廻っていたが、最近では、輪王寺宮《りんのうじのみや》を擁して討幕の軍を起すのだという途方もないたくらみに加わっている様子であった。

そうした子を持つ母の心配に比べれば、千代の不安など、たしかに、とるに足りぬものかも知れなかった――。

「千代、少し歩き方がはやいかねえ」

物思いにふけっている中、千代の足どりがおそくなっていたと見え、えいが立ちどまって、千代の顔をのぞきこんだ。

千代はあわてた。

「いいえ、大丈夫です、お姑《かあ》さま」

えいは、千代の腹に眼をやり、

「おまえひとりの体じゃない。遠慮なくいっておくれよ」

千代は身重であった。祝言の日、市郎右衛門に「子供さえ産んでくれれば」といわれたが、それから三年ぶりに、ようやく身ごもった子供である。

千代は歩きながら、かなりふくらんだ腹をそっと撫《な》でた。

「大事にしておくれよ」

と、重ねて、えい。

生れてくる子供には、一家の期待がこもっていた。千代は、市郎右衛門の言葉が正しかったと思う。いま栄一を家に落着かせるものは、子供しかなかった。旅の帰りに近所の子供に土産を買ってきてやったりするほど、栄一は子供好きである。自分の子供ができれば、家業にも身が入り、めったなことはしなくなるはずである。

「千代は、ほっそりした体じゃ。産が楽にすむかのう」

えいは千代を見ながら、思い出したようにいった。

「おまえのように、しなやかな姿形の女は、奥さまと呼ばれてかしずかれるのが似合いじゃ。うちらあたりには、姿形が悪かろうとも、骨太な生れつきの者の方がよかった」

「でも、わたしは……」

「うん、よう働いてくれはする」

えいは、ふいに横から千代の手をとった。

「色白で細い指だが、節は太い。臼《うす》をひいたり、豆を打ったり、よく働いた手じゃ」

嫁への愛のしぐさか、えいは千代の手をしばらくもてあそびながら歩いた。姑《しゅうとめ》は自分にやさしくしてくれる。それは、腹の子へのやさしさかも知れぬが、千代はうれしくもあり、また頰のほてるような気もした。

だが、その気持も、数歩歩く間だけのことであった。

笠《かさ》を斜めにかぶって、手計《てばか》村の方からやってくる人影がある。

千代は、はっとした。顔は見えなくとも、千代には、それが誰なのか、一目でわかった。道は血洗島への一本道。その人影が、血洗島のどこへ行くのか、千代にはおよそ見当がつく。だからこそ、ここで出会いたくない。えいに気づかれたくないのだが、一本道なので、顔をつき合せる他はなかった。

笠をかぶったまま会釈《えしやく》してすれちがおうとする男を、えいは見とがめた。

「おや、新五郎じゃないか」

「……おかあさん、お寒いことで」

新五郎は笠をとり、広い額を下げた。その後、ちらりと千代を見る。当惑した眼であった。

「みんなが宮さまをお迎えに行くというのに、おぬしはどこへ。うちへでも、おいでるというのかい」

「はい、ちょっと……。栄一君を見舞いに」

「それは御親切に。けど、栄一は見舞いの必要なほどの病人ではありません。そうだね、千代」

千代は、小さな声で、ええ、と答えた。

ひとの出払った後で、若者たちが密談をする。どうせ、ろくなことではないと、えいは案じている。といって、えいは、はっきり「くるな」とはいえない。結局、気まずい思いで別れる他はなかった。

新五郎を背にして歩き出す。いつの間にか、えいは千代の手をはなしたばかりでなく、少し歩度をはやめ、むしろ千代と距離をおくようにして歩いていた。

みぞれまじりの風が、うなりを立てて、二人の間を吹きぬけた。

えいが、かたい声でひとりごとのようにつぶやく。

「新五郎といい栄一といい、まじめな若い衆だったのに、どういう天魔に魅いられたものかね」

それが口火で、えいは日ごろ胸にためていたものを吐き出した。

「百姓の分際で、御政道がどうのこうのと、やくたいもないことばかり。年寄りのいいつけもきかねば、家のことも構わず、やたらに出歩いてばかりいて」

それは、栄一への不満であるより、何よりもいま会ったばかりの新五郎へ向けられていた。

千代は、消え入りたいような思いで、うつむいた。風が小石を巻いて足もとを走りぬける。枯草に足をとられて、いっそ倒れてしまいたかった。

黙りこんだ千代に、えいは名をあげてたたみかけた。

「長七郎が、また何かたくらみごとをしているそうじゃのう。長七郎は、村の疫病神《やくびょうがみ》じゃ。りんよりひどい疫病神じゃ。もう、うっかり村へ出入りしてもらいたくない。このごろは、八州取締の目も光っているでのう」

これまで見たこともない目つきの鋭い行商人が、村へときどきやってくる。志士などの不穏な動きを探索している隠し目付というわさであった。

年寄りたちは、それ見たことかといい、若者を持つ家々はおびえた。

それにしても、兄長七郎を疫病神呼ばわりされたのが、千代には悲しかった。

だが、えいは、さらに千代に悲しい思いの追いうちをかけた。

「新五郎も新五郎じゃ。評判の孝行息子で、若い者たちの文武の師範のはずじゃ。それが、若い者をおさえるどころか、自分が先に立って、そそのかしている。いったい、どういう料簡《りょうけん》あってのことなのかねえ」

「……申訳ございません」

千代は、うなだれるばかりであった。

先刻まで千代の手をやさしくもてあそんでくれた姑。その同じ人の言葉とは思えぬきびしい言い分なのだが、千代はえいをうらみはしなかった。えいがそんな風にいうのも、一人息子の栄一の身を案ずればこそである。えいは、いつまでも「おえいの羽織」であった。からっ風に対しては、羽織を持って追っかければよかったが、時代の風に対しては、何を持って追っかければよいのか、えいには見当もつかない。ただ無力を感じ、居たたまれぬ思いになっている。

それに、えいには母親の身びいきということがある。栄一も新五郎も喜作も、みんな同じように自分から心を燃やしているはずなのだが、えいの目には、栄一がまわりから誘われ、火をつけられたようにうつる。栄一が悪いのではない。そそのかすまわりの空気が悪い。その空気に責任のあるのが、他ならぬ栄一の義兄なのだ、と。

嫁として、千代は苦しい。形はちがうが、母親のやえ同様、家と家との板ばさみになっている。つきつめれば、家出でもしたくなる。時代の風は、家ごとゆさぶって、千代を放り出そうとしているのであろうか。

伊勢崎街道に出て、深谷宿へ。墨のにじんだ鉛色の空が低い。夜にはまた雪がきそうであった。二人は身をちぢめて言葉少なに歩き、一時《ひととき》ほど後、深谷宿へついた。

和宮の行列のおつきは、早い冬の日がくれかかるころであった。「下に、下に」の先払いの声に、駅内の雑沓《ざっとう》がおさまる。馬廻り、中間、警固……。供連れはどれほどの人数に上ったであろうか、近ごろの中仙道では見かけぬたいそうな御同勢であった。千代はえいとともに、休所である茶屋助次郎の軒下近くに土下座して、お通りを拝んだ。

長い行列の通過の途中、まわりに小さなざわめきが起った。おそるおそる上目づかいに見ると、ちょうど、宮様の駕籠《かご》が通り過ぎるところであった。垂れのかげに、白く小さな少女の顔。まるで内裏雛《だいりびな》であった。

千代も、声を立てそうになった。おいたわしいと思った。お歳《とし》は十六歳ときいている。京から江戸まで中仙道を百三十五里の長道中。その先に、まるでそのひとを知らぬ将軍との結婚が控えている。敵地と変らぬ知らぬ人々ばかりの中での冷たい生涯が待っている。

「人身《ひとみ》御供《ごくう》も同然」と、栄一たちが憤慨するのも、もっともであった。

千代は、わが身とひき比べた。

千代自身の場合もそうだが、どの結婚にも思惑はつきものである。だが、和宮の場合は、まわりの思惑だけの結婚である。思惑以外の何ものもない。本人のお気持などというものは、みじんも考えられていない。在るのは、朝廷と幕府という家対家の関係だけである。それに比べれば、自分はまだしも幸せである。栄一は幼な馴染《なじみ》、気心の知れたやさしい夫である。舅《しゅうと》も姑も、敵方の人などというものではない。実家もすぐ隣村に在る。そして、みんなに祝福されて、子供を産もうとしている。

千代は、元気が出た。

行列が宿所に落着き、街道はふたたび人の動きで、にぎやかになった。すでにこしらえ終った弁当を配り、千代はえいと休所で茶の接待につとめた。人の声と湯気の中で立働いていると、ときどき、お腹の子が動いた。(早く世に出たがって、催促しているようだ）千代は、そのたびに、微笑を浮べた。

接待を終り、千代はえいや村の女たちと帰り道についた。すると、また、「下に、下に」の声がきこえた。人々は、あわてて道の両側にうずくまった。

先払いを立て、十人あまりの供連れと駕籠がひとつ。

こんなとき、どなたさまのお通りかと思うと、御嫁入りの行列の中の女官の一人が、和宮の宿へ宿直《とのい》におあがりになるお練りということであった。

行列をやり過した後、えいもさすがに溜息《ためいき》をついた。

「なんとまあ、手数のかかる御道中だろうね」

着物をはたいて立上りながら、

「男衆が怒るのも、もっともなことだよ」

その声に、千代はふっと、家に残っている栄一と、そこへ訪ねて行った新五郎のことを思った。

二人は何を話しているのだろうか。女の身には、その話の内容をあれこれ立入って想像することはできなかった。ただ、いまごろは、話も終り、声を合わせて、「雄気堂々……」の詩でも吟じているのではないかと思った。あの詩をうたうことで、議論が終り、同時に栄一たちの憤《いきどお》りも一日の幕を閉じる、という気もした。

二人は、他の女たちにまじって、伊勢崎街道を村へ帰った。すでに深い闇《やみ》が下り、隣を行く女の顔も、さだかにはわからない。

小山川にかかる橋をわたるとき、長身の男とすれちがった。女の一人が、「長七郎に似てたのう」といった。

千代は、懐《なつ》かしさに思わずふり返ったが、ただ黒一色の闇がひろがるばかりであった。

往路には新五郎と、帰路には長七郎と会う。そんなことがあるはずはないと思いながらも、もしあったとするならと、千代はひやりとするものを感じた。

「長七郎なら、声をかけるさ」

「いや、長七郎だから、黙って行ったのじゃ」

「殺気がしたよ。あのひとの剣はこわいというからのう」

「まさか。わしらを斬《き》るわけでなし」

歩きながら、女たちが思い思いにいう。千代もえいも、黙っていた。二人とも、それが長七郎であってほしくないと、ねがっていた。

だが、すれちがったのは、長七郎であった。長七郎は、それまで渋沢の家にいて、新五郎、栄一、喜作と話しこんでいた。村人の多くは出払い、渋沢の家には、栄一以外には無人。集まるのには恰好《かっこう》であった。

もっとも、ふつうなら、長七郎もそれほど人目をしのぶ必要はなかったが、その日だけはちがっていた。長七郎は、重要な計画を持帰った。老中安藤対馬守《つしまのかみ》を襲撃しようというのだ。かねて長七郎は、長州志士多賀谷《たがや》勇らとはかり、輪王寺宮を日光に奉じて、討幕の兵をあげる計画でいた。仲間には、水戸の浪士や、大橋訥庵《とつあん》とその門下が加わったが、この冬になって、訥庵たちが、急に水戸浪士と組んでの安藤暗殺を唱え出した。「訥庵先生までが……」と、栄一たちは、一様に声をあげた。

訥庵は、近くの宇都宮藩の藩儒で、志士たちの間に高名の学者であった。新五郎を通して、栄一たちも訥庵の著書を読んだことがある。

「神州の民は人の人にして、戎狄《じゅうてき》の民は人の禽獣《きんじゅう》とも言ひつべし」

という言葉など、いまも栄一はそらんじている。その訥庵が、安藤刺殺こそ、火急のことだという。

井伊大老の暗殺後、安藤対馬守は、井伊の開国路線を積極的に推し進めている幕閣の第一人者であった。江戸随一の要害地である御殿山を外人に貸し、沿岸の測量を許しもした。それればかりか、ひたすら外人の歓心を買おうと、自分の愛妾《あいしょう》を贈ったというわさまである。このため、安藤の幕僚である堀織部が憤激して割腹したということであった。今度の和宮の御降嫁にしても、安藤が献策し、朝廷からの仰《おお》せ出という形をとりながら、その実、人質のように強奪した。安藤は、その上で、孝明天皇の譲位を強いる計画で、ひそかに学者に命じて廃帝の先例を調べさせているという。つまり、もはや一刻も安藤を生かしておけない形勢だというのだ。

長七郎は腕は立つが、ただ血気にはやるという類《たぐ》いの男ではない。詩もつくり、文章も書く。思慮も深い。だからこそ、栄一たちの夢の男でもあるわけだが、その長七郎が動こうというのだから、栄一たちも血のたぎる思いがした。

「安藤斬るべし。いよいよ、人心土崩、幕府瓦解《がかい》じゃ」

栄一と喜作は、こぶしをにぎりしめた。できることなら、自分たちもとび出して行きたい。そうした天下の一大事を決行できる長七郎がうらやましい。すでに覚悟をきめている長七郎の眉《まゆ》の太い顔を、栄一はうっとりと見つめた。

安藤暗殺には、しかし、新五郎が反対した。

「ひとりの安藤を刺したところで、その分身である別の安藤がまた現われる。幾人もの安藤が続く。安藤ひとり倒して幕議が攘夷に傾くとは思えないし、国をあげての新しい動きへの導火線にもならぬ。区々たる暗殺に一命をかけるのは、大丈夫のなすところではない」

新五郎は、言葉をつくして説いた。それも、ただ行動を慎めというのではない。

「われわれが主唱者になって、有力な方法を考えるべきだ。四方相応じて倒幕に向うような義挙をはかろう」

新五郎は無責任にいったのではない。

新五郎も国士である。その頭の中には、すでに、漠然としてではあるが、ひとつの計画が浮んでいた。新五郎は、弟長七郎の文武の才を知っている。知っていればこそ、その非凡な剣士をむざむざ失いたくない。訥庵一門に巻きこまれるようにして、無謀な襲撃に参加することを惜しんだ。それより、自分たちが主唱者になっての義挙のために、ぜひ長七郎を温存しておきたいと、痛切に思った。

そのはげしい思いが、最後に長七郎を動かした。半日あまりの議論の末、長七郎は安藤襲撃への参加を、ひとまず見合せることにした。といって、長七郎が村に居ては、幕吏の手がのびてくる危険がある。

新五郎は、長七郎に上州の奥、佐位郡《さいごおり》国領村の知人の家へ一時身をひそめるように指示した。日光挙兵計画に気づいた幕吏が、長州の多賀谷を近くの妻沼《めぬま》まで追ってきていた。新五郎は多賀谷に金を与え、京都方面へ逃がしてやった直後であった。新五郎は、用心深いと同時に、顔もひろかった。

兄の言葉通り、長七郎は闇にまぎれて、村を立去った。

「おぬしたちには見えぬかも知れぬが、このひろい闇の中に、点々と憂国の志士の目が燃えているわ」

長七郎の去った後、新五郎は栄一と喜作にいった。

「見えます。わたしにも見えております」

栄一は、大きくうなずいた。

その春先、江戸に出て、栄一は下谷《したや》練塀小路《ねりべいこうじ》の海保《かいほ》漁村《ぎよそん》の塾で漢籍を、神田お玉ヶ池の千葉道場で剣術を学んだが、学者や剣術家を志すわけではなく、また二カ月足らずのことなので、目標はむしろ、諸国からの志士たちに交わりを求め、天下の事情を察してくることにあった。

さすがに江戸は大きく、人物は雲のごとくいた。国士とはいっても、向う見ずの山気いっぱいの男も多い。栄一も、その一人になった。あっぱれひとかどの憂国の志士気どりになった。村へ帰ってからも、その気分は変らない。年寄りたちとは別の世界に生き、気持だけはふくらんでいた。長七郎は、そうした気分にふたたび火をつけて去って行った。

文久二年（一八六二年）一月十五日、江戸城坂下門外で、水戸浪士六人が老中安藤対馬守を襲った。

井伊大老の暗殺にこりて、警固は厳重で、安藤はわずかに軽傷を受けたにとどまり、逆に浪士六人は斬伏せられた。そして、その三日前に、大橋訥庵の一派も捕縛されていた。

坂下門の変の報《しら》せは、すぐ血洗島にも届いた。

安藤を殺しても別の安藤が現われるであろうのに、その安藤一人をさえ殺すことができなかったのだ。栄一たちには、暗い報せであった。長七郎が新五郎のいましめによって襲撃に加わらなかったことを、せめてもの救いにしなければならなかった。

幕府では、他にもまだ残党が居ると見て、きびしい探索をはじめているという。長七郎を山深い上州へひそませておいたのも、賢明な措置といえた。暗い報せの中で、新五郎や栄一は、それだけをわずかに救いとしたのだが、実は、それが救いでなくなりかけていた。

事件の数日後の夜ふけ、渋沢家の雨戸をたたく者があった。

えいと千代が、戸の内側に立って名をきいてみると、遠縁の若者仲間の一人であった。栄一も出て、戸を開けると、

「長七郎さんが危ない」

と、若者は顔色を変えている。

その日の午後のこと、若者の隣人が深谷宿に出たとき、中仙道で編笠《あみがさ》をかぶった浪士風の大男に会った。その体つきや、腰にさしている刀に見おぼえがあり、声をかけ

てみると、果して尾高長七郎であった。上州から出て江戸へ様子を見に行くところで、郷里は素通りして、今夜は熊谷《くまがや》泊りといっていたという。ただの百姓に過ぎぬその隣人は、別に気にもとめず、そのまま村へ帰り、もらい風呂《ぶろ》にきて、若者にその話をした。

志士気どりの仲間だけに、若者はうすうす長七郎と安藤襲撃の関係を知っていた。あわてて栄一に知らせにきたのであった。

栄一は夜着をぬぎ、股引《ももひき》をはいた。えいが見とがめて、

「おまえ、どこへ」

「長七郎を追いかけます。このまま江戸へやっては、むざむざ捕吏の手へひき渡すことになる」

「追いかけるといっても、こんな時刻に」

すでに九ツ（午前零時）を過ぎていた。

「いまから急げば、ちょうど熊谷あたりで夜が明けましょう。長七郎が宿を出る前に、ひきとめられます」

栄一は、しゃべりながら支度を急いだ。

「千代、早く草鞋《わらじ》を出さんか」

「……はい」

千代は、産月近い大きなお腹をかかえて、おろおろしていた。兄の身を案じてくれる栄一の気持は、ありがたい。ただ、嫁の身として、手ばなしでとびつくわけに行かない。熊谷まで四里あまり。冬のさなかの夜ふけの道のり。それも、うまく長七郎に会えるかどうかわからぬ追跡である。かぜでもひかれたら、どうするか。

姑《しゅうとめ》のえいは、しぶい顔をしている。えいは、何より「おえいの羽織」であった。やみくもに、栄一の健康だけを案じている。

きまりをつけたのは、座敷からの市郎右衛門の声であった。

「十分厚着して、早く立たせてやれ」

人情もからんでいたが、名主としての事なかれ主義もあった。同じ地内、同じ一族から、少しでも縄つきを出したくないという判断からである。

栄一は、夜道を小走りに急いだ。幸い風は落ちてはいたが、寒気はきびしかった。寒さというより、痛さに近かった。耳も頬も、目に見えぬ刃《やいば》でそぎ落されそうである。

尾高の家に寄り、新五郎を起して事情を話した。新五郎も平九郎もとび出て来ようとするのを、ことわった。助勢は必要でなかった。何人もで行けば、かえって目立って危険である。栄一に欲しいのは、新五郎の智慧《ちえ》であった。

新五郎は礼をいいながら、すばやく指図を与えた。熊谷までは追うが、それ以上の深追いはあきらめる。もし長七郎を見つけた場合は、すぐ引返させる。もちろん、村へは寄らず、逃亡先としては、諸国の浪人が渦巻き、朝廷もある京都がいい。中仙道は避け、できるだけ裏街道づたいに京へ逃げるよう、路銀も持たせてよこした。

伊勢崎街道から深谷宿に出て、中仙道を急ぐ。街道沿いの家々は、どこも雨戸をとざし、深い眠りの中に在った。茅葺《かやぶ》きの家が、自然の一部のように、黒々と寝静まっている。

この家でも、あの家でも、男も女も、年寄りも若者も、けもののように眠りほうけている。十年経《た》っても、二十年経っても、同じように何も考えず、眠りこけているであろう人々。それが、多くの人にとっての人生というものだろう。

だが、自分はちがう。長七郎を追うのは、彼が従兄《いとこ》であり、妻の兄であるからではない。江戸遊学の世話をしてくれ、剣の手ほどきをしてくれたためでもない。長七郎が文武ともにすぐれた憂国の志士であり、やがての義挙のための主要人物だからである。その人物を捕吏の手に渡すことは、大げさにいうなら、国家の損失である。

寒夜、白い息をはきながら、栄一がかけているのも、憂国の思いのためである。つらさは、それだけ気分のはりになった。自分だけが、新しい時代の風を吸って生きている気がした。

高柳《たかやなぎ》、久保《くぼ》嶋《しま》、新嶋……。

霜が白く下り、草鞋の下で音を立ててくずれる。さすがに足が重くなってきた。だが、休んでは居《お》れない。いまは自分が母親ゆずりの「おえいの羽織」であった。それも、一命を救い、また国の命を救うかも知れぬ羽織をかかえているのだ。栄一は、ときどき下唇をかみ、また大きく白い息を吐き出して急いだ。

ようやく、熊谷の宿場が見え出した。夜が終り、屋根がうす赤く朝日に染まっている。早立ちの客のためか、すでに戸を一枚開き、灯のもれている宿があった。

栄一は、息をのんだ。長七郎が定宿としている小松屋である。

宿の上框《あがりがまち》に腰かけて、草鞋のひもを結んでいる長身の客がある。

栄一は、かけこんだ。助かったと思った。間一髪のところであった。

客は、濃い眉を上げた。

「なんだ、栄一じゃないか。どうしたんだ、こんなに早く」

「どうしたも何も。貴公は何も知らぬのですか」

「何があったというのだ」

奥に人の気配がした。栄一は目くばせして、長七郎を宿の外へ誘い出した。安藤襲撃がすでに失敗に終ったことを話すと、長七郎もさすがにおどろいた。青みを帯びたこわいような眼を光らせながら、うなずく。

上州に身をひそめていた長七郎は、事件については、何も知らなかった。山里での生活にしびれをきらし、新五郎には無断で、仲間の様子を見に江戸へ戻ろうとするところであった。

「ありがたい。よく教えにきてくれた」

長七郎は、総髪の頭を下げた。新五郎からの路銀を懐《ふとこ》ろにおさめる。

「それでは、兄者の言葉通り、京へでも参るか」

がっしりした口もとに、うす笑いを浮べる。追われる身の暗さやわびしさは、なかった。むしろ、追われることで、昂然《こうぜん》としている。腕におぼえのあるせいもあろうが、ただそれだけではない。風や雲に誘われるようにして生きてきた生活が、長七郎の人間を大きなものにしていた。京都へ行けば、また京都をその大きな体にのみこんでくることであろう。栄一は、うらやましい気がした。その自由がうらやましい。二つしか歳《とし》がちがわないのに、その人間の大きさが、うらやましい。

長七郎の引返すのと、栄一の帰り道は、同じなのだが、浪人風の男と百姓が並んで歩いては、八州取締の目にもつく。栄一は宿場でひと休みして帰ることにし、長七郎を見送った。

編笠をかぶり、大刀を腰に、長七郎は怒り肩で遠ざかって行く。主役がふいにすりかわった恰好であった。栄一は、急に体の中から力がぬける気がした。気分のはりも、うすれた。救ったという満足感もあったが、自分ひとりがおきざりにされたさびしさがあった。

栄一は、帰途、新五郎の家に寄って報告し、昼すぎ、家に戻った。紙一重のところで間に合って、長七郎が無事、京へ向ったとききし、千代はほっとした。同時に、えいのいいぐさではないが、疫病神《やくびょうがみ》が遠のいてくれた感じもあった。

世の中が思うように行かぬと、年寄りは年寄りで、若者は若者で、男たちはふさいだ顔をしているが、千代は、今年こそはよい年になりそうな気がした。産月は目の前に迫っている。「子供さえ生れれば」と思っていたその赤子が、二月には授かる。栄一は、今年の春先も昨年にひき続いて江戸へ出たがっているが、子供が生れれば、人手が足りなくなることもあって、家にとどまらざるを得ない。

紙一重のところで、栄一を家につなぎとめられるはずであった。

父と子

千代の祈りは、半ば報いられ、やがて、大きく裏切られた。

二月、男の子が生れ、市太郎と名づけた。待たれていた誕生である。市郎右衛門、えいの老夫婦も、栄一、千代の若夫婦も、奪い合うようにして、市太郎を可愛《かわい》がった。

市太郎は元気な赤ん坊で、乳の足りなくなるほど、よく吸って育った。

春先になっても、若い父親となった栄一は、江戸へ出かけることもなく、家にとどまって、畠《はたけ》仕事や藍《あい》商売に精を出した。千代の目には、前の年とはちがって熱の入った働きぶりに見えた。

もちろん、栄一は、相変らず新五郎や喜作ら、若者たちとの集りに出かけた。飛脚が名も知らぬ人の便りをとどけてきたり、志士と称する男が訪ねてきたりもした。夜など、客と国事の議論がはじまる。学識もありそうな年輩者に向って、栄一は議論をゆずらない。それを、ふすま越しにききながら、市郎右衛門が眼を細めていることもあった。

「百姓の分際さえ守れば、たいていのことは辛抱しよう」

と、市郎右衛門はいった。

市郎右衛門も、若いとき文武の道にいそしみ、政道を論じ、心中、大いに期するところもあったが、渋沢の家に婿《むこ》に入ってからは、百姓になりきって、家運をおこしてきた。一児の父となった栄一も、追い追い、自分と同じ道を歩むことになるであろうと、期待しながら見守っている形であった。

上方《かみがた》では、伏見寺田屋で斬合《きりあ》いがあったというが、江戸表では、水戸の流れである一橋慶喜《よしのぶ》が将軍の後見職となり、しばらくは血なまぐさい事件もなく、小康状態が続いていた。和宮の御輿《おこし》入れにより、公武《こうぶ》一和《いっか》の実があがってきたのだともいう。

世間の動きはともかく、嫁いで四年、千代もようやく二十二歳の若い母親として、家の中に落着くべき座を得た思いがした。すべてが、うまく行きそうであった。

だが、思いがけぬことが起った。

秋の初めから、北関東一帯で麻疹《はしか》がはやり出した。渋沢の家では、栄一も千代も床にふせった。女中や作男もやられた。家の中で達者なのは、市郎右衛門とえいだけになった。それこそ、疫病神《やくびょうがみ》の到来であった。

生れてまもない市太郎は、その魔の手から逃れようもなかった。十分に看護も行きとどかぬままに、八月十一日、半歳《はんとし》足らずの命を終った。

千代は泣いた。千代は「おえいの羽織」にならって、いつか野良《のら》の道を羽織を持って市太郎を追いかける日を、たのしみにしていた。「お千代の羽織」と、村人に笑われてみたかった。

思い出しては泣く千代を、

「気性の強い女子と思っていたのに」

と、えいは叱《しか》った。そういうえいも、幾日も赤い眼をしていた。赤子が死ぬのは珍しくなかったが、家をあげて待ちかねていた子であり、発育もよかっただけに、一家の悲しみは深かった。それに市太郎は、栄一を家にひきとめておく鎹《かすがい》になる子である。その鎹を、天はあっけなく持去ってしまった。

悲しみがうすれると、女たちには不安が深まった。ただ、当座は、作物のとりいれ、藍葉の買入れ、藍玉づくりと、いそがしい季節が続く。熱意があろうとなかろうと、栄一は働かざるを得ないし、若者たちの集りも開かれない。千代がこわいのは、から っ風が吹きはじめるようになってからである。

栄一は、夜など外出することが多くなった。

「何をしているのだろうねえ」

と、見送った後、えいがきまってつぶやく。

羽織を持って追いかけられないのが、口惜《くや》しい。いっそ、栄一の体をくるんでしまうような大きな羽織でもほしいといった顔である。

老夫婦が寝所に退いた後、ひとり寝ないで栄一の帰りを待つ千代の耳に、雨戸を鳴らす風の音がきこえる。それが、一家の運命をゆさぶりにかかる音のようである。

行灯《あんどん》の光は、寒さの中ではひときわ暗い感じで、隙間《すきま》風にも、ふっと消えそうな気配である。繕いものに疲れると、千代は、その光の中で、栄一が書散らした詩稿の反《ほ》古《ご》などを、こわごわひろげてみる。栄一に叱られるのが、こわいのではない。むしろ栄一は、わざとそうした反古を千代の目につくところに置いて、それとなく志のあるところを千代に理解させようとしているふしがあった。それだけに、詩の内容がこわい。救いのないことを、打明《はし》けられそうな気がする。

「世末ニシテ人ハ利ニ趨リ
姦《かん》富ミテ横行ヲ恣《ほしいまま》ニス……」

などという気負い立った文句ではじまる義憤に満ちた詩が多かったが、ただ観念的な詩ばかりではない。

「嗚呼《ああ》彼ノ冥《めい》ナル者
夷《い》ニ貢《みつぎ》シテ偏《ひとへ》ニ経営ス

織ラズ又耕サズ
只《ただ》繰車ノ鳴ル有リ」

などという、千代にもその情景が思い当る詩句もあった。

北関東一帯は、養蚕のさかんなところ。横浜の外人が生糸を買いつけるようになってからは、苦労して機《はた》を織ることをやめ、あるいは畠仕事をなおざりにして、蚕を飼い糸を繰ることだけで金をかせごうという風潮が出てきた。易《やす》きにつく傾向である。そうした有様で、果して国は立行くものなのか。千代でも不安になる。「外夷《がいい》」と呼ぶ外国人の力のおそろしさが、少しはわかる気がする。

栄一は、夜ふけに帰ってくる。どこで何をしていたのか、ほとんど話してくれない。眼が千代に向いていない。千代の不安は深まる。千代は、赤子がほしかった。栄一の眼を家に向けるのには、子供の力を借りる他はない。栄一に抱かれ、目くるめく思いの中で、ただ赤子がほしいとねがった。

すべてが浮足立つ中で、変らないのは、舅《しゅうと》の市郎右衛門の商売熱心さである。

「百姓の分際さえ守っていれば」

と、市郎右衛門は栄一の動きに大きな枠《わく》をはめて見守っている。千代がたよりになるのは市郎右衛門だけだったが、その市郎右衛門でさえ、三年前と同じではなくなっていた。

栄一は市郎右衛門を「四角四面な父親」だという。「微を防ぎ、漸を杜《ふさ》ぐ」などと、たしかに細かく律義《りちぎ》なところのある市郎右衛門だが、このごろは、頭ごなしに栄一の志士気どりを非難することはなくなった。それぱかりか、栄一の居ないところでは、「栄一も、時勢におくれをとらぬ一人前の男になった」などと、ほめたりする。

このため、一度は、本家の宗助にどなりこまれた。

「おえいの羽織だけかと思ったら、男親のおぬしまで、そういうあまやかし方をする。栄一は増長するばかりじゃ。いまに臍《ほぞ》をかむぞ。それもおぬしの一家だけじゃない。村の者一統が迷惑する。先年の代官所での不面目の比ではないわ」

千代も、内心、はらはらしている。市郎右衛門には、ある程度歩み寄った方が、栄一を家にひきとめられるという計算もあるが、それとともに、学問した人だけに、世の動きとそれに反撥《はんぱつ》する若者の気持も理解できる。それが、四角四面ではない態度をとらせるのだが、一方で、市郎右衛門は「百姓の分際」という枠で、つなぎとめようとする。その枠をどこまでもちこたえられるか、理解してやれる人だけに、不安である。

その意味では、精神的に、微を防ぎ、漸を杜がねばならぬのは、むしろ、市郎右衛門の方ではないか、と思った。

千代の心配は杞憂《きゆう》ではなかった。翌文久三年（一八六三年）の春先、栄一はふたたび江戸へ遊学に出たいといい出した。すでに許したことがあるだけに、市郎右衛門には反対の理由がない。しかも、栄一は、前回は二カ月という期限つきであったのに、今度は三、四カ月、あるいは、もっと長く居たいといった。農閑期だけではない。ということは、「百姓の分際」を越え、「家業のさわりにならぬ」という枠を越えている。家業をすてるかも知れぬというふくみでいっている。もちろん、許さなくとも出て行くであろう。

市郎右衛門の期待は、裏切られた。またひとつ、枠がとりはずされ、市郎右衛門は押しきられた。

ここまできては、市郎右衛門としては、決定的な衝突は避けたいという一念だけになる。ただ一人の息子を、けんか別れ同然で送り出したくない。いつでもあたたかく帰宅を迎えるようにしておきたい。それだけが、息子をつなぎとめておく道だと考えた。

市郎右衛門はうらみっぽく、つぶやいた。

「わしとおまえの考えとでは、よほどちがったところがある。わしの考えからすれば、おまえも、せっかく商売のこつをおぼえたのだし、家業もさかんになってきたのだから、手もとにいて、家業をひき継いでほしい。だが、おまえはそれが性に合わぬという。それを無理にわしの道にひきこめば、おまえは不幸な子になろう。ひとにはそれぞれとりえがあるから、希望するところに進むのが、いちばん出世もし、正しい道でもあろう」

市郎右衛門は、半ばは自分にいいきかすように、しゃべった。

市郎右衛門は、弱気になっていた。息子に対して弱気に、そして、ひとり自分自身は強く生きねばならぬと思った。理解ある父親の末路であった。

「まあいい。わしも、これから大いに若返って、あらためて家業に精出そう。おまえはおまえの好むようにせよ。ただ、決して無分別の考えを起してはならん。何事も冷静に熟慮して、道をふみはずすことのないようにしておくれ」

市郎右衛門の枠は、「分別」という、もうひとつゆるいものに変った。枠とはいえぬ枠である。栄一は、もともと孝心深い利発な子である。そこまでゆるめれば、かえって心の重みを感じて、早く故郷へ帰ってくるかも知れぬという期待もあった。

志士気どりの中《うち》はいいが、志士といい、浪士といい、ほんとうにその身になれば、生きて行くのは、容易なことではない。それは、くいつめた志士連中が、血洗島かいわいまで、宿を求め小づかい銭をもらいにくることからもわかる。栄一は、長七郎のように剣術で身を立てるわけに行かないし、いまさら学者になれる歳でもない。中途半端《はんぱ》な生活しかない。村であれこれ夢見てくすぶっているより、そうした生活に浸った方が、自分自身に見きりをつけて、早く家郷へひき返すきっかけになるかも知れない――。

千代は千代で、ねがいどおり、ふたたび身重な体になっていた。夏には、子供が生れる。帰郷して子供の顔を見れば、栄一の気も落着くであろう。それまでの辛抱だと、自分自身にいいきかせた。

「おまえ、どうしても行くのかい。早く帰っておくれよ。一日も早く帰っておくれ」

えいだけが、同じ言葉をくり返した。(江戸までは、羽織を持って追いかけられないからねえ)とでもいいたげな顔つきであった。

ただ、市郎右衛門たちの思惑は、あまかった。

栄一は、春風に誘われるように、気まぐれに江戸へ出て行ったのではない。栄一の企《たくら》みは、計画的であった。この二年間に、藍の商いの中から、百五十両という大金をひそかに貯《た》めこんでいた。「藍葉を高く買わされた」といい、あるいは、「藍玉が安くしか売れなかった」という。市郎右衛門は、それを、栄一が商売に熱意を失ったせいと考えていたが、実は栄一は、いつもながらに、ぬけ目なく売買し、その差額を着服してきたのであった。「微を防ぎ、漸を杜ぐ」ことにやかましい市郎右衛門だが、その点は、うかつであった。もちろん、ときには不審に思うこともあったが、家業から逃げ出されては困ると、口うるさくききただすこともなかった。こうしてつもりつもった「微」が、百五十両にもなっていたのである。

栄一は、市郎右衛門に江戸出遊を反対されたときには、その百五十両を持って出発し、くいつなぐつもりでいた。めくらめっぽうに家出などはかりはしない。

市郎右衛門は、あまい上にあまかった。出府を許した上、かなりの路銀までくれた。栄一は、そ知らぬ顔で受けとり、別に百五十両をかくし持ったまま、江戸に出た。

江戸は大きいだけでなく、生きている町であった。

前回の出府で、すでにある程度勝手知ったところとはいえ、町の空気まで変っている感じであった。前年末には、品川御殿山にほぼでき上った英国公使館を、高杉晋作《しんさく》、井上聞多《もんた》（馨《かおる》）、伊藤俊輔《しゅんすけ》（博文）ら、長州藩士が襲撃して焼払った。が、その藩士たちに、たいしたおとがめもなかったという。

将軍家茂《いえもち》は、年初、京都に上り、賀茂《かも》神社に攘夷《じょうい》の祈願をされる孝明天皇に随行した。栄一は、いよいよ国をあげて攘夷の気運が強まったと見た。

前回同様、下谷《したや》練塀小路《ねりべいこうじ》の海保漁村の塾で漢籍を、神田お玉ヶ池の千葉道場で剣術を学ぶことにしたが、じっと勉強だけして居《お》れぬ気持である。求めて諸国の志士たちとの交遊を深めた。

ただ、これまで知っていた志士たちの幾人かは、京都に移っていた。代りに、新顔の志士もふえている。諸国から、次から次へと志士や浪士、その志望者がやってきて、江戸はひとつの大きなふきだまりになっていた。そのふきだまりを、ひとすくいするようにして、幕府では浪士隊を編成し、京都へ送り出した。と思うと、その中に尊王攘夷派がまぎれこんでいたというので、その一隊だけが江戸へ戻されてきた。京都の浪士隊は新選組と名のり、なかなかの精鋭だという。

ひとの動きが、渦を巻き、泡立《あわだ》っていた。

二年前に栄一のためにいろいろ案内してくれた尾高長七郎も、京都にひそんでいる。このため、今回は、先年道場荒しにきた小腰平助が、こまめに栄一をひっぱり廻した。

まず、一橋家の用人平岡円四郎のところへ連れて行った。相手は、志士や浪士でなく、幕府御三卿《きょう》のひとつの重臣である。栄一にも、少しためらいがあった。少年のころの岡部代官所でのにがい思い出もある。ただ、小腰平助は熱心にすすめるし、栄一にも、どんな人物にも会っておこうという気持があって、出かけた。

屋敷の中庭に通された。

平岡は、座敷に居た。四十を少し出たばかり。白くでっぷりし、額が広い。もとは旗本の四男坊だが、変物とか異材とかの評判があり、水戸斉昭《なりあき》に見こまれて、慶喜の近侍となり、いまは一橋家の実力者といわれるひとである。

栄一は、かたくなった。だが、平岡は小腰のいっていた通り、気さくであった。栄一を縁側に腰かけさせた。

「気楽に話すがよい。わしは、覇気《はき》のある書生との話をたのしみにしているのじゃ」

初対面で身分もちがうのに、田舎からきた甥《おい》とでも話すような態度であった。(無教養な男が、代官だからといばりちらしているのとちがい、江戸には、こういう武士もある。それに、天下の空気は、こんなにも変ってきている)と、栄一は感心した。

平岡自身の立場は開国か攘夷かよくわからぬが、平岡は両派の議論によく通じていた。栄一をいなしながら、しゃべらせる。笑うときには、両頬にえくぼができて、やさしかった。

平岡はただ書生談をたのしんだのではない。そうすることで、彼なりの人物調査と人材発掘を行なっていた。

「負けぬ気の栄一」は、平岡の眼鏡にかなった。ひとしきり話をきいた後、平岡はまじめな顔になっていった。

「おまえは百姓の出というが、談じ合ってみると、いかにもおもしろい。それに、邦家のために力をつくそうという気構えもいい。ただ、おまえが百姓のままでは、残念ながら、何事もできまい。ひとつ、侍になってみないか。一橋家に仕官する気なら、わしが心配してやるが、どうじゃ」

思いがけない話である。栄一は、まるい眼をまたたいた。栄一は、仕官するつもりで訪ねたのではない。身分もちがうことであり、知遇を得ようとさえ思っていなかった。大物が話をきいてくれるときいて、自分の日ごろの考えがどこまで通用するか、相手の話から何か得るところがあれば、などという期待だけで、盲蛇におじずで、のこのこ出かけて行ったまでのことであった。

黙っている栄一を、小腰が横からひじでつついた。

栄一は、そのしぐさに、宗助と代官所へ行ったときのことを、また思い出した。持出された話はまるでちがっているが、受けられぬことは同様であった。名もない一百姓にそんな風にすすめてくれる平岡の気持はありがたい。世が世なら、そうした平岡に仕えて、粉骨砕身してみるところである。だが、相手の一橋慶喜は、水戸派の気風を継ぐ英主とはいえ、幕府の連枝であり、将軍の後見職でもある。攘夷討幕の志士たろうとする栄一としては、およそ受けられる筋ではなかった。

答えははっきりしているのに、栄一は、きっぱりことわるというようなことはしなかった。栄一は、ふくみを残した。

「いずれその気になりました折には、よろしくおねがいいたします」

平岡は笑顔でうなずいた。

「いつなりとも」

栄一は、一橋の家士になることに未練を感じたのではない。栄一の中には、あらゆる可能性を自分の志のために温存しておこうという気持があった。「立場がちがうから」というような、単純な割りきり方はしない。そういう割りきり方をするくらいなら、はじめから平岡を訪ねていはしない。何でもよい、自分に役立つものは吸収しておこうという貪慾《どんよく》さがあった。

仕官すれば、公然と帯刀できるなど、いろいろ便利なことがある。国事に活躍するにしても、藩士と浪士とではあしらいがちがうことは、御殿山焼打ちの長州藩士の軽い処分に見るとおりである。もとより処分の軽さだけをねがうわけではない。同じ行動を起すにしても、家士の方が、はるかに力強く活動できはしないか。

いずれにせよ、そっけなくことわるのは、ばかげたことだと思った。

一橋家の次に、小腰平助は、「何かの折、役立つかも知れん」といって、栄一を神田柳原の梅田慎之助という武具商のところへ連れて行った。

梅田の店へは、次から次へと客がきた。

「繁昌《はんじよう》で結構だな」

と、小腰。梅田は腰をかがめ、

「おかげさまで。何しろ当節は、誰それが何をいったかとか、どう考えてるかという時節じゃなくて、何を決行するかの御時勢になりましたものですから」

「物騒なことを申すな」

「いえいえ、世間がそうなのでございます。このごろは講釈の席に参りましても、武ばった勇ましい話ばかり好まれておりましてな」

二人が話す横で、栄一は黙って武具を見つめていた。

刀剣、槍《やり》、鉄砲、甲冑《かっちゆう》……。底光りして並ぶその列からは、何か語りかけてくるものがある。

(何を決行すればよいか)

(何をすれば、攘夷討幕のきっかけになるか)

見つめている中、栄一の胸にさわぎ立ってくるものがある。

小腰は、その他、栄一をいろいろなひとに会わせた。小腰は小走りによく歩き、よくしゃべる。話はおもしろく、あきさせない。それに、思いもかけぬような情報を知っていた。ひとの心を読むのも早い。栄一が会いたくなったころに、きまって顔を出し、またどこかへひっぱって行く。それが趣味というより、仕事になっている感じであった。栄一としてもお礼せざるを得ないし、話のしだいでは、先方から金の出ることもあろう。

「関《かん》八州の道場破りは終りじゃ。これからは江戸表、次は上方方面が舞台じゃ。幕府という天下の道場が破られるかも知れぬのう」

などと、小腰はすましていう。どんな世になろうと、かけひきひとつで食って行けるという顔であった。

小腰が小判鮫《こばんざめ》よろしくくっついていた水戸浪士の真田範之助は、上野に小さな町道場を開き、町人の子弟に稽古《けいこ》をつけて、生計を立てていた。武ばったことが、町人の間にも好まれていた。

栄一が小腰とともに、その町道場を訪ねていたとき、近所に火事があった。火勢が強く、町火消があちこちから集まってきたが、それを指揮するいせいのいい老人がいた。長身で、老役《ふけやく》の役者のように目鼻立ちがはっきりしている。ひとつひとつのかけ声にも、気魄《きはく》がこもっていた。

「浅草のお頭《かしら》じゃ」

火事場見物のやじ馬たちが、うっとりしながら、ささやく。小腰が、その頭が新門《しんもん》辰五郎《たつごろう》という名であることを教えてくれた。江戸八百八町に人気のある侠客肌《きようかくはだ》の頭で、横暴な大名火消とのけんかで、十八人を殺し、奉行所に自訴したが、一度江戸払いになっただけで、いまは許されて、また活躍しているという。

頭の人気もそうだが、そうしたお裁きひとつにしても、世の移り変りを思わざるを得ない。

(幕府の時代、武家の時代は、終りつつある。一橋家への仕官など、とんでもない話。いまこそ、自分たち百姓町人が動くべきときだ)

赤々ともえる炎の照り返しを受け、火の粉を浴びながら突っ立っている新門辰五郎。その姿が、栄一に語りかけてくるようであった。

横浜焼打ち

その年も八月に入ってまもなく、栄一は、突然、郷里の血洗島に帰った。市太郎の一周忌が終った後も、そのまま、村にとどまる。

家の者は、よろこんだ。とりわけ、千代は臨月の身であった。大きなお腹を抱えての家事も、栄一が戻ってからは、少しも大儀と思えなくなった。

（あとしばらくの辛抱。赤子の顔を見れば、夫の心もきっとなごむであろう。村に落着き、家業に精出してくれるのでは――）

栄一は、いつもの年と同様、畠《はたけ》仕事や藍《あい》の商売に従った。

ただ、ときどき思い立ったように、新五郎や喜作のところへ出かけ、話しこんでくる。栄一の出府中に、新五郎も喜作も交互に出府しており、江戸生活をなつかしんで集まっている風にも見えた。

八月二十四日、千代は女の子を産んだ。歌子と名づけた。

栄一は、市太郎のときほどは、赤子に興味を示さなかった。千代には、それが女の子のせいだからと思えた。たとえ女の子にせよ、成長するにつれて可愛《かわい》さは増す。遠からず、父親としての愛情がよみがえるだろうと期待した。

千代の期待は、あまかった。

赤子があどけなく声を立てて笑うようになってからも、栄一は一向に気をひかれる様子はない。家業も、おろそかになった。身は村に居て、心はそこにない。ふっと思い立つようにして、五日、七日と、江戸へ出かける。帰ってくると、江戸の火事の話や、横浜へ出かけて異人たちを見てきた話など、おもしろおかしくきかせてくれるが、もちろん、火事や異人を見に江戸へ行ったはずはない。そのかんじんの点については、一向にふれようとしない。

「栄一に限って、女をつくるはずもないが」と、えいも首をかしげる。「おえいの羽織」は、すっかり役立たなくなっている。

市郎右衛門は、静観していた。すでにその春の出府に当って、市郎右衛門は栄一との考え方のちがいを認め、「希望するところに進め」と、いってある。「今後は自分が若返って、家業に精を出すから」ともいった。いまさら、栄一の家業への熱のなさを、とがめるわけにも行かない。ただ栄一の出方を見守る形であった。

世の動きは、不穏であった。四月、孝明天皇は石清水八幡宮《いわしみずはちまんぐう》に攘夷《じょうい》を祈願し、将軍に節刀を与えようとしたが、将軍家茂は、急に病と称して、供奉《ぐぶ》をことわった。この幕府の態度にしびれをきらし、五月には、長州藩が下関で米国商船を砲撃、七月には、薩摩藩《さつま》が鹿児島で英国艦隊と交戦している。その大砲の音が、夜半、こがらしの音にまじって、市郎右衛門の耳にもきこえてくるような気がした。

若者たちの心が落着かぬのは、市郎右衛門にも理解できる。理解しながら、「せめても、無分別な考えだけは起さぬように」と、祈るばかりであった。

千代のおそれていた、からっ風の季節となった。

夜昼問わず、栄一の外出が多くなる。若者たちが、新五郎の家や道場で寄合う。村のことについてはうわのそらの栄一だが、そういう寄合いには、まっさきに出かけて行く。音頭をとっている。

「何を企《たくら》んでいるのじゃろう」

さすがに、市郎右衛門も不安になって、つぶやく。

だが、千代たちには、答えようもない。事実、栄一たちの企てていたことは、およそ、市郎右衛門の想像を絶していた。

同勢約七十人で、まず、そこから八里の高崎城を襲撃した後、鎌倉街道を急進して横浜にいたり、外人居留地の四方八方に火を放って、外国人を手あたりしだい斬殺《きりころ》そうというものである。無謀な思いつきではない。数カ月、練りに練った計画であった。

（目標について）

ねらいは、世の中に大混乱を起し、討幕攘夷のきっかけをつくることだが、幕府高官の襲撃ぐらいでは、事態は何ひとつ変らぬことは、井伊掃部頭《かもんのかみ》や安藤対馬守《つしまのかみ》の要撃の結果にも明らかである。また、外国人の一人や二人殺傷しても、償金をとられて終るのが、生麦《なまむぎ》事件の例に見る通りだし、井上聞多ら長州藩士のように、無人の外国公館を焼払ってみたところで、幕府もたいしておどろかない。外夷を怒らせて、決定的に幕府と衝突させ、いや応なしに幕府を攘夷にふみきらせるには、よほど大規模の外人襲撃が必要である。それには横浜の居留地を外人ごと焼払うのが絶好だ、と考えた。

それは、それまでの志士や浪士による視野のせまい区々たる襲撃ではなく、国家全体を見渡した上での最も戦略的に価値ある目標に思えた。

(同志について)

新五郎の門弟である血洗島や手計《てばか》の若者たちを中核とする。

江戸には志士も多いが、諸国から寄集まってきているだけに、まがいものや一旗組もいて、信用できない。うっかり誘えば、事前に漏れる心配がある。ごく小人数から成る安藤襲撃でさえ、事前に計画の一部が発覚、あわてふためいて決行する羽目となっている。事は何より秘密を要する。それには、気心の知れた同郷の者同士で血盟を結ぶ方がよい。

栄一は、そう考えればこそ、四カ月で江戸生活に見切りをつけ、血洗島へとって返したのであった。亡児の一周忌のためでも、生れてくる赤子のためでも、また、家業にはげむためでもない。横浜焼打ちの準備のための帰郷であった。

ただ、多少剣術の心得はあるといっても、田舎の若者ばかりである。実戦にあたって補強する意味で、栄一はかねて江戸で目をつけていた志士数人に加盟を呼びかけた。道場荒し以来の知己である北辰《ほくしん》一刀流の名手真田範之助や、海保漁村塾の塾生中村三平などで、参謀格の資格で加わってもらった。親しかったが、小腰平助には声をかけなかった。栄一は、小腰をあくまで小判鮫《こばんざめ》と見た。小判鮫には小判鮫の使い道、生きる道がある。決死の大事に随伴できる相手ではなかった。

焼打ち計画は、栄一が主になって進めたが、主将は尾高新五郎とし、栄一は喜作とともに、副将として采配《さいはい》をふるうことにした。

勝負好きの喜作は、この一世一代の勝負に気分をたかぶらせ、若者たちをあおった。

「このあたりは、昔、豪族たちが血なまぐさい戦争をくり返した土地だ。血洗島は血まみれの首を洗ったところだし、手計は斬落された手ばかりがころがっていたところ。いまこそ百姓だが、われらには、もともと坂東武者《ばんどうむしゃ》のあらあらしい血が流れているのだ」

と。

(決行の時期について)

焼打ちには、火のはやく走る季節がよい。しかも、行動は夜間だから、早く闇《やみ》の下りる時期が好都合である。こうして、冬至の十一月十二日(旧暦)が選び出された。冬至の日は、「一陽来復《いちようらいふく》」とされ、陰がきわまって、陽が返る、運が戻ってくる日とされる。「陽気の発する処《ところ》金石も亦透《またとほ》る。精神一到何事か成らざらん」という詩句を思い出させる縁起のよい日なのだ。決行は、この日以外になかった。

まず、武器をそろえなくてはならぬ。栄一が江戸に出て、ひそかに調達してくることになった。軍資金としては、かねて藍商売の中から着服した百五十両がある。

いよいよ大事決行の第一歩であったが、このときになって栄一は、家と訣別《けつべつ》しておくことの必要を感じた。この企み、自分が主謀者である。事破れれば、極刑に処せられるばかりか、家族の者まで、おとがめを受けかねない。

栄一としては勘当の身となりたいのだが、いきなり「勘当して下さい」ともいい出せない。父市郎右衛門にそれとなく決心のほどを知らせて、家になき子とあきらめてもらう他、仕方がない。帰郷以来、国事についての話を意識的に避けてきた父子だが、このままでは、自分の真意は伝わらず、無分別な一暴徒として、闇から闇へ葬《ほうむ》り去られることにもなりかねない。それは、自分にとって不幸なだけでなく、親に対しても、不孝である。計画の中身を明かすわけには行かぬが、せめて自分の心のあるところを伝え、覚悟をきめておいてもらうために、最後にもう一度、じっくり市郎右衛門と話合いをしておこうと思った。

ただ、立場のちがう父子が、向き合ってまともに話合えば、感情的になる。激するあまり、けんか口論し合っては、後味の悪い別れになる。逆に、情にほだされて、計画の中身につい触れかねない心配もある。そこで栄一は、話の場に、新五郎と喜作の二人を呼ぶことにした。第三者がまじれば、感情的にもならぬし、情にほだされることもない。さらに栄一は、その父子話合いの日を、九月十三日、後の月見の夜に選んだ。その夜は、村では観月の祝いをするしきたりなので、客を迎えておそくまで話すことがあっても、市郎右衛門も怪しまなければ、近所で不審がることもない。

栄一は、そこまで心を配った。頭の熱くなるような計画の中でも、栄一はいつも冷静であり、それに伴う現実的な判断を忘れない。

栄一は、志士気どりで昂然《こうぜん》としたり、逆に、陰気に沈んだりする人間ではなかった。

その月見の宴でも、ごくふつうに話を進めた。

市郎右衛門は新五郎の学問の師であり、新五郎は栄一や喜作の師である。四人は師弟の間柄であり、同郷であり、互いに縁続きでもあるので、話題はいくらでもあった。

さりげない世間話に、夜がふけて行く。

ころあいを見て栄一は、江戸での見聞を中心に、世の中が変り目にきていることを意識的に話し出した。市郎右衛門も、最初はうなずいてきいていたが、栄一が、

「天下が乱れる日には、百姓だからといって、安居《お》しては居られませぬ。幕府の御政道をくつがえし、志ある者がのびる世の中に改めねばなりませぬ。そのためには、百姓とても、ときには鋤鍬《すきくわ》をすてて……」

といいかけると、手をあげて遮《さえぎ》った。

「時勢を論ずるのを妨げはせぬ。なるほど、幕府の御政道は悪い。悪いから、腹を立てる。そこまでは、このわしも理解する。だが、その先は、ついて行けない。なぜ一百姓の分際で、幕府の政道を改めようというのか。身分の位置を転じようなどとは、料簡《りようけん》ちがいもはなはだしい。断じて同意するわけには行かん」

四角四面な「百姓の分際」論である。栄一の予想していた通りの言葉であった。栄一は反論した。

「お言葉を返すようですが、もはやこの時勢になっては、百姓町人と武家の差別はありません。異国のはずかしめを受けるかも知れぬというのに、百姓だから少しも関係せぬといって、手をこまぬいて居られましょうか。何事も知らなければ、それまでの

こと。いやしくも知った以上は、安居しては居られません」

「しかし、人おのおのに分際というものがある。鋤鍬しか持つことを知らぬ百姓が立上ったところで、何ができるというのか」

「できるできぬでなく、なさねばならぬのです」

「心得ちがいじゃ。百姓に生れついた以上は、百姓の本分がある。非望を企ててはならぬ」

「父上のおっしゃるのもごもっともですが」と、栄一は市郎右衛門を立てておいては続ける。「父上は世の成行きをお嘆きなさって居られたのではありませぬか」

「もちろん、案じている」

「案じながら、わしは百姓だからと、国の滅びるのを見守ろうとなさるのですか」

「……身のほどを考えるのじゃ」

市郎右衛門の声には、悲痛なひびきがあった。(何も一人息子のおまえが……)と、肉親の情に訴えたいところだが、新五郎たちが居ては、それもできない。その辺がまた、栄一のつけ目であった。あくまで感情をまじえぬ話合いの中で、自分を理解しておいてほしかった。

「百姓の分際」をめぐって、議論は並行したまま続いた。ときどき、新五郎や喜作が、栄一に助け船を出す。市郎右衛門はしぶい顔をし、しだいに言葉少なになった。

戸の外の月の光はうすれた。虫の声も、疲れたように、小さくなっている。

家の中の議論である。話の内容は、ほとんど筒抜けに、えいや千代に伝わっていた。

栄一の覚悟がわかってくる。女たちは、ときどき、涙をすすった。もはや、「おえいの羽織」も間に合わない。素裸で寒い月光の中にさらされている気がした。大きな羽織のほしいのは、えいたちの方であった。

重くしめって行く空気を破って、ふいに赤ん坊が泣く。千代が抱上げても、泣きやまない。

「おお、おお、かわいそうに」

えいが、はれた眼をして寄ってきて、ささやく。

「おまえまで、おびえているのかい」

千代は、赤ん坊の声が栄一の胸にくさびとなって打ちこまれてくれるように祈った。

だが、座敷からは、相変らず男たちの低い話声が続いていた。発展のない議論である。お互いの間の裂目の深さをたしかめるばかりであった。

三人を相手に、市郎右衛門はさすがに話し疲れた。

「栄一、思いとどまってくれぬか」

と、ときどきくり返すだけである。栄一はかぶりをふり続け、さらに、

「こうする以上は、渋沢一家の存亡などに頓着《とんちゃく》して居られません。まして、わたしの一身など、ないものと思っております」

と、覚悟のほどを述べた。

そこまでいわれては、市郎右衛門としても、あきらめざるを得ない。市郎右衛門は、物をいわなくなった。腕を組み、じっと下唇をかみしめる。

すでにその春、栄一を江戸へやるとき、父子それぞれの道がちがうことを確認している。議論のすじとしては、すでにかたがついていた。ただ、市郎右衛門には、ひとつ重要な疑問が残っていた。

「いったい、おまえは何をする考えじゃ」

くり返してきくが、栄一は、

「それだけは御勘弁を」

と、手をつくだけで明かさない。

明け方近くなって、市郎右衛門は、ついに、さじを投げた。

「よろしい。おまえはもうわしの子ではない。勝手にするがよかろう」

怒気をふくんだ声でいい、

「わしは幕府が非道であろうと、役人が無法であろうと、構わず服従する所存である。そして、麦や藍をつくって、百姓として世を送る。おまえはそれができぬという以上、自由にさせる他はない」

市郎右衛門は、鼻じろんだ顔で続けた。

「おまえがすることによって、身を滅ぼすことになるか、名をあげることになるか、わしは知らぬし、知りとうもない。わしとおまえとは、もはや種類のちがう人間であるから、今後は一切、相談相手にもならぬぞ」

栄一は、うなだれてきいていたが、あらためて両手をついて、

「どうぞ、わたしを今日限り御勘当くださって、跡は養子をおきめください」

市郎右衛門は、とまどった。追出したつもりであったのに、先へとび出されたかっこうであった。

「……いま突然勘当すれば、世間が怪しむ。ともかく、おまえが家をすてた後で勘当したということにしよう。養子のことは、その先でもおそくはない」

市郎右衛門は蒼《あお》い顔でいった。

寒々とした行灯《あんどん》の灯が、ようやく燃えつきようとしていた。栄一は、重ねてたのんだ。

「先刻、わたしは家のことには頓着しないと申しましたが、家にわざわいが及んでからでは、おそすぎます。いますぐ御勘当を」

市郎右衛門は眼をむいた。

「ぜんたい、おまえは何をしようというのだ」

栄一は口をつぐむ。新五郎も喜作も、そ知らぬ顔で、息をつめる。市郎右衛門は溜《ため》息《いき》をついた。

「無分別なことはするなというてある。罪科を犯しさえしなければ、家に迷惑のかかることもあるまい」

焼打ちは、もちろん罪科の最たるもの。ただ栄一は、その辺のところを、におわすわけにも行かない。ただ黙って頭を下げた。

市郎右衛門は、少し声をやわらげて、つけ加えた。

「道理をふみたがえず、仁人義士といわれるように振舞っておくれ。さすれば、死生や幸不幸にかかわらず、わしは満足に思うことだろう」

夜が明けると、栄一は、その足で江戸へ立った。市郎右衛門が議論をむし返したり、女たちが泣きつく間もなかった。衝突した父子が、そのまま気まずく顔を見合せているということもない。すべて栄一の設計どおり、事がはこんだわけであった。

同じ朝、江戸へ向う栄一とは逆に、若者の一人が、栄一の密書を持って、京都の長七郎のもとへ旅立った。焼打ち計画の概要を述べ、長七郎に即刻帰郷して参加するよう求めた密書であった。

挙兵にあたって、長七郎こそ、中心になって活躍すべき人物である。長七郎が諸国修行で見識を深め、神道無念流の剣をきわめたのも、すべて、この一挙のためではないか。その選ばれた男に、いまこそ、陣頭に立って奮戦してもらわねばならぬ。他にも、長七郎の見込んだ同志があるなら、連れ帰るようにと、たのんだ。

長七郎は、戦力として必要なだけではない。京都から眺めた天下の形勢はどうなっているかの情報も知りたい。横浜焼打ちは、尊王攘夷《じょうい》の口火になることだが、口火が口火のままで消えては困る。その口火を受けて、まず立上ってくれそうなのが、長州藩である。長州の志士多賀谷勇からは、その面での了解をとりつけているが、藩そのものの動向はどうなのであろうか。また、最初、高崎城に立てこもった場合、どういう筋の呼応を期待すべきであろうか。その辺の長七郎の分析も、ききたかった。

栄一は、中仙道を江戸へ急いだ。

いつもは志士まがいの服装で行くのだが、今度は大事をとって、途中、王子で旅商人の姿に変った。めざすは、神田柳原の武具商、梅田慎之助の店である。

鉄砲の売買は詮議《せんぎ》がきびしいのであきらめ、刀、槍《やり》、防具などを大量に買いつけるわけだが、昼間は客が居て、話がきり出せない。

夜になるのを待って、梅田の店へ出かけた。

梅田の店では、表戸を半分締め、小僧が土間に水を打っているところであった。

夜分、しかも、商人姿できた栄一を見て、梅田は、すぐ合点した。頭のまわりの早い男であった。店先ではまずかろうと、奥の土蔵の二階にある小さな座敷へ案内した。

小腰に紹介されてから、栄一は数度、梅田の店を訪ねている。刀も買った。その間に栄一は、梅田の人がらを観察した。梅田は武家相手の商人だが、新門辰五郎の心酔者で、俠気《きょうき》がある。それに武器商人だけに、かえって客の秘密についてロはかたい、と見た。

栄一は、刀と槍を百二、三十本、それに、簡単な鎧《よろい》である着込みを八、九十枚、急いでそろえてくれるようにたのんだ。

思いがけぬ大量の注文に、梅田もさすがにおどろいたようで、つい、

「何をなさるおつもりですか」

と、きく。

「話すわけにはいかん。おぬしを男と見こめばこそ、たのむのだ。黙って買いととの

えてはくれぬか」

そうした注文が何を意味するかは、武具商である梅田に、おおよそ見当はつく。ひき受ければ、わざわいが身にふりかかるかも知れない。

二人は無言で見合った。梅田にとって、ひとつの賭《かけ》であった。栄一にとっても、賭である。ことわられれば、そのままではすまない。

しばらくして、梅田は大きくうなずいた。

「承知しました。天野屋利兵衛ではないが、あっしも男だ。何もうかがわず、御用をたしましょう」

そういってから、声を落し、

「ただ、集めるのに時間がかかります。その間に再々出入りされては、人目につき、もしものことがあっては困ります。そろうまで、この土蔵にかくれていておくんなさい」

栄一は、土蔵の中を見廻した。三畳ほどの畳が敷いてあり、起居に不自由はないが、なにしろ土蔵は土蔵である。物をしまっておくところで、人間をかくすところではない。大量の武器こそ、こっそり集めて貯《たくわ》えねばならぬが、何も買主まで土蔵の中にかくしておくことはないではないか。

栄一は、梅田を見直し、そのはらの中をさぐった。土蔵にとじこめておいて、「おそれながら」と幕吏に訴え出るというのが、最悪の想定。次に、栄一を信用しきれず、最後の引渡しまで、人質代りにひきとめておこうというもくろみも考えられる。だが、梅田の場合は、そのどれでもないようであった。

梅田は、本気になって、栄一の身を案じていた。いかにも天下の一大事という顔である。危険をおそれず武器も調達するが、ついでに義士もかくまって、男気のほどを示してもみたいのだ。講釈や芝居好きの男だけに、少々芝居がかっていた。

栄一は、内心、おかしかった。だが、梅田がせっかく天野屋利兵衛気どりでやってくれようとするのに、水をさすわけに行かない。その芝居にのる他はなかった。

似た者夫婦で、梅田の妻女がまた、俠気もあり、芝居気があった。女中の手をわずらわせず、足音をしのばせるようにして、自分で食事を運んでくる。「さぞ御不自由でございましょう」と、大げさに眉《まゆ》をよせ、溜息をつく。

栄一にしてみれば、ねころんだり書見したりの気楽な骨休めで、五日や十日の土蔵ぐらしは、何ということもない。

妻女はまた、栄一に生れたばかりの赤ん坊があるときいて、

「父親の顔も知らず、おかわいそうに」

と、すでに栄一が亡《な》き人であるかのようにあわれんで、着物の袖《そで》を眼にあてた。

江戸に居る同志、真田範之助や中村三平などに連絡をつけてきてもらい、土蔵の中で挙兵の具体的な計画を練ったが、そうしたときには、梅田の妻女が、たのみもしないのに、土蔵の入口で、さりげなく見張番をつとめてくれた。

梅田は、日に一度は調達の状況を報告にきて、ついでに、江戸市中の出来事を話してくれる。講釈が好きなだけに話上手で、いかにも目《ま》のあたり見てきたかのようにしゃべり、なかなかにおもしろい。

前年暮、長州藩士による御殿山の英国公使館焼打ちのとき、同勢三人は火をつけ燃え上るのを見て脱出したが、井上聞多ひとり、念には念を入れよと、すでに役人たちの手が廻っている中へひき返し、火勢をしばらく見守った後、戸板などうちこわして燃料にし、さらに一箇所、火をつけ加えてきたという。

あるいは、同じ仲間の伊藤俊輔は、和学の頭領である塙《はなわ》次郎忠宝《ただとみ》を同じころ九段の禿小路《かむろこうじ》に襲って暗殺したが、伊藤はその後、近くの軒下に身をひそめ、追っ手の者たちがきたところへ、わざわざ出て行き、「何事でござるか」と、そ知らぬ顔でき、「そういえば、怪しい男たちがあちらへ逃げて行った」と、追っ手たちをあらぬ方向へ走らせ、自分は悠々、逆方向へ歩いて帰ってきたという話など。

大事を前にした身で、土蔵の中できくだけに、そうした話は、いかにも生き生きと、親しいものに感じられた。はるか長州からきたひとにぎりの男たちによって、江戸市中がひっかき廻されているかっこうで、痛快でもあり、自信を与えられる思いもした。

十日ほどで、必要なだけの武具はそろった。次は、その運搬である。

買集めより運搬の方に危険があるが、この点については、すでに栄一は慎重に段取りをつけておいた。手計村の若い植木屋が、利根川を利用し、江戸との間を植木や薪《まき》を運んでいる。この男を同志に誘った。買集めた武器は、何回にも分けて船につみ、その上に植木や薪をかぶせて、利根川をさかのぼり、血洗島のすぐ北の中瀬で陸揚げし、新五郎や栄一の家の土蔵や藍倉《あいぐら》へ運びこんだ。

十月下旬、栄一は血洗島へ戻った。いよいよ、決行まで一月足らず。襲撃の具体的な手はずをきめ、偵察をはじめた。

最初の攻撃目標である高崎城は、松平右京亮《うきようのすけ》八万二千石の居城である。乗っ取るには、手ごろな城である。

かつて尾高新五郎は、栄一たちに学問の手ほどきをするのに、『里見八犬伝』や『通俗三国志』など、読みやすくおもしろい書物から入るのがよいと、すすめた。栄一は『八犬伝』を愛読したが、今度の城攻めにあたって、その『八犬伝』の中に出てくる手口をつかうことにした。

夜ふけ、提灯《ちょうちん》を手にした百姓数人が城門に立って、「火急のおねがいがございます」と、訴え出る。門番が門を開いたところへ一気に乱入し、寝ごみを襲って城中を制圧しようというのである。乗っ取り後は、城中の武器弾薬を徴発し、同時に、藩士であると農民であるとを問わず、義挙に加わる人数をふやす。

同時に、天下の諸大名に、尊王攘夷の挙兵を知らせ、呼応して立上るよう呼びかける。ついで、裏街道である吉井、飯能《はんのう》、八王子を急進して、一挙に横浜に攻めこみ、外人居留地を焼払う。

沿道の人心への働きかけも考えた。挙兵前夜、「神託」と題する檄文《げきぶん》を、ひそかに諸処方々にはり出す。栄一たちの行動が単なる暴動でなく、神意にもとづく義挙であることを、民心にやきつけておくのだ。

「神託」の文案は新五郎が練り、達筆をふるって、一枚また一枚としたためた。

「神　託

一、近日高天《たかま》ケ原《はら》より神兵天降《あまくだ》り、皇天子十年来憂慮し給《たま》ふ横浜箱館《はこだて》長崎三ケ所に住居致す外夷の畜生共を残らず踏み殺し、天下追々彼の欺《ぎ》に落入《おちいり》、石瓦《いしがはら》同様の泥銀にて日用衣食の物を買取られ、自然困窮の至りにて、畜生の手下に相成る可《べ》き苦難を御救ひ成され候間《さふらふあひだ》、神国の大恩相弁じ、異人は全く狐狸《こり》同様と心得、征伐の御供致す可きもの也……」

といった文章にはじまる長文のもので、年号は、「天地再興文久三年」とし、（これを破りすてる者があれば、たちどころに神罰が下る）と、忘れず書きそえておいた。

手はずは、すべてととのった。あとは、長七郎の帰郷と、決行の日のくるのを、待つばかりとなった。

からっ風が、土ぼこりを巻いて、野良《のら》を吹きわたって行く。いつもはつらい風が、今年は若者たちには、うれしい風であった。（風よ、冬至の日こそ、忘れずに吹け）と、ねがう。よろめくほどの風の中で、若者たちは頰を赤くし、眼を細めて、うなずき合った。

待ちわびていた長七郎が、京都から帰ってきた。総髪《そうはつ》姿こそ変らぬが、長七郎は日やけし、濃い眉の下の眼が青みを帯びてきびしく、またひとまわり大きく鋭くなった感じであった。栄一たちには、見るからにたのもしい同志の帰還であった。

十月二十九日夜、尾高家の屋根裏部屋に、新五郎、栄一、喜作、真田範之助、中村三平、それに長七郎の六人が集まった。

この日までに、生死を共にすることを神明に誓い、着到を記した者、六十九名。最年長は、尾高新五郎、数え三十四歳。最年少は、同じく平九郎、十六歳。渋沢栄一は、二十四歳であった。

この夜の密議は、長七郎を迎えて、襲撃の手順を最終的につめようというのである。新五郎がひととおり計画を説明し、栄一が補足した。

八州取締がしきりに村の様子をさぐっている。話の間にも、ふみこまれる心配がないとはいえなかった。中村三平が階段の近くに居て、階下の気配に、真田範之助が窓ぎわで、すぐ外を通る村道の気配に耳をすましていた。

風の冷たい夜で、ほとんど通行人はなかった。

尾高家では、新五郎が家長であり、母親のやえはじめ家族たちは、そこから遠い奥の部屋にひきさがって声をのんでいる。ひとり平九郎だけが、いざというときに備え、屋根裏部屋のすぐ下の座敷で、傍《そば》に大刀を置いて控えていた。

何事もなく時間が流れた。そして、事が起ったのは、その屋根裏部屋の中からであった。

長七郎は腕組みしたまままきいていたが、栄一の話が終ると、いきなりいった。

「わしは、この話には断じて同意できん」

栄一たちは、耳を疑った。

「なに、不同意だと」

「そもそも、何が不同意なのだ」

口々につめ寄るのに、長七郎は眼を光らせていい返した。

「この挙そのものが、愚かだ。大まちがいだ。だから、賛成できんのだ」

長七郎は、新五郎に向き直り、声を励まして続けた。

「失礼ながら、兄上も栄一も、我のみを知って、彼を知らぬ。いや、もっとはっきり申せば、彼も知らず、己れも知らぬ。およそ、成功のめどはない。竹槍むしろ旗の百姓一揆《いっき》として、縛り首になるのが、おちだ。あたら有為の身を失うばかり。つまらぬ。実につまらぬ。わしは大いに不同意じゃ。はやく同志を解散されるがよかろう」

長七郎は一気にいい、腕を組直した。栄一たちは茫然《ぼうぜん》とし、眼と眼を見合せた。

「変心か、長七郎」

「京で臆病風《おくびょうかぜ》に染まったな」

真田と中村が、刀の柄《つか》に手をかけた。

「待て」新五郎が二人をおさえた。「意外なことをきく。諸君、腹が立つ。腹も立つが、まず長七郎の意見をきこう。刀をふるうのは、そのあとでいい」

「そうだ、意見をきこう」

栄一も、いいそえた。思いもかけぬ長七郎の反対だが、もともと長七郎は智勇《ちゆう》のすべてで栄一たちの憧《あこが》れの人物である。京都へ出ていっそうたくましくなることはあっても、臆病者になり下るわけがない。真田たちとちがって、簡単に臆病者呼ばわりできなかった。

「実に乱暴千万な考えじゃ」長七郎は、もう一度くり返してから、「そもそも、今日、七十人や百人の烏合《うごう》の衆で、何ができるというのか。高崎城が、まず取れまい。取ったところで、横浜への進撃など、思いもよらぬ。たちまち幕府や諸藩の兵にとり巻かれ、討ち滅ぼされるにきまっている。横浜焼打ちには、よほど精強な大部隊が要る。泰平になれて、幕府や諸藩の戦力も弱まっているかもしれぬが、人数が多い。千、万という雲霞《うんか》のごとき軍勢に対して、百人足らずで、どこに勝目があろう」

栄一は、すぐいい返した。

「われらは、終始七十人ではない。呼応して、たちまち人数がふくれ上るはず」

「どこの誰が呼応してくれる。おぬしたち、天誅組《てんちゆうぐみ》の報《しら》せをきいてはいないのか」

「しかとは……」

「それそのとおりじゃ。あれほどの義挙も、世間に伝わるのはおそい。伝わったところには手おくれで、もはや火もつかぬ。……それに、彼等は烏合の衆ではない。盟主には、中山侍従をいただき、指揮は藤本鉄石、松本奎堂《けいどう》などという文武の達人。同勢も、郷士浪士の精鋭を百人以上もそろえた。それでさえ、わずかに地元の五条代官を斬《き》っただけ。死力をつくして戦っても、小さな植村藩に防ぎとめられてしまった。そこへ藤堂藩に攻めこまれ、一戦直ちに敗れて、主だった者は討死。あとは、ちりぢりばらばらじゃ。天下の志気を鼓舞したというかも知れぬが、その効能は、ごく些細《ささい》なものじゃ。その些細な効能のために、数十人の人材が打ちそろって死んでしまう。これが軽挙でなくて、何であろう」

長七郎は、なおくわしく、天誅組の戦況やその始末について話した。さらにこの夏、会津薩摩《さつま》の連合のため朝議が一変して、尊王攘夷《じょうい》派が劣勢にあることも話した。長州藩は御所の守衛を免ぜられ、三条実美《さねとみ》ら七人の公卿《くぎょう》も、長州へ逃げのびた。たのみの長州藩自体が藩内の自粛統制につとめ、列藩にもとりなしをたのんでいるようなありさまなので、とても栄一たちの挙兵に呼応するどころではないという。

現実のそうした新しい動きを持出されると、栄一たちにも、さすがにそのことでの反論はできなかった。

「それなら、時勢があらたまり、力を持つまで待てといわれるのか。精強な軍勢のそろうのを待っていたら、それこそ、いつのことかわかりはせぬ。まだまだといっている中、八州取締にでもかぎつけられて縄をかけられ、獄中に死ぬということにでもなったら、それこそ不面目ではないか」

「待つのではない。ひとまず解散するのだ」

「ならぬ。一度死ぬときめた以上は、事の成否など天に任せる。尊王攘夷は口にしさえすればよいというものではない。ただ一死を以《もっ》て事をあげるのだ」

栄一は反論というより、開き直って続けた。

「われらもともと捨石になる覚悟。成否の問答など無用だ」

「わからんやつだ。捨石にもならぬというのに。決して天下の同志は立ちはしない。ばかげた百姓一揆として葬《ほうむ》られるだけだ。つまり、犬死だ」

「犬死か、犬死でないか、やってみないとわからん。お互い、志士を以て任じている以上、たとえ狂と呼ばれ、愚とののしられようと、信ずるところをやる。いまは行動が問題なのじゃ。おぬしが反対なら、さしちがえてでも決行するぞ」

栄一は、脅迫するため、いったのではない。本気で、そう思った。

「ぜんたい、このもくろみは、おぬしが先頭に立つのが順序ではないか。日光挙兵といい安藤対馬守襲撃といい、かねがね国のため一身を擲《なげう》つという覚悟のおぬしではなかったか。そのおぬしから、いまになって、かような議論をきくとは、心外千万だ」

栄一は腹が立つと同時に、口惜《くや》しくてならない。われらの夢の男は、いったい、どうしてしまったのか。

「京で臆病風に吹かれ過ぎたな」

と、また、真田がいう。中腰になり、刀の柄に手をかけて、

「渋沢のいうとおりじゃ。おぬしを斬るより仕方がないわい」

長七郎は、濃い眉を上げて、真田をじろりと見返した。眼が青く光る。

「よし。それなら、わしもおぬしたちを斬ってでも、おしとどめる」

「やるか」

栄一も喜作も、腰を浮かせた。だが、長七郎は、すわったまま動かない。その眼は、行灯《あんどん》の光のとどかぬ暗い天井を見つめている。

「わからんやつだな」

急に長七郎の語調がかわった。泣きそうな声であった。

長七郎は下唇をかみ、ついで眼を閉じた。その唇から、ふるえるような声が漏れる。

「おぬしたちの気持は尊い。尊いから、なおのこと、わしは犬死させたくないのだ」

眼のふちから、涙が光って落ちた。

栄一たちは、また、あっけにとられた。剛毅《ごうき》な長七郎のことである。ほんとうに剣

にかけても反対してくる、と覚悟していた。竹刀《しない》を頭上で回転させながらうちこんでくるすさまじい剣風。真田もかつて、その剣にたたき伏せられたひとりである。長七郎が本気になったら、容易なことではない。

だが、その長七郎が泣いている。栄一たちは、とまどうばかりであった。

長七郎は、片手を床につき、総髪の頭を下げていった。

「やめてくれい、諸君。たのむから、やめてくれ」

胸底からしぼり出すような声である。(あの長七郎が泣く。そんなことがあって、たまるか) 栄一たちは、まだ茫然としていた。

「ならぬ。おぬしを斬る」

真田ひとりがいい返したが、声に力がこもらない。

風が雨戸をたたいて走った。ここしばらくは、焼打ちにあつらえの風が吹く。栄一たちの決意をうながすような風の音であった。

「長七郎、刀をとれ」

真田の声にも、長七郎は無反《むぞり》の大刀を脇《わき》に置いたままである。また風が雨戸をたたいた。寒々とした行灯の灯が、隙間風《すきまかぜ》にゆれる。

「腰抜け者」

真田は長七郎をにらみつけたまま、拍子抜けして腰を落した。真田にしても、もし長七郎と斬合うことになれば、それこそ二人や三人、ほんとうに犬死しかねないことを知っている。

誰もが黙った。家の中は、静まり返っていた。はげしい議論の一部始終は、急な階段の下で控えている平九郎の耳にも、届いていた。平九郎もまた、刀の柄に手をかけながら、いざとなれば、尊敬する兄と斬結ぶため、二階へかけ上る構えでいた。

新五郎の母や妻も、奥の部屋でねむれないでいた。はげしくののしり合い、ふいにとだえた話声。男たちが、命をかけて、おそろしい議論をしている。国事を案ずる男たちを前に、女は一言も口をはさむことができない。心のすみで、ただただ無事を祈るばかりであった。

夜明け近くなって、新五郎がいった。

「お互いに、こうまで感情が激していては、議論の決着をつけるわけにも行かぬ。この場はひとまず解散し、明日の夜もう一度寄合って、話をきめようではないか」

「きめるも、きめぬもない。われらには決行あるのみだ」

と、真田が疲れた濁声《だみごえ》をはり上げる。行灯のうすい光の中に、ただでさえ大きな体が、妖怪《ようかい》のようにふくれ上る。

「腕ずくででも、決行はさせぬ」

長七郎も、負けずにすわった眼つきで答える。

「どうする」

喜作が栄一にささやいた。栄一は腕を組んだ。

「新五郎殿のいわれるとおり、もう一日考えてみよう。決行までには、まだ日もある」

「考えるのか」喜作はがっかりした顔になる。「やるか、やらぬか、答えは二つに一つではないか。そんな簡単なことを、一日がかりで考えるのか」

栄一はうなずいた。

「長七郎が、あれほどまでに反対する。長七郎は、われらが兄ともたのんだ男、われらが憧れた智勇の士じゃ。その長七郎を斬るには、よくよく考えた上でなければならぬ」

ささやき合っていると、新五郎が一膝《ひとひざ》のり出した。

「それでは、万事、明日の夜に」

主将である新五郎がそういう以上、議論は打切らざるを得なかった。

冬の一日は、考えに考えている中、あっけなく過ぎた。

長七郎が命をかけてとめようとするだけに、たしかに計画が無謀に思えてきた。とりわけ、天誅組潰滅《かいめつ》の生々しい実例が、栄一にはこたえた。長州藩をはじめとする尊王攘夷派の後退という新しい情勢も、旗揚げを再検討すべき重要な問題であった。成功の目鼻は、格段に少なくなった。しかも、その結果が、長七郎のいうように「ただの百姓一揆」としてかたづけられるかと思うと、死んでも死に切れない気がする。

ひょっとすると、長七郎の意見が正しいのではないか。

何十人もの男が、家をすて命をすてて決行するからには、十分の上にも十分に情勢を検討し、思慮を働かせるべきである。焼打ちのためにたまたま冬至の日を選んだが、それ以後でも、いくらでも好機はあるはず。いまはしばらく、天下の形勢を見守るべきではないだろうか。それに、栄一には、あの剛毅な長七郎が泣いたということも、ひとつの衝撃であった。それほどまでに思っていてくれたのかと、心をゆすぶられた。

長七郎の泣声は、その日一日、幻聴となって、栄一の耳に残った。

現実には、栄一の家で泣いているのは、歌子と名づけた赤子であった。元気がいい子で、高い声をあげて泣く。

「おまえのお父《とう》は、今夜も出て行くんかのう」

呼びにきた喜作と連れ立って家を出ようとすると、えいが赤子を抱いて、見送りに立った。その背後で、千代が無言のまま、栄一をじっと見つめている。大きな、こぼれそうな瞳《ひとみ》であった。

栄一からは何も話さぬが、千代はうすうす感じている。それでいて、兄の新五郎にしつけられたとおり、女は何も問うべきでないと、黙って耐えていた。

外へ出ると、栄一は喜作にきいた。

「どうだ。おぬし、考えてみたか」

「いや、そんなめんどうなこと。ただ、しょっぱなから、勝負にけちがついた。勝目はないのう」

「それでもやるか」

喜作は、栄一の顔を見返し、物憂《ものう》く首を横に振った。

「人生、一度や二度は大勝負をしてみたい。それなのに、たった一回、負けのわかった勝負だけとはつまらぬ。死んでも死にきれぬと思うな」

歩きながら、栄一も自分の考えを話した。

これで、もう結論は出たと思った。

今度の計画も、もともとは二人が中心になって推し進め、そこへ新五郎を主将格にいただいた。二人が消極論に変れば、元来、思慮深い新五郎も消極論につく。というより、一日の猶予《ゆうよ》をきめたとき、もはや新五郎のはらはきまっていたといってよい。決行にふみきる気があるものなら、あのときの勢いで決すべきであった。時間が経《た》てば、感情的なほとぼりはさめ、冷静な現実的判断がとって代る。一日延ばすことは、永久に延ばすふくみがあった。

前夜とほぼ同じ時刻、同じ屋根裏部屋に、六人は顔をそろえた。平九郎が階下で張番をするのも、前夜と同じである。ただ、前夜とちがって、もはや誰も大声をはり上げなかった。長七郎は、裁きを待つように、ほとんど物をいわない。

栄一が、「しばらく、天下の形勢を見てからにしよう」と発言し、喜作、新五郎、中村三平と、うなずいた。

あくまで即時決行をとなえたのは、真田範之助ひとりである。

「自分は、心を決してここへきた。江戸の道場は閉鎖したし、女房と生れたばかりの子は、房州の女の実家へ因果をふくめて帰した。成算がないからと、いまさら、おめおめ帰れるものか」

という。

その場の空気の中で、それはしかし、反対というよりも、うらみごとに近かった。

栄一たちは、慰める言葉を知らなかった。

かつて道場荒しに小腰平助と組んで、かけひきをつくしてねばった男。生きるためには、こうまでするものかと、溜息《ためいき》の出る思いをさせたものだが、それほど生活を考えていた男が、せっかく落着いた町道場も、妻や子もすてては せ参じてくれた。尊王攘夷に賭《か》けるその情熱は、純粋というか、一本気というか、常識を超えていた。水戸浪士ならではであった。

真田は、腕組みすると、そのまま目をとじて、黙りこんでしまった。（やはり、百姓はだめだ。百姓ごときにくみするのではなかった）と、その唇が、いまにも、つぶやきそうであった。

通る人でもあるのか、街道沿いで犬がほえている。珍しく風のない、静かな夜であった。

逃げる

焼打ち中止ときまると、栄一は体中の力がぬけた。はり合いがなく、一時は生きているのか、いないのか、わからぬ思いになった。

だが、すぐ、別の緊張にとらえられた。同志たちに中止をつたえて説得し、檄文《げきぶん》などなど証拠となるものを焼き、武器も蔵のいちばん奥にかくし直したりしたが、村に出没する八州取締の隠密《おんみつ》や目明かしたちが、いつ感づいて襲ってくるかも知れぬという不安が強くなった。

根拠のない不安ではない。事を起そうというときには、みな緊張して、秘密も守られやすいが、中止となると、つい気にゆるみができ、知らず知らずの中に話が漏れる可能性がある。さらに、村の年寄りたちの中から、若者の政治談議を快からず思い、岡部代官所に訴える者が出ないとは限らぬ。天下の形勢を見守るにしても、主謀者がそのまま村にとどまることは、危険に思えた。

まず他国者で目につきやすい真田、中村の両名には、相当の手当と路銀を出して、村を立去ってもらった。

発《た》つ日には、栄一と喜作が村はずれまで見送った。

真田は、いつか道場荒しのときに着た金紋の朱胴を高い肩にかついでいた。決行のときには、着込みの上にそれを着けて戦うはずであった。金紋の朱胴は、朝日にまぶしく光った。

「いつか必ず、その朱胴をお迎えします」

栄一は、心をこめていった。

だが、真田はもう栄一に眼もくれず、いいすてた。

「もうよい。無理をするな」

すでに生活を整理してきた真田は、久しぶりに水戸へ戻ってみる、といった。水戸には、まだまだ尊王攘夷《じようい》の過激派が居るという。真田は、錨《いかり》を切ってただよい出した船であった。どこまでも激発を求めて、さすらって行く。

大男の真田とやや小肥《こぶと》りの中村の二つの影は、街道に長い影をひいて遠ざかり、やがて、朝日にまぶされて見えなくなった。

真田か、栄一か、どちらが人生にとり残されることになるかは知らない。ただ栄一には、何となく人生に一区切りついた気がした。

「さて、次はわれわれの番だ。われわれ二人こそ、本物の主謀者だからな」

喜作が栄一の顔を見た。

「夜、犬がほえるのをきくと、役人ではないかと、ぞっとする。これまでは考えてもみなかったのにな。おぬし、こわくはないのか」

「こわい」

栄一も、正直にいった。にわかに、こわさを感じている。こちらは、武装を解いて、無抵抗。そこへ、あるとき、ふいに捕吏にふみこまれ、ついにはなぶり殺しにされるかも知れぬみじめさ。それを思うと、ぞっとせざるを得ない。

「いっそ、水戸へついて行けばよかった」

喜作が背のびをし、真田たちの行方を未練そうに見つめる。

「いや、京がいい。新五郎さんのいわれるとおり、やはり京へ逃げよう」

栄一は、真剣な顔でいった。

一度に何人もの若者が村から居なくなっては、かえって不審を買う。真田たちに続いて、栄一たちを逃がし、新五郎と長七郎は、そのまま村にとどまるという。

新五郎は、家長であり、名主であり、漢学の師である。家をすてにくいし、逆に、疑われにくい。それに、主将格だったとはいっても、このたくらみは、もとは栄一と喜作が発案して、お膳立《ぜんだ》ても二人で進め、新五郎自身、目立った行動はしていない。

長七郎については、村いちばんの要注意人物とはいえ、今度の謀議には反対こそすれ、参画していないので、これも疑いは及ばない。しばらく村にとどまり、若者たちに久しぶりに撃剣のけいこをつけることになった。

栄一たちの逃亡先として、新五郎兄弟は京都をすすめた。

江戸は幕府のお膝《ひざ》もとで、八州取締の手が早く廻るおそれがある。それに比べて、京都は遠くもあるし、朝廷を中心に、諸国の勤王の志士が雲集しているところでもある。身をかくしやすいだけでなく、志士たちと交わりながら、天下の形勢を観望することができる。今度こそ、まちがいのない挙兵の好機をつかむのだ。

「それにしても、京は遠い。途中には、関所もある。道中で捕えられたら、おしまいだ」

喜作は、少し自暴自棄になりかかっている。栄一は、小さくうなずいてから、

「それについては、自分に考えがある。村を百姓姿で発つとしても、道中、百姓の二人連れでは、すぐに手が廻る心配がある。といって、武士姿になるとしても、浪人者については、幕府が格別、神経をとがらせている。道中の詮議《せんぎ》もきびしかろう。うっかり郷里のなまり言葉でも出せば、たちまち怪しい浪人とにらまれ、ひっくくられてしまう」

「百姓もだめ、浪人もだめなら、結局、京都行きはあきらめる他はない。やはり、おれは水戸へ行く。真田さんにたのんで、何かの旗揚げに加えてもらう」

喜作は、あきらめが早く、気が早い。本気で水戸へ行くつもりになる。

「まあ、待て。おれに考えがあるといったであろう」

と、栄一。

「どんな考えが」

「武家になる」

「なんだと」

「いつか、一橋家の平岡円四郎さまが、家来にしてやろうといわれた。平岡さまにおねがいして、京都までの道中、家来ということにしてもらって手形をいただき、先触れを出してもらおう」

平岡にいわれたときに、ことわっておいたくせに、今度は家来にしろ、それも、一時的に家来の特権だけ使わせろというのだから、虫がよすぎる。身のほど知らずのあつかましい話なのだが、栄一は場合が場合だと思った。とり返しのつかぬことにならぬためには、利用できるものは利用しなければ、うそだ。どう思うか、どう見られるかなどということは、念頭からふきとんで、現実的な判断だけを貫いた。

ただの志士ではない。栄一の強みであった。

「なるほど、おぬしは」

喜作は、一度は感心したが、すぐまた角ばった顔をくもらせた。

「そんなにうまく行くはずはない。あれから日も経《た》っている。平岡さまも忘れて居《お》られる」

「忘れて居られれば、思い出してもらおう。とにかく、それしかない。ぐずぐずしないで、やってみよう」

栄一は、年長の喜作を叱《しか》るようにいった。そういわれると、はずみのつく喜作である。

「わかった。おぬしに任せる」

あっさり栄一に身のふり方を任せた。

二人は、それぞれ旅支度にかかった。

すでに栄一は、父市郎右衛門に覚悟のほどを知らせ、心の上での別れをすませてある。だが、今度、はるかな京都へ逃亡するとなると、道中の不安もあって、それがほんとうの別れともなりかねない。栄一は、もう一度、父親に不孝を詫《わ》びておく必要を感じた。それに、永の別れとなるかも知れぬのだから、百五十両着服したことについて白状し、謝罪しておかねば、気がすまない。いや、現実の問題として、その百五十両をすでに兵器の調達などにつかってしまったのだから、先々の路銀を父親にたのんで出してもらう必要があった。

一夜、栄一は市郎右衛門の前に手をついた。すでに計画を中止し、いつ帰るとも知れぬ逃亡の旅に出る以上、ことごとしく秘密を守り立てることはない。

栄一は、これまでのいきさつのあらましを市郎右衛門に話し、百五十両の件も白状して許しを乞《こ》うた。

「うすうす気づいてはいたが、それにしてもたいそうなことを、くわだてたものじゃ」

市郎右衛門もさすがにあきれ、また心おののいたが、すぐ気をとり直し、

「すんでしまったことを、いまさら、とやこういうても仕方がない。それについては、格別、文句はいわぬ。百五十両は家の経費と見なそう」

平静な口調でいった。

栄一は、頭を下げた。市郎右衛門にそのように出られると、かえって路銀をねだりにくくなったのだが、それも、市郎右衛門の方からいった。

市郎右衛門は、当座の費用として百両を栄一に渡し、

「このようにして京都へ発てば、いつ家へ戻れることやらわからぬ。入用の金はいくらでも送るから、困るようなことがあれば、いつでも申してよこせ。どうせ、この家の財産は、あとつぎになるおまえのものになるはず。不道理のことにつかうのでなければ、おまえのために用立てて当然なのじゃ。ただ、くれぐれも自重して、身をあやまることのないようにたのむぞ」

栄一は、ただただ、うなだれた。

口うるさい四角四面な家長の姿は消え、これまでの苦労の結晶をすべて子のために投出そうとする親心だけが、そこに在った。議論に明けたいつかの夜とは打って変って、温情だけを感じさせる父親の姿であった。栄一は、何としても逃げおおせねばならぬと思った。道中、はたまた京都で、何が起るか知れぬが、むざむざ死ぬことだけは、ごめんこうむろう。

次に、母や妻への別れがあった。

国事は女のあずかり知るところではないと、これまで栄一は、女たちには面と向って何ひとつ話したこともない。ただ、今度それでは、女たちも、栄一も、心の整理がつかぬ。母のえいには市郎右衛門から話してもらうことにし、栄一は千代に逃亡の趣を話した。

「いつ帰るともわからぬ。あるいは、ついにあえなくなったという便りがくるかも知れぬ。その覚悟だけはしておいてくれ」

残酷とは知りながらも、栄一は千代にそう告げざるを得ない。

千代は泣いた。舅《しゅうと》たちにきかれることを思い、こらえようとするのだが、涙はとまらない。傍らの赤い小さなふとんには、生後三カ月の歌子が、気持よさそうに眠っている。（この子は、父親を知らずに育つことになるかも知れぬ）と、ふびんにもなる。歌子のため、栄一の分まで健気《けなげ》に生きて行かねばならぬと、自分を励ます気にもなった。

「お留守はよく守りますから、安心して、お出かけなされませ」

精いっぱいで、千代はそういった。

涙を拭《ぬぐ》うと、千代はかいがいしく栄一の旅支度を手伝った。もっとも、家を出るときは、丸腰の身軽な百姓姿であった。喜作と二人連れで、伊勢参りに出かけると、近所にあいさつしながら、村を出た。

伊勢崎街道に出るすぐ手前に、おあつらえ向きに、新五郎の家がある。二人は、そこへもあいさつに寄るかっこうで立寄り、草鞋《わらじ》をぬいだ。数日前、密議をこらした屋根裏部屋にひそかに泊めてもらう。

新五郎らと話した後、短い眠りに落ち、翌十一月八日の夜の明けぬ中《うち》に起き、武家姿に身なりを変えた。江戸までの道中、手配が廻れば、二人連れの百姓ということで、すぐ目につくからである。その変装ぶりを家人の目にもふれさせぬようにと、新五郎はなれぬ手つきでうどんをあたためた、二人にふるまった。

少しばかりあたたまった二人は、凍《い》てつくような暁闇《ぎょうあん》の中を、江戸めざして旅立っ

て行くと、平岡が居なかった。
気を配ったおかげで、道中、無事に江戸へ着いたが、早速、平岡の邸《やしき》を訪ねて行く
と、平岡が居なかった。
一橋慶喜が上洛《じょうらく》したのに従って、二カ月ほど前から京都へ行ったままだという。栄
一たちは、途方にくれた。
だが、栄一は、そこでひきさがらなかった。平岡の家来であるというかくれ蓑《みの》は、
どうしても欲しい。平岡が留守であろうとなかろうと、家来にするといった平岡の言
葉に変りはないはず。留守でも、なんとか家来にしてもらえないだろうか。あつかま
しいついでだが、栄一もけんめいである。無理にたのんで、平岡の妻女に会わせても
らった。
やせた女であった。平岡の不在のせいもあろう、淋《さび》しそうな細面である。栄一は、
その妻女に向って懇願した。
「わたしども、伊勢参りかたがた京都へ参ろうと思うのですが、道中が物騒ときいて
おります。ぜひ平岡さまの家来分ということにしていただけませんでしょうか」
突っ放されるか、くどくかれるかと思ったが、意外にも、平岡の妻女はすぐうな

ずいた。

「渋沢という名前は、主人からきいております。もし訪ねてきたら、家来にとり立ててやるよう、いい残して参りました」

思いがけぬ言葉であった。栄一と喜作は、顔を見合せて、よろこんだ。訪ねてよかった。そして、押しつけがましく妻女にたのんでよかった。何事もやってみるものだと、あらためて思った。と同時に、そこまでいい残してくれて行った平岡の思いやりに感謝した。そうしたことを考えられる人物の大きさといったものに打たれた。

平岡の家来である旨《むね》の手形をもらい、栄一と喜作は、久しぶりに晴れ晴れした顔で街を歩いた。しつっこくつきまとっていた恐怖は、うそのように消えた。たった一枚の手形で、天地がさかさになった感じがあって、空の色まではなやいで見えた。

江戸を発つ前夜、栄一と喜作は、吉原にくりこんだ。

百両という路銀で、ふところはあたたかい。それに何より、捕縛のおそれがなくなった。生命《いのち》の洗濯である。厄払いしたような、解放感があった。そのよろこびをたしかめるために、ひとつ、わっと、女を相手にあそびたかった。

吉原は、不夜城であった。女たちはあでやかで、屈託なく笑った。部屋のつくりから調度まで、すべてはなやかで、なまめかしく、別天地をつくっている。灯の光も、昼のように明るかった。三味線がきこえ、新内流しがとおる。武家も浪人も町人も、一様に浮き浮きした顔である。

（尊王攘夷も開国佐幕も、関係ない。おもしろおかしくあそぶのが、人生）

そういう声が、きこえてきそうであった。

一夜明けると、栄一たちは、いよいよ東海道西上の旅路についた。恐怖が消えたせいもあろう。見知らぬ長い旅路にかかって、栄一にも久しぶりに詩心が湧《わ》いた。

道中いくつかの詩をよむ。

「江戸ヲ発シテ程谷《ほどがや》ニ宿ス

寂寂タル寒灯夢ヲ驚カスコト頻《しき》リナリ

海山是《これ》ヨリ幾酸辛

酔歌ス昨夜ハ水西ノ客

翻《ひるがへ》ツテ孤衾《こきんう》于役《えき》ノ人トナル」

平岡の家来に化けたからといって、世をしのぶ逃避行であることに変りはない。そのあてどもない旅路を思うと、栄一の心は冷えこんでくる。

旅程を重ねて行く中、やがて、富士がまぢかに見え出し、栄一の心を慰める。「玲《れい》瓏《ろう》高ク聳《そび》ユ青霄《せいしょう》ノ裏《うち》」などという句もある幾篇かの詩をつくる。つづいて、ひろびろと展開する海や海辺の風景が、奥武蔵に育った栄一の心をとらえる。

「由井
路《みち》ヲ夾《はさ》ムノ林松ハ送リ又迎フ
竹輿《ちくよ》咿《い》軋《あつ》烟《けむり》ヲ帯ビテ行ク
海山一碧《いっぺき》天将《まさ》ニ暮レントス
聴クニ飽ク怒濤《どとう》岸ヲ打ツノ声」

五十三次も半ばに達すると、京都への憧《あこが》れが、ときに、しめった旅情を吹消してくれる。

「岡崎
岡崎西ニ去レバ望ミ漫漫
路ハ巨松断続ノ間ニ在リ
是《これ》ヨリ神京遠カラザルヲ知ル
雲辺先《ま》ヅ認ム勢州ノ山」

そして、京都。

「入京
行キ行ク五十有三程

イカントモシ難シ帰心ノ寸寸ニ生ズルヲ
風雨蕭然《しょうぜん》タリ逢坂《あふさか》ノ路
襟《えり》ニ満ツルノ紅涙神京ヲ望ム」

京都には、江戸とちがったにぎやかさがあった。

栄一たちは、繁華街の中心に近い三条小橋のほとりの宿屋「茶久」に泊った。世間知らずの田舎者が、目についたきれいな宿へとびついた形であったが、ここは、かなり高級な旅館であった。しばらくいて、宿料の高いのに悲鳴を上げたが、といって、新しい宿を捜す根気もなく、昼食を抜くことにして亭主に交渉し、一日四百文にまけてもらった。それでも、ふつうの宿なら二百五十文ですむことが後になってわかる始末で、とにかく、世間知らずのお上りさんの二人であった。

栄一たちは、まず、長七郎に紹介された二、三の志士を訪ね、平岡のところへも、お礼かたがた、あいさつに顔を出した。もちろん、もう仕官する気はない。「平岡の家来」というのは、道中のお守りのようなもので、京都へ着いたいまは、「家来分」は終ったと考えていた。

京都見物は早々にして、栄一は喜作とともに、今度は伊勢参りに出かけた。伊勢参りという名目で出かけてきたからというのではなく、尊王派の栄一にとって、神宮は一度ぜひ参っておきたいところであった。すでに百両の金は、七十両に減っていた。路銀のある中に行っておこうという気もあった。

伊勢の帰りには、奈良や大坂へも寄り、大晦日《おおみそか》に京都へ戻った。

こうして、栄一の生死を賭《か》けた文久三年も終った。寺々の打鳴らす除夜の鐘が、東山の峰々にこだまするのを、栄一と喜作は、「茶久」の一部屋で感慨をこめてきいた。

凶　報

明けて元治元年（一八六四年）、栄一は数え二十五歳、喜作二十七歳の春を迎えた。ようやく生きのびた思いであったのに、凶報が待っていた。

ある日、飛脚が人目をはばかるようにして、長七郎からの密書を届けにきた。悪い報《しら》せであった。中村三平とともに江戸へ向った長七郎は、道中であやまって人を殺《あや》めて、伝馬町《てんまちよう》の獄につながれている。たまたま、長七郎は懐中に栄一からの手紙を持っており、それが幕吏の手に入ったというのだ。

密書は、獄中から長七郎が苦労して人にたのんで出してよこしたものである。それだけに、内容は切迫していた。

幕吏に押収された栄一の手紙というのは、「茶久」を定宿《じょうやど》にしてまもなく出したもので、京都の情勢を知らせるとともに、挙兵のたくらみのために、長七郎も京へきて、栄一たちといっしょに工作をはじめるようにと、書送ったものであった。

それを幕吏が読めば、どういうことになるか――。

栄一と喜作は、何度も何度も、長七郎からの密書を読直した。読めば読むほど、事態の重大さが身にしみてくる。明日にも、追っ手が「茶久」へふみこんでくるかも知れない。変装したり、平岡の「家来分」になったり、智慧《ちえ》をつくして逃げのびてきたことが、すべて、ふいになった。いや、ただ、ふいになったというだけでない。はっきりした証拠までにぎられ、唯一《ゆいいつ》の逃げ場である京都での居所までつかまえられたのだから、むしろ、最悪の事態となった。ここまできて、運に見放された。

「どうする」

と、喜作。栄一も、さすがに答えが出ない。逃亡しなければならぬが、江戸は危ないし、知らぬ国へ行けば、他国者はすぐ目につく。旧知の多賀谷勇にでもたのんで、長州へ逃げるかと考えたが、多賀谷の生死もはっきりしない状態では、連絡のとりようもなかった。その上、長州は孤立しており、他国人の入国は難かしい。たとえ多賀谷の名を出しても、幕府の廻し者と見られて、首を切られるかも知れない。

「こうなるくらいなら、いっそ、あのとき兵を挙げておけばよかった。捕えられ、はずかしめられたあげく、獄門にさらされるなど、思っただけでも、ぞっとする。いっそ、腹を切るか」

「まあ待て」

「待ってどうする」

喜作は、いかつい顔をなおこわくして、栄一をにらむ。

栄一が黙っていると、喜作は、今度は、いきなり膝《ひざ》をたたいた。

「そうだ、栄一。明日、江戸へ戻ろう」

「江戸へ戻って何を」

「長七郎を救い出す」

喜作は、目をつり上げていう。

「長七郎の罪は、きっと、何かのまちがいだ。捕える方がおかしい。抗議して放免させるか、それが叶《かな》わねば、牢《ろう》破りなり何なり、算段を講じて助け出そう」

無茶苦茶である。すて身というより、やけになっている。

「ばかなことをいうな。できるはずもないことばかりだ。それに、われわれは疑われている。いっしょに捕えられるのが、おちだ」

「なら、何とする」

栄一には、いぜん、答えがない。もちろん、相談する相手もない。といって、そのままぼんやりして居れば、江戸からの追っ手の手に落ちるだけである。絶体絶命であった。喜作が無茶なことをいい出すのも、とがめられない。

「どうする」

「どうしよう」

密書をはさんで、二人は顔を見つめ合う。やはり、最期《さいご》を覚悟しなければならぬのか。いや、何としても生きのびたい。死ぬのは、挙兵してからのことにしたい。

一睡もしないで、夜を明かしたところへ、平岡からの使いがきた。「両名に相談したいことがあるから、すぐ、くるように」とのことである。

「生きるか死ぬかの境目に、何の相談だ」

と、喜作はぼやく。

だが、栄一は行ってみることにした。どういう相談か知らぬが、喜作と向き合って堂々めぐりしているよりはよい。

平岡は、二人を奥の座敷へ通し、人ばらいした。これまでにないことであった。

渋沢は、「これは」と思った。うっかりのこのこ出てきたのは、不覚であった、とも思った。平岡は、一橋家の用人。つまり、幕府の中枢《ちゆうすう》につながる一人である。江戸の幕吏からの連絡もあるであろう。討幕計画を知れば、当然、逮捕に向ってくる側の一人となる。

かたくなった栄一に、平岡はあらたまった口調できいてきた。

「おまえたち、何かたくらみごとをしたことはないか。包みかくさず話すように」

しゃべり出そうとする喜作の膝を、栄一はあわてておさえ、

「たくらみごととは、いったい何でしょうか」

しらばくれて、その場はやり過そうと思った。平岡は、ひろい額に皺《しわ》を寄せた。

「それなら、あらためてきくが、どうして、おまえたちは、にわかにわしの家来といつわって、京へきたのか」

「それは……」

「実は、幕府から、おまえたちのことで、一橋家へかけ合いがきた」

平岡は、二人の顔を交互に見た。栄一は、じっと、その視線を受けた。喜作は、眉《まゆ》をつり上げて、にらみ返す。

平岡は続けた。

「仔細《しさい》あってのことであろう。わしは、おまえたちと懇意にしてきたし、おまえたちの気質も知っている。決して悪くははからわぬ。わしを信じて、話してはくれぬか」

そこまでいわれて、栄一もはらをきめた。いくらかくしても、平岡はすでに事情を知っている様子。それに、栄一は、これまでの平岡の知遇を思った。それは、たとえ、才を愛してくれたといっても、一農夫にはありがたすぎる思いやりであった。その知遇にこたえるためにも、いまは正直に白状しなければならぬ、と思った。

栄一は、長七郎との関係を中心に話した。もっとも、押収された手紙には、横浜焼打ち計画のことにはふれず、ただ、討幕の義挙をはかろうという未来のことを記しておいただけなので、その辺はぼかして話した。

平岡は注意深くきいていたが、

「志士と称する者は、とかく挙動が荒々しい。人を殺して財物を取るなどということをする者もあるが、おまえたちはどうだ」

「それは、決していたして居《お》りません。大義のために殺そうと思ったこともありますが、まだ一度も手を下して居りません」

「まちがいなかろうな」

「たしかでございます」

平岡はうなずいた。大きく一呼吸してから、腕を組直す。

質問はそれだけかと思ったが、続いて、平岡の口からは、おそろしい言葉が出た。

「実をいえば、おまえたちを逮捕する役人が、すでに京都まできている」

栄一と喜作は、さすがに顔色が変った。

永い間、追っ手の不安につきまとわれてきた。だが、その追っ手は、いつも、可能性であり、幻であった。ところが、今度は、現実の追っ手が京都にふみこんできている――。

声も出ないでいる二人に、平岡はいった。

「ところが役人たちは、おまえたちが道中わしの家来と称してきたことを知ったので、親藩の手前をはばかり、すぐ手を下すことができぬ。おまえたちがほんとうの家来でないと察してはいるが、大事をとって、念のため、家来かどうか、問合せてきたまでのことだ」

「それで、平岡さまは……」

栄一たちは、息をとめて、平岡を見つめた。平岡の答えひとつに生死がかかっている。

平岡は、ゆっくり答えた。

「家来でもないものを、しらじらしく家来だといつわることはできない。さればといって、家来でないと答えれば、おまえたちがすぐに捕縛されるのは、わかりきっている。わし自身、返答に困っている」

何も、平岡が困る問題ではない。家来でないと答えれば、それですむこと。それを自分のことのように心配してくれる平岡がありがたかった。

恐縮する栄一たちに、平岡は一膝進めていった。

「ひとつだけ、解答がある。それは、おまえたちが、ほんとうにわしの家来になることじゃ。さすれば、わしは『わしの家来だ』と、堂々といってやれる」

「そんなことは……」

思いがけぬ話の成行きに、喜作が顔をふるわす。平岡はいった。

「おまえたちが持っていたようなはげしい思想では、何事も成就《じようじゆ》するものではない。まして、いまは公武合体が実を結び、世の中はおさまろうとしている。だから、ここはしばらく、節を屈して一橋家に仕えたらどうなのだ」

喜作が無言で強く首を横に振る。平岡は、構わずたたみかけた。

「一橋慶喜卿《きよう》は、おまえたちも承知のように、英明のほまれ高い名君だ。烈公のお子で、尊王の志もお持ちだし、新しい時代を見る目も開いて居られる。幕府のやり方とは、いささか考えを異にしたお方である。同じ仕官するにしても、この一橋卿に仕えるなら、少しは心の慰めも得られるはずじゃ」

黙りこんだ二人に、平岡はもう話がきまったように語り続けた。

「もちろん、しばらくは、下士軽輩の身分にあまんじてもらわねばならぬ。物事には順序というものがある。ただ、辛抱して努力しておれば、才能があると見込んだおまえたちのことだ。追い追いとり立てられるということもあろう」

「いや、そんなことより……」

遮《さえぎ》ろうとする喜作を、栄一はおさえた。あわててはならぬ。まず、相手の言い分を終りまできいてみることだ。

平岡は、一橋家が諸藩とちがって、幕府の御賄料《おまかないりよう》を中心にくらしを立てており、平岡はじめおもだった役人が幕府からきていること。このため、浪士の雇入れにはむつかしさが伴うが、そこは平岡の責任で、十分心配してみようといった。

栄一は、その場での即答は避けた。

「いやしい百姓の出とは申せ、これまで志士を以《もつ》て任じてきたわれらでございます。出処進退に関係のあることを軽率には御返答いたしかねますので、とくと相談した上で、お答えに参上します」

旅館「茶久」に帰ってからが、また、たいへんであった。

「受けるも受けぬもない。幕府を倒そうとしたわれらでないか。いまさら進退きわまったからといって、幕府方に頭を下げ、その一門の禄《ろく》をはもうなどとは、男子の体面にもかかわる」と喜作。まさに正論である。

「それはその通りだ」と、その点では、栄一も一言もない。

ただ、物事には別の見方もある。栄一は、喜作の興奮のおさまるのを待って、説き出した。

「考えてみれば、ここで仕官をことわって、そのあげく捕えられたり、切腹したりすれば、なるほど、いさぎよいかも知れぬが、世のためには、何のたしにもならぬ。たとえ志は高くても、世のため役立たなければ、何にもならぬではないか」

「なんだ、おぬしは受ける気があるのか」

喜作は栄一をにらみつけ、

「平岡さまに即答を避けたのは、これまでの恩義もあり、あの場でことわっては、いかにも穏当でないと思ったからだ。それを、おぬしは……。おれはいやだ。絶対にいやだ。敵の軍門に降《くだ》るようなことはまっぴら。卑怯《ひきよう》千万だ」

栄一は、喜作のそうした竹を割ったような気性が好きだ。栄一自身も、そう生きたい。もし命がいくつもあるものなら。ただ、あいにく命はひとつしかないし、人生にやり直しはきかない。

「たとえ卑怯と笑われようと、変節漢とののしられようと、いずれ、われらが行為を以て世の中に良心のあるところを見せればよいではないか」

はげしく首を振る喜作に、栄一はおだやかに話し続けた。

「横浜焼打ちをひとまずとりやめたのも、いたずらに犬死するの愚を避け、他日を期そうとの精神。ここでおぬしのようなことをいえば、その精神がまたほろびてしまう。どうだ、ひとまず目をつむって節を曲げ、試みに一橋家へ奉公してみようではないか」

喜作が熱くなればなるほど、栄一は冷静になった。こだわりを排して、あくまで現実的であった。こだわることがあるとすれば、人生はひとつしかないという事実だけであった。

喜作が声を上げる。

「だめだ。おれは断じて江戸へ行く。江戸へ戻って、長七郎を救い出す」

「ばか。救い出せるものか」

子供のような喜作に、栄一はあきれたが、すぐそこにも説得の糸口を見つけた。

「救出をはかるとしても、浪人の身に何ができよう。むしろ一橋家の家臣となった方が、何か方便が得られるのではないか」

栄一は、理をつくして、懇々と説いた。

喜作は、眼をつり上げながらも、しだいに黙りこんで行く。喜作にとって、栄一は、りくつで勝てる相手ではない。それに喜作は、激しやすい気性のため判断がくもることのあることも、自分で承知していた。

もともと喜作にとって栄一は、安心して身を預けられる兄弟分であり、それだけに喜作は、最後に栄一の言葉に耳を傾ける気になった。

喜作がすっかり黙りこんだところで、栄一はしめくくるようにいった。

「仕官するのは、われらの一身の安泰をはかるためでなく、世のため人のためなのだ」

「世のため人のためか。いかにも、そういえば……」

喜作も、ついにうなずいた。

こうして二人の間の結論は出たが、そのまま受けたのでは、何としても、ばつが悪い。

栄一は、ふたたび平岡を訪ねると、いった。

「大義のため、こわいもの知らずで生きてきたわれら両名。いまさら、せっぱつまったからといって、仕官をねがうなどということは、はなはだおもしろくありませぬ」

「それでは、仕官いたさぬというのか」

「いえ、いたします」

「おかしなことをいう」

「こういうことでございます。ただ仕官するにしても、われわれが困っているから一橋家で救ってやったというのでなく、われわれ両名に見どころがある。意見にきくべきところがあり、一橋家の役に立つ。だから、召抱えたということにしていただきたい。そのために、ここに意見書を用意して参りました」

栄一は一晩かかって書上げた意見書を、うやうやしく差出した。喜作も神妙な顔を添える。

平岡は、また栄一のくせがはじまったというように、にが笑いしながら受けとったが、途中で急にこわい顔になり、

「もし、この意見書が当方の気に入らなかったらどうする。雇入れをとりやめてかまわぬか」

栄一は、あわてた。

「……いえ、そのときは、また別の意見を」

平岡は笑った。どうあろうと、二人を雇うことにきめている。ただからかったまでであった。

栄一の意見書というのは、急を告げる天下の形勢の中での一橋家の役割の重要さから説きはじめ、一橋家ではひろく人材登用の道を開いて、天下の人物を幕下に集め、その才に応じた仕事をさせることが必要という趣旨のもので、とくにとり立てていうほど目新しい意見でない。ただ、意見書による採用という形をとることで、気分的なひけ目をなくし、喜作のみじめな気持を、いくらかでも解消させてやることができる。また、もしそれが慶喜卿の目にとまれば、一橋家はじめ国家の役に立つばかりか、両渋沢の名をおぼえてもらうこともできる。

肥《ふと》って小柄な栄一は、どこか、だるまを思わせた。決してころんだままになっていないし、ころんで起きるときも、ただでは起きない。どんな事態でも受身のままにならていないで、こちらのものにしてしまおうという精神であった。

意見書が受納されたところで、栄一はまたいった。

「ところで、もうひとつ、おねがいがございます」

「またか」

平岡は、さすがにげっそりした顔になった。どこまであつかましく、また、ねばり強い男なのだ。

平岡としては、のりかかった船なので、栄一のねがいをきいてやる他はない。

「何か申してみよ」

「意見によって御採用となる以上、趣意は書面に尽しましたが、一度は君公にお目どおりねがって、ただの一言でも、わたしの口から意見をきいていただき、おききとりいただいた上で、お召しかかえということにおねがいいたしたい」

「それはならぬ」

「なぜでござります」

「……先例がない」

「先例がなければ、かないませぬか。これは、平岡さまとも思えぬお言葉。そもそも、わたしども百姓をお召しかかえ下さるということも、先例のないことではございませぬか」

「しかし、それはわしが……」

「よろしゅうございます。もし何事も先例先例とおこだわりになるなら、先行き、わたしどもではとうてい、おつとめのかなう自信がございませぬ。いっそ、このまま憤死仕《つかまつ》ります」

「どうも困ったやつだ。まことに強情者だな」

「いかがでございましょう」

「……これは、わしの一存では行かぬ。とにかく評議してみよう」

平岡は、にがりきった顔でいった。

だが、二人が退出すると、平岡のふっくらした頬に、ふたたび微笑が戻った。投げた餌《え》にすぐとびついてくるような男なら、むしろ興味はない。ひとりくつも、ふたりくつもひねりながら、腰を上げる男の方がおもしろい。

かつて平岡が一橋家に入るときもそうであった。近侍などという給仕人のまねごとなどできるものかと、さんざんごねたものである。

平岡はまた、京都へきて以来、人材登用の必要性をいっそう身にしみて感じていた。薩摩《さつま》・長州・土佐など、有力諸藩を動かしているのは、いずれも、身分の低い下士上りの若手たちである。それに比べれば、一橋家も、幕府も、人材らしい人材が居ない。古い身分制度の枠《わく》の中で、家士《かし》たちはねむり、ねむりながら、くさっていた。若くて根性があり、頭の切れる若者が、欲しい。その手はじめの一人が、栄一である。栄一を入れれば、それが呼水となって、他の若者たちも集まってくるであろう。栄一のたのみが少々あつかましかろうが、平岡は目をつむって、きき届けてやるつもりになった。

平岡は、栄一が好きであった。浪士上りで、こわいもの知らず。物おじしないし、頭の回転もはやい。尊王攘夷でかたまっているようでいて、現実的な判断もできる。ぜひ、栄一が欲しいと思った。

それに、平岡は栄一にちょっとした借りもあった。

半年ほど前、水戸の藤田小四郎らの過激派が、平岡が開国論者らしいといううわさに腹を立て、平岡を殺そうとして、栄一に根岸の平岡の寓居《ぐうきょ》への道案内をたのんだことがある。栄一は、その一味を言葉たくみに茶屋へ案内し、一夜あそばせて、そのたくらみを流産させ、一方、平岡には身辺を警戒するよう急報した。

平岡は襲撃をまぬかれた。そして、平岡の身代りのようにして、中根長十郎という側用人《そばようにん》が過激派に殺された。

それやこれやで、平岡は、栄一を召抱えるためには、たいていの無理はきいてやるつもりでいた。それに、平岡には、それだけの力もあった。

平岡がいやいや慶喜の近侍になったとき、慶喜は近侍の仕事を、飯の給仕の仕方から、自ら手をとって教えてくれた。平岡は感激し、以後、慶喜に献身し、慶喜と一心同体となって活動してきた。このため、慶喜が井伊大老ににらまれ、隠居謹慎を命じられたときには、平岡は甲府勤番にまで追落された。

やがて慶喜が将軍後見職になってから、平岡は一橋家用人となり、「再び公の左右を離れず、大小の事、献替至らざるなし」(『一橋家日記』)と、いわれるほどになる。

平岡は、もともと尊王攘夷《じょうい》論者で、越前の橋本左内らと激論したこともあるが、しだいに、開国交易の必要性を認めるようになった。幕府機構の改革も痛感しており、その意味では、開明な意見の持主であった。弁舌が鋭く、交際範囲がひろく、慶喜のために情報を一手に収集している。

一橋家には数人の用人の上に家老が居たが、幕吏上りの高齢者で、このため、実権は平岡がにぎっていた。

「天下の権、朝廷に在るべくして在らず、幕府に在り。幕府に在るべくして在らず、一橋に在り。一橋に在るべくして在らず、平岡に在り」

と世間にうわさされるほどの人物で、このとき、四十三歳の働きざかり。

栄一にいわれるまでもなく、先例のないことでもやってのけられるひとであった。

二日後、平岡は栄一たちを呼んでいった。

「お目どおりのかなうようにした。ただし、見ず知らずの者にいきなりお目どおりということはできぬ。その前に、おまえたちが誰それであるということを、殿に見かけておいていただく必要がある」

平岡は、そのための手はずもきめておいていた。

「二、三日中に、殿が松ヶ崎へお乗切りにお出かけになる。そこへおまえたちが走り出て、お見かけいただくのだ。ただ、殿は乗馬だから、おまえたちは、しばらくの間、馬に負けぬようにかけねばならんぞ」

これは、栄一には、思わぬ難題であった。栄一はずんぐり肥っていて、足が短い。走ることは、大のにが手なのだ。平岡がわざと意地悪しているようにさえ思えた。

さて当日、栄一たちは、平岡に教えられた時間、松ヶ崎の街道筋で待った。地名通り、浅い松林の多い一画で、高野川の流れが、すぐ近くに光って見える。空は青く、空気は春めいていた。京の町へ物売りに出る大原女《おはらめ》が、のんびり通って行く。

ただ、栄一は、とてものんびりした気分にはなれない。

一橋慶喜――それは、栄一が少年のころから何度きいたか知れぬ名前である。将軍とかわりない高貴のひとであり、同時に水戸烈公の精神を継ぐ時代の英雄でもある。

その慶喜卿《きよう》に見参《げんざん》する――。

ふしぎであり、まだ信じられぬ気がした。

やがて、京の方角から、砂煙を上げて、騎馬の一隊がかけてきた。

一橋慶喜は、軍事にかけても、すぐれた才能があった。士官学校とでもいうべき講武所を設け、幕臣の子弟に最新の軍事訓練を受けさせていたが、京都へは、その中《うち》、二百名を伴ってきていた。慶喜は、その講武所の洋式騎兵五十騎をひきつれ、京の町を走り抜け、松ヶ崎かいわいで調練するのが、毎朝の日課であった。

近づいてきた砂ぼこりめがけ、栄一と喜作は、かけ出した。

すでに平岡の指示を受けた先駆の騎兵は、二人をけちらすこともない。肩にした騎銃が、陽光にきらめいた。

その向うに、やや面長でりっぱな鼻をした男の顔が見えた。続いて、平岡の笑顔が見える。

慶喜である。栄一は喜作に声をかけ、その横を並んでかけた。砂ぼこりが舞い、馬がいななく。

平岡が慶喜に話す声がきこえた。ただ、まぶしいのと、走るのにせいいっぱいで、横を見る余裕がない。馬の足ははやい。五本も十本もの長い足で走っているようである。けんめいにかけても、おくれがちになる。よろめいたり、つまずいたりすれば、たちまち後続の騎兵にふみにじられてしまう。だが、少しでも長く走って、顔を見おぼえてもらいたい。栄一は走った。だるまがころがって行くかっこうで走った。心臓が破れるかと思った。

下賀茂《しもがも》寄りから山鼻近くまで、ほぼ十町近くも走ったろうか。たれかが号令をかけ、騎馬隊はそこで足ぶみすると、向きをかえた。

（もうよい、帰れ）平岡が眼で合図してよこした。二人は、腰がぬけたように、路傍にすわりこんだ。

慶喜を擁した騎馬隊は、すぐまた、砂ぼこりを巻いて、走り去った。騎馬隊が洋式装備をしていたばかりか、慶喜自身も洋鞍《ようぐら》にまたがっていたことなど、栄一には気づく余裕もなかった。

二日後、栄一たちは、「内御目見得」ということで、若州《じやくしゆう》屋敷に呼ばれ、慶喜に引見を許された。

平伏していると声がかかり、平岡を通してねがい出ていた意見具申を許された。

「殿が水戸烈公の御子で御三卿のお一人という高貴な身でありながら、はるばる京都守衛総督のお役目につかれましたのには、よほどの深慮あってのことと存じ上げます」

栄一がそういって慶喜を仰ぎみると、慶喜は、

「ふん」

とだけいって、眼は庭先に向けていた。

「おそれながら、幕府の命脈もようやく尽きようとしているかに見受けられます。ここで、なまじ、幕府の勢威をとり戻そうとされては、一橋家ももろともにつぶれかねません。むしろ、幕府から遠く離れて見守っていた方が、徳川家のためにも賢明かと存じます」

「ふん」

「こうした時期には、天下を治めようとする人とともに、天下を乱そうとする人も現われます。天下を乱す人は、これは他日天下を治める人であります。こうした人物をすべて御館《おやかた》にお集めになれば、一橋家のためにもなり、天下のためにもなります」

手前勝手な言い分だが、これに対しても、慶喜はただ「ふん」とだけいった。

「天下の有志が御館に集まりますと、守衛総督の下では諸事活溌《かっぱつ》ということになり、しぜん幕府ににらまれ、一橋征伐ということになるやも知れません」

「ふん」

「万一、そうなったときには、一橋家としても、やむを得ず、兵力をそろえて幕府に抵抗することになりましょう。好むわけではありませんが、そのときには、いまのような幕府は制圧する方が、天下のためにも、徳川家のためにもなると考えられます」

「ふん」

栄一としては、慶喜の不興を買うのを覚悟して建白したのだが、慶喜は何の反応も示さなかった。

とにかく召しかかえときまって、退出させられた。

要領を得ないお目見得であった。慶喜が終始庭先を見ていたため、目を合わせることさえなかった。

ただひとつ、栄一の印象に残ったのは、床脇《わき》に慶喜自身をうつした写真が置いてあったことだ。肖像画ではない。栄一は横浜見物に行って写真というものを見て知っていた。それが、大事なもののように、慶喜の脇に置かれている。意外であり、心外でもあった。慶喜は、水戸の攘夷の精神を継ぐ英主のはずである。その慶喜が、外人に写真をとらせただけでなく、座右に飾っておくとは、どういう料簡《りようけん》なのか。いやな気がしたが、栄一はそのことを喜作には話さなかった。話せば、喜作は仕官とりやめというかも知れぬ。

喜作は写真に気づいた様子はなかった。話のやりとりにばかり気をとられていた。

「ふん、ふんというだけで、いったい、おまえの話をきいて居《お》られたのかねえ」

「ふん」

「殿さまというのは、ああいうものなのかい。われわれ下々の話は、おかしくてきいて居られないという風だったな」

「ふん」

「それとも、世間でいうのとちがって、あの殿さま、少し頭がおかしいのとちがうか」

「ふん」

喜作は栄一を見返し、

「おまえまで、ふん、ふんいって。がっかりしないのか、栄一」

「ふん」

「おまえがそう思っているのなら、仕様がねえ。のりかかった船だ。目をつむって、つとめるか」

喜作は、舌打ちすると、黙った。

栄一は失望はしなかった。もともと、それほど期待もしていない。平岡が相手ならともかく、慶喜とでは、身分が開きすぎる。まともに受けごたえしてもらえようとは思ってもいない。ただ筋をとおすため、いいたいだけのことは言上しておこうと思ったまである。とにかく、つとめなければならない。

二人は、経済的にも行きづまっていた。江戸をふり出しに、気がゆるみ、財布のひもまでゆるんでしまって、父市郎右衛門からの百両の路銀はつかい果し、平岡の下僚や知人にたのんで、三両五両と借りて、その借金が二十五両にもなっていた。旅館代が何よりの出費なのだが、就職すれば、軽輩でも、まず住むべき長屋が与えられる。新しい行動を考えるのは、それから先でいい。

変　節

一橋慶喜にしてみれば、重臣平岡にたのまれ、余儀なく両渋沢を引見したまでのこと。浪士上りの無名の若者からきくべき意見はなかった。

それに、栄一の意見は、慶喜に耳あたらしいことではない。平岡たちを通して、国事について、あるいは一橋家の在り方について、慶喜は早くから各種各様の献策を受入れてきたが、京都にきてからは、さらに幅広く人々と意見をたたかわす機会を持った。長州の久坂玄瑞《くさかげんずい》、肥後の河上彦斎《げんさい》など過激派に押しかけられ、その議論をいやというほどきかされたこともある。逆に、松代《まつしろ》藩士佐久間象山《しょうざん》を御雇にし、その意見をとり入れもした。栄一などの観念論ではなく、慶喜には、現実に日々の政治の上で高次の解決を迫られる問題が山積していた。

慶喜の将軍後見職としての登場は、朝野に歓迎された。朝廷はわざわざ勅使を立て、慶喜の後見職就任を幕府に要請したほどである。藤田東湖をはじめ攘夷《じょうい》派の志士たちも、救国の英主として慶喜の登場に拍手を送った。薩摩の大久保一蔵（利通《としみち》）など、「この喜び夢ではないか」と記したほどであった。

京都での慶喜は、国事参与という肩書の越前松平春嶽《しゅんがく》、土佐山内容堂、薩摩島津久光、宇和島伊達宗城《だてむねなり》の「四賢侯」と組み、内治外交の方針を討議した。

慶喜は、すでにこのころ、開国論にかわっていた。それは、いかにも「英主」らしい現実的な判断にもとづくものであった。

安政仮条約は井伊大老が独断で調印し、国内的には問題があるかも知れない。だが、すでに調印した以上、相手国に対して国際的信義が生じている。ここで攘夷を行えば、国際的不信を招くだけでなく、外国の強大な軍事力に屈伏しかねない。

ただ慶喜は、山内容堂の忠告をいれて、いきなり開国論を表に持出すことなく、相変らず攘夷派という構えだけは変えなかった。三条実美《さねとみ》らが「攘夷御催促」の勅使となって下向したときも、はっきり攘夷決行の旨《むね》、答えた。「攘夷によって死ぬ覚悟だ」

と、養子を立てたりもした。

世間は、慶喜が後見職になったおかげで、幕府の姿勢も明確になったと受けとった。だが、慶喜は、それ以後、たくみに口実を設け、攘夷の実行をおくらせた。時間をかせぎ、ひそかに開国論の下地をつくって行った。栄一たちが田舎で憤激した石清水八幡宮《いわしみずはちまんぐう》への将軍不参問題も、慶喜の演出によるものであった。将軍を急病ということにし、代りに慶喜が供奉《ぐぶ》して行ったが、八幡宮の直前の宿まできて、「にわかに発熱」ということで、京都へ引返した。さらに決行を迫られると、慶喜は観念したかのように、にわかに攘夷決行の日をきめたが、それ以上具体的な指示は何ひとつ出さず、骨抜きにした。しかも、その責任を追及されると、後見職を辞任してお詫《わ》びするという芝居まで打った。

慶喜の変心に、ようやく一部の志士は気づいた。天誅《てんちゅう》を加える旨の落書をしたり、生首を投げこむという脅迫がはじまった。だが、慶喜は、自分の設計した路線は曲げなかった。

慶喜は、情勢を分析した。

孝明天皇は、あくまで幕府を信頼し、幕府の力によって攘夷を進めようとされている。その意味で、天皇は佐幕派といえた。ただ天皇は、外人を単純に鬼畜と信じておそれて居《お》られ、外国の実情そのものは、少しも御存知ない。その天皇を長州と組んだ公卿《くぎょう》たちがとり巻き、勝手に勅諚《ちょくじょう》を濫発《らんぱつ》したりしている。

問題は、長州および長州派公卿に在ると見た。

慶喜は、和宮降嫁《かずのみやこうか》によって公武一和の姿勢がかたまったところで、薩摩など雄藩と組んで、まず長州追落しに成功した。ついで、慶喜は宮廷工作にかかった。

慶喜は、栄一たちが見たような寡黙《かもく》の人ではなかった。むしろ、雄弁家である。相手に反撃の隙《すき》を与えず、とうとうと長時間弁じ立て、ときには容赦なく論難した。長州派公卿の本拠である学習院へ、騎兵隊をつれてのりこみ、攘夷をするという前提の上で、外国軍隊の実力を話し、「それでも攘夷する気なのか」と、公卿たちに覚悟を求めたりした。

あるいは、公卿勢力の中心である中川宮邸に押しかけ、酔いに託して、はげしい議論を挑んだあげく、それまでの薩摩に代って慶喜が台所の面倒を見るというところまで話をつけ、宮を自分の陣営にひきずりこんだ。

こうして慶喜は、朝廷も公卿も大名も一手ににぎる体制をつくり、「家康公の再来」とうわさされるほどであった。こうした流れに逆らって暴発を試みる勢力に対しては、精強のほまれ高い会津藩兵を上洛《じょうらく》させ、松平容保《かたもり》を守護職に命じ、一方、新選組・

見廻組《みまわりぐみ》の武力による治安維持、京都の制圧をはかった。

だが、事態は絶えず流動している。

慶喜のあまりに独断的な活躍に、四賢侯も背をむけ、参議辞任を朝廷に申出、京都を去った。薩摩の島津久光は、いったん帰国の後、兵をひきいて大坂に上り、摂海《せっかい》（大坂湾）防衛の任に当ろうとした。あわよくば、京都へ武力進駐するふくみもある。

これに対しても、慶喜は機敏に手を打った。朝廷にねがい出て、慶喜自身を、「摂海防御《ぼうぎょ》指揮兼禁裏御守衛総督」に任じてもらった。それだけに、島津久光との仲は冷却した。

さらに慶喜の勢威の増大に対しては、江戸の大奥はじめ幕府内で懐疑や批判の目を向ける者が出てくる。もともと大奥は水戸ぎらいであっただけに、慶喜に対して好意を持ってはいない。対外国、対朝廷、対長州、対薩摩、対列藩、対幕府……と、慶喜の前には、抱えきれぬほどの難題が、なお山積していた。風に吹かれて舞いこんできたような若者の話に、じっくり耳を傾けている余裕はなかった。

栄一と喜作の最初の役名は、奥口番であった。

詰所へつれて行かれた。すりきれた古畳を敷いた暗く狭い部屋である。おいぼれた二人の同役が居た。坐《すわ》ってあいさつしようとすると、老人は目をすえて、いった。

「そこに坐ってはなりませぬ。おぬしたちには心得がござらぬのか」

老人は指先で畳をさした。栄一たちの居る畳の目が、老人たちの畳の目より上座だと、怒っているのだ。

「何分、様子がわかりませず、失礼いたしました」

栄一は詫びたが、内心、げっそりした。上座も下座もわからぬ狭く暗い部屋。畳は醬油《しょうゆ》色に古び、目もすりきれている。それでも、上座下座の区別があるというのか。主君は開明な英主といっても、下々は少しもかわっていない。(宮仕えとは、こういうことなのか)と、気がめいった。

毎日そこへ詰めるとなれば、たちまち息がつまりそうであったが、幸い、奥口番というのは役名だけのことで、若い二人は、一橋家の政庁ともいうべき御用談所の調方下役として出役することになった。庶務係の下働きという仕事である。

一橋慶喜が政局の中心となって活躍している折だけに、御用談所での仕事は、その気になれば、いくらでもあった。

(これまでの行きがかりは別として、一橋家の家士となった以上、とりあえず、一橋家のために昼夜精勤しよう)

二人はそう申合せた。妙なこだわりをいつまでも持ち続けない。理想は抱きながも、その段階段階に応じて、最高の生き方を選んで行く。その意味で、栄一はあくまで現実主義者であった。

「おぬしは、地味そうな男だから、篤太夫と名のるがよかろう」

平岡は、栄一に新しい名をつけた。

初任給は四石一人半扶持《ぶち》。金四両一分の月手当がつく。薄給ではあったが、栄一はさらにそれをきりつめ、借金の返済にかかった。御用談所脇の長屋、八畳二間に台所がついているのを借りたが、夜具は二組買うのはもったいないと、敷ぶとん一枚の上に、二人がそれぞれ背中合せに寝ることにした。鍋釜《なべかま》もひとつだけ買って間に合せた。二人は、それまで炊事ひとつしたことがなかった。飯をたくのはむつかしく、あるときは、しんのある強飯《こわめし》ができ、あるときは、かゆになった。

そうした貧乏世帯にも、ねずみが出た。ねずみとりでつかまえたが、そのままするのが惜しくなり、醤油のつけ焼きにして食べた。脂《あぶら》があり、まずくはなかった。そこまで生活費をきりつめ、毎月、借金を返済して行った。

当時、志士たちは借放しにすることが多かった。返済を受けておどろく知人も居た。だが、栄一は、(志士であろうとなかろうと、借りた金は返す。約束は約束として守る)という信条であった。彼なりに、けじめをつけて生きた。

そうしたある日、栄一は平岡に呼ばれ、書面を届けてくるように命じられた。届け先は、相国寺《しょうこくじ》寺坊に居る薩摩藩士西郷吉之助《きちのすけ》（隆盛）。

栄一も、西郷の名をきいたことはある。西郷は久光ににらまれ、一年半ほど、はるかな沖永良部《おきのえらぶ》島に島流しにされており、三月半ばに、ようやく許されて入京したところであった。

平岡は、ただ手紙を渡すだけでなく、西郷と話をしてくるようにといった。その旨、手紙にも記しておいたという。

栄一は、ひとりで歩いて出かけた。

御所のすぐ北に当るそのかいわいまでくると、まわりは公家《くげ》屋敷や寺ばかりで、人通りも少なかった。薩摩藩では、錦小路《にしきこうじ》の藩邸が手ぜまになったため、相国寺のほとりの塔之段に在る二階建ての屋敷を新たに藩邸として借り、ついでに、寺坊のひとつを西郷の邸《やしき》に借りていた。

西郷吉之助は、このとき三十八歳。身分は軍賦役《ぶやく》。つまり、軍事司令であるが、事実上は、薩摩藩の京都代表であった。

西郷の立場は微妙であった。西郷は、それより六年前、島津斉彬《なりあきら》とともに、水戸藩に呼応し、一橋慶喜を将軍に擁立しようと奔走した。西郷は斉彬とともに、慶喜の英明さを高く評価していた。むつかしい時局をのりきるには、慶喜を将軍にする他はないとの判断であった。

この計画が井伊大老によってこわされ、ついで斉彬が死ぬことによって、西郷はその立場を失った。あまりに斉彬に密着していたため、久光にはにらまれ、うとんじられた。ただ、その久光も、慶喜を将軍後見職に推すことには積極的であった。その慶喜を中心に、四賢侯で国事を審議する体制までできたが、摂海防禦指揮ひとつにも見られるように、久光と慶喜が主導権を奪い合うことで、その協調体制もくずれ、出直しをはかるため、久光は帰国することになった。

留守にする京都を、誰に預けるか。

このとき、藩内の意見は、あげて西郷を推した。

「左右みな賢なりといふか。然《しか》らば愚昧《ぐまい》の久光独りこれをさへぎるは公論に非ず」と、久光は皮肉たっぷりでいい、西郷の復帰を許した。

上洛した西郷は、久光にお目どおりした。西郷ぎらいの久光は、引見が終って西郷が帰ると、歯型の残るほど、銀煙管《ぎせる》をかんだ。

西郷の耳には、そうした報《しら》せがすべて届いている。藩内外において、微妙な立場であった。西郷としては、しばらくは慎重に情報を集め、情勢を分析する他はない。軽輩とはいえ、一橋家の家士と話すことも、決して無益ではなかった。それに、西郷はもともと人なつっこく、誰とでも率直に話す男であった。

栄一は、座敷に通された。西郷は、せまい座敷の壁いっぱいをふさぐような大男で、大きな黒い目玉で深々と栄一を見た。

「おはん、このごろの幕府の政道を何と見られるか」

西郷は、いきなり栄一にきいた。栄一は答えた。

「少しは改まったかに見えますが、枝葉の問題ばかりで、土台そのものは、くさっているやに思われます」

「同感でごわすな」

西郷は、にっこり笑った。大男に似合わぬ、やさしい笑顔であった。

「おはんは、一橋の家臣にしては、思いきったことを申される。じたい、どぎゃん経歴のひとでごわすか」

栄一は、それまでの経歴を、かいつまんで話した。西郷は、大きな目玉でうなずきながら、きいていた。

栄一が話し終ると、西郷はいった。

「恒産あって志を立てるとは、なかなか殊勝なことでごわす」

栄一は、何となく、くすぐったかったし、考えさせられた。

（食いつめたあげくの志士が多い。それに比べれば――）と、西郷はいいたかったのであろう。なるほど、栄一は食いつめて志士になったわけではないが、逆に、食いつめて、志を曲げ仕官したような身である。ほめられるには値しない。

ただ、幸い、西郷は栄一をそういう風には見ていなかった。一橋だから変節という単純なとらえ方はしない。一橋の家臣となることで、十分に志を立てられるという見方なのである。仕官しても、志士として見ていてくれる。事態は、それほど複雑であり、流動的でもあるということなのだ。

栄一は、西郷に会えたこと、また、平岡が会わせてくれたことに感謝した。

栄一の質問に答えて、西郷はゆっくりした口調で、その意見を話した。

幕府の政治を改めるには、政治の中心を江戸から京都へ移し、薩摩はじめいくつかの有力な藩が集まって、その雄藩連合で国策をきめる。一橋慶喜には、その座長になってもらう。さらに、その下には、諸藩から俊秀を選《え》りぬいて、政策審議機関をつくる。西郷は、慶喜と久光との抗争については深くはふれず、ただ、「慶喜公は、腰が弱くていかん」とだけいった。

話している中《うち》、昼になった。

西郷は、豚鍋《ぶたなべ》を出し、栄一にいっしょに食いながら話そうといった。豚鍋は、西郷の好物だという。栄一は、身ぶるいする思いで、西郷を見直した。豚や牛は外人が食べるもの。攘夷派の西郷が豚鍋を好物にしようとは、思ってもみなかった。

栄一がそういうと、西郷は大きな声で笑った。

「同じものば食わんと、外人といくさしても、勝目はおわさん」

西郷は、イギリス艦隊が鹿児島を攻撃したときの模様を話した。それ以後、薩摩では、イギリスから機械を買入れて各種の工場をつくり、兵備の洋式化も進めているという。

栄一は、ますます話がわからなくなった。西郷は攘夷派の指導者、薩摩は長州と並ぶ攘夷の中心勢力ではなかったのか。

あっけにとられて箸《はし》を休めている栄一に、西郷は笑顔で続けた。

「おはん、豚は気に入らんと。ほんに、おかしなことで、ごわすな。おはんの慶喜公は、わざわざ横浜から、豚の肉ばとりよせて、召上って居られるちゅうでござらんか」

栄一は、返事ができなかった。

慶喜が肉を食べているとは、初耳である。新入りの軽輩とはいえ、それに気づかぬのはうかつであったが、あり得ないことではない。栄一は、お目見得の席で目撃した写真のことを思い出した。その他にも、思い当ることがある。攘夷《じょうい》派らしくない振舞いの数々。だが、西郷は、それを当然のことのように話す。

栄一は茫然《ぼうぜん》とした。

（攘夷派とは、いったい何だろう）と思った。相国寺を出てからも、栄一はしばらくは頭を抱えるようにして歩いた。

薩摩藩だけでなく、各藩の留守居役や、あるいは公家の屋敷へ、栄一や喜作は使いに出された。ただの使い走りでなく、ときには、相手の動向をさぐってくるよう命じられることもある。二人には、毎日が勉強になった。

ある日、栄一はまた平岡に呼ばれた。

大坂に居る折田要蔵という薩摩藩士が、築城学を教えている。そこへ、しばらく内弟子となって住みこめという命令である。命がけの仕事であった。

摂海防禦指揮でもある慶喜は、大坂湾の防備計画を立てる必要があり、折田が築城学に造詣《ぞうけい》が深いときき、二条城に招いて、幕臣とともに講義をきいた。折田は、大坂湾では安治川口天保山《あじかわぐちてんぽうざん》、木津川《きづがわ》口など十五カ所に台場を築くよう建言した他、全国の軍事上重要な港湾について、進入できる船はこれこれ、陸岸からの着弾距離はこれこれと、とうとう弁じ立て、慶喜たちを煙《けむ》に巻いた。幕府では、とりあえず百人扶持を与え、摂海防禦砲台築造御用掛を命じた。

慶喜は、折田の実力しだいでは、幕府にもらい受ける気になったが、それには、折田の人物識見をたしかめる必要がある。折田があまりに弁舌たくみであっただけに、果して本物の学者かどうか、慶喜は疑問を持った。

その点についての調査が、栄一の第一の仕事。

さらに、折田は下士の出ではあるが、時代の尖端《せんたん》を行く学者ということで、薩摩藩の動きのひとつの目になっている。その折田に密着していれば、薩摩藩の動静や内部事情を、ある程度つかむことができる。それも、任務のひとつであった。内弟子とはいうものの、隠密《おんみつ》であり、間者でもある。

「薩摩っぽの中へとびこんで行くのだ。ひょっとしたら、殺されるかも知れんぞ」

平岡は、おどかしでなくいった。

「殺されても構いません。一度は死ぬ覚悟をしたわたしです。お国のために働いていてやられたところで、それは、本望というものです」

栄一は、強がりでなくいった。度々死を覚悟してきただけに、くそ度胸ができていた。拾った命、どうなってもいいという感じもあった。

平岡は満足そうにうなずいた。

「わしは、おまえのその気性が好きだ。たのんだぞ」そういってから、慰めるように笑顔でつけ加えた。「人間、どうせ一度死ねば、二度とは死なんからな」

正式に一橋家から派遣するということでは、目立っていけない。栄一個人が修学のため塾生になるのを希望するということにし、折田の知人をさがし、そのつてで弟子入りすることにした。ただ、身分をかくして行っては、かえってあやしまれると、一橋家から、

「渋沢は当家の家来だが、よろしく」

と、一言あらかじめことわってもらっておいた。

折田は、大坂土佐堀の旅館松屋を定宿《じょうやど》としていた。

栄一は舟で淀川《よどがわ》を下り、松屋の前まで行っておどろいた。

「摂海防禦御台場築造御用掛　折田要蔵」と、筆太に白く染抜いた紫の幔幕《まんまく》をはりめぐらし、どこかの本陣と見まごうようなありさまである。薩摩藩の蔵屋敷に近いせいもあって、薩摩藩士たちが、しきりに出入りしている。折田は殿様然とし、松屋の娘を自分の女にしてはべらせるという、たいそうな勢いであった。

それでいて、築城学などという学問らしいものは、何もなかった。あの入江ではこ

う、この港ではこれこれといった各現場の情報を持寄った、一種の耳学問の集積である。折田は、それを要領よく、自分を大きく見せるのに役立てている。それはそれで、たしかにひとつの才能といえた。時代の変り目には、こういう人間が出る。

剣術と築城のちがいがあるだけで、小腰平助がそうであった。舞台を与えられれば、小腰は小腰で、大成するかも知れぬ。小腰や真田のことが、なつかしく思えた。（横浜焼打ちがだめなら、水戸で義挙をはかる）といって帰国した真田については、その後、何の消息もきいていない。その水戸で、天狗党《てんぐとう》が兵をあげたという。その中にまじって立上っている真田の姿を想像できた。

折田の内弟子としての栄一の仕事は、書類を写したり、下絵図をつくったり。書類の写しはともかく、絵図つくりは、栄一には、にが手であった。墨に濃淡ができたり、線が曲ったりして、できるのは、反古《ほご》ばかり。

折田には、さんざん叱《しか》られたが、折田も頭のよい男である。すぐ適材適所を考えた。薩摩藩士の弟子たちは、言葉になまりがあって、対外折衝には不向きである。このため栄一を渉外係に使い、町奉行や勘定奉行との交渉に当て、あるいは、薩摩はじめ各藩の重役への使い走りに出した。

勉強よりも隠密が目的の栄一にしてみれば、これがかえって好都合であった。折田がどのように評価されているか、薩摩藩内の動きはどうかなどという情報を、仕事の中でつかむことができた。栄一は、西郷のところへも、手紙を持たせて行かされた。西郷は、ろくに折田の手紙を読もうともせず、けげんな顔で栄一を見た。

「おはん、どぎゃんして、折田ごときに学ぼうというのでごわすか」

西郷は折田など問題にしていなかった。

薩摩藩を動かしているものが、京都では西郷、国元では大久保ということも、よくわかった。久光と西郷とは、相変らずしっくり行っていないが、大久保がたくみにその調整役となっている。若い薩摩藩士たちは、この二人を絶対的に信頼していた。ただ、久光、大久保があくまで長州を警戒するのに対し、西郷は国内統一の見地から、長州との和解を考えている。それはまだ、藩論を動かすところまで、たかまってはいない――。

ほぼ二月居て、栄一は情報収集の任務を達したと見た。

栄一が京都へひきあげる前夜、三島通庸《みちつね》ら薩摩藩士が、栄一のため、雑喉場《ざこば》の茶屋で送別の宴を開いてくれた。荒っぽいが、気のよい男たちであった。

ただし、その宴席で、栄一は背筋が冷えるような思いをした。

かなり酒が廻ったとき、藩士の一人がいった。

「いまだから申すが、どうも渋沢は廻し者じゃなかろうか。斬《き》ってしまえちゅうことになり、おいどんが斬る役にきまっていたのでごわす」

藩士たちは、ゆかいそうに声を立てて笑ったが、栄一はさすがに笑えなかった。

「だが、早まることはない、しばらく様子を見ようというちょる中、まあ斬るほどのこともあるまいちゅうことになり申した」

過去のことのようにいうが、いつまたその話がよみがえらぬとも限らない。とにかく平岡に復命するまではと、翌日栄一は、背中に眼のほしい思いで、京都への道を急いだ。

栄一は、偵察してきたことを、くわしく平岡に報告した。

「大いに、ごくろうであった」

平岡は、栄一をねぎらった。最初の大仕事を終って、栄一はほっとした思いであった。御用談所脇《わき》の暗い長屋が、にわかに極楽のように見える。ここまでは刺客もやってこない。

「おぬしの留守中に、すっかり飯たきがうまくなったぞ」

台所に立つ喜作に、栄一はあわてて竹皮の包みを渡した。

「土産だ。今夜のおかずにしてくれ」

喜作は、いかつい顔をなおいかつくした。

「何だ、これは」

「大坂で買ってきた豚の肉だ」

「栄一、おぬしは……」

「外人に負けぬためには、外人と同じものを食っておかねばならんと、西郷さんもいうて居《お》られたぞ」

「……これが食えるのか」

「ねずみの肉よりは、うまいらしい」

飯がたけると、二人は豚鍋をかこんだ。喜作は、鼻をつまんで食べながら、

「異人と同じものを食おうとは。世の中、わからんものだ」

「ほんに、わからんことば多過ぎる」

栄一は、つい薩摩なまりが出た。

摂海防禦《ぼうぎょ》の砲台づくりというが、折田先生も心もとない。もともと薩摩がいい出したことだが、それでいて、薩摩はとくに折田に肩入れしている風でもない。といって、防禦指揮である慶喜は、及び腰である。大坂開港の期限は迫っているが、朝廷は開港に反対であり、鎖港か開港かも、まだ、さだかでない。すべてが混沌《こんとん》とし、また曖昧《あいまい》

である。

「京へ出れば天下の形勢がわかるというのが、新五郎さんの意見であったが、かえって、わからなくなった」

「攘夷か開港かなどという大なぎなたでは、どうしようもないな」

「たしかなことは……」

「たしかなことがあるのか、栄一」

「ある。いま、一橋家に仕えているということ。そして、慶喜公が皇城鎮護のお役目をひき受けていられること。これもたしかだ」

「うん」

肉のにおいのなかで、喜作はうなずいた。

栄一はいった。

「とりあえず、その二つだけでいいではないか。それに、慶喜公は命を助けてもらったお方でもある。一橋家に忠勤をはげむだけだ」

「しかし、忠勤をはげむといっても、いまのままではどうも。おぬしはともかく、おぬしの留守中、おれは御用人の平岡さまや黒川さまに連れられ、嵐山に花を見たり、舞楽を拝見したり、お茶席に招かれたりで、使い走りこそしているものの、何とも結構なくらしで、このままでは、とても働いている感じがしない」

喜作の主な仕事は、御用伺いといって、公卿《くぎよう》の邸《やしき》を訪ねること。半分あそんでいるようなつとめであったが、一橋家に限らず、在京諸藩の藩士がそうしたのんびりした生活をたのしんでいた。お国の一大事と眉《まゆ》つり上げているのは、ごく一部の侍たちだけのことである。

「何か自分たちでやりがいのある仕事をつくろう。さもなければ、畳の目を数える老人のようになってしまう」

豚鍋をかこんで、栄一と喜作はうなずき合った。

一橋家に戻ってからの栄一の仕事は、「要害検分」という名目で、用人の黒川らについて、京都近郊の山々を見て歩くことであった。

ある日は鞍馬《くらま》へ、次の日は八瀬《やせ》へ。別の日には、如意《によい》ヶ岳《たけ》へ。街道からはずれ、少し山肌を歩いて、しさいらしく京都の方角をあらためて見たりするが、もともと兵学の専門家でなく、やはり、半分はあそびであった。

気候はよく、松や杉の濃い緑のかげに、つつじやさつきが咲ききそっていた。どこへ行っても、竹藪《たけやぶ》のあざやかな浅黄色が目についた。道中、下賀茂神社に詣《まい》ったり、帰りに銀閣寺へ寄ったりして、体のよい京都見物にもなった。そうしている間にも、御徒士《おかち》へとり立てということで、一階級昇進した。

（何か仕事らしい仕事をしたい。慶喜公へたしかな御奉公がしたい）

栄一は、短い首をひねって考えた。

新しい仕事らしい仕事を与えられないのは、ひとつには、新入りが渋沢両人だけだからであろう。新しい事業を起すためには、同じような新顔がある人数そろうことが、まず必要である。（天下の志士をお取立てになり、人物を幕下に集められるように）と、栄一は先に一橋家のために献言したが、いまは栄一たち自身のためにも、新しい仲間を集めることが必要だと思った。

人を集めることについては、平岡も同意見であった。ただ、平岡の場合は、天下の志士を集めるというような大げさなことでなく、現実的な理由から、歩兵募集の必要を感じた。一橋家は、御三卿という特殊な家柄のため、他の諸藩のように藩兵を持たない。京へ来るに当っても、自分の軍隊というものがなく、講武所と水戸藩の士卒二百人ほどを借りてきただけである。守衛総督というのに、親衛隊ひとつ持たぬというのでは困る。借りものは返さなくてはならぬし、人数も少な過ぎる。早急に手兵を集める必要があった。農民上りでもいいし、腕の立つ者なら、なおいい。それを栄一に任せて集めさせるのも、おもしろいと、平岡は思った。

栄一と喜作は、「人選御用」の役を仰《おお》せつかった。「人材」であるか「兵隊」であるかは別として、ともかく歩兵を集めてくる仕事である。百姓が志士になったり、れっきとした家士が進んで浪士になったりする時勢だから、「人材」と「兵隊」の区別は、あってないようなものであった。

一橋家の領地は、関東より関西に多かったが、栄一たちが関東に縁が深いところから、「人選御用」はまず関東ではじめることになった。

江戸近くの一橋領での徴募の他、江戸にも小腰平助など栄一の旧知の志士や浪士が少なくない。水戸浪士などは一橋家へよろこんで仕官してくれるであろう。「人選御用」は、関東でなら、たいした苦労もなく、成功しそうに思えた。

「撃剣家や漢学書生などの中で、共に事を談ずるに足り、志気に富んで、しかも、むさぼる心のない者、義のためには死もおそれぬ気魄《きはく》の者、合わせて三十人や四十人は連れてくる考えであります」

と、栄一は平岡に請合った。

関東へ下るのには、栄一たちには、もうひとつ、目的があった。江戸で入牢《じゆろう》中の尾高長七郎の釈放工作を試みることである。栄一は、平岡や黒川にたのみ、幕府の役人への紹介状を書いてもらった。さらに栄一や喜作には、帰路を中仙道にとり、久しぶりに郷里へ寄って、家族と会ってくるたのしみもあった。

あれやこれやの宿題を一度にかたづける旅である。二人は、はればれした顔で、京都を発《た》った。

この正月、心細い思いで滞在していた三条小橋のほとりの「茶久」の前を通り、大橋を渡る。鴨川は、すきとおった水面がふくらむようにして流れていた。

東山の緑がすぐ目の前に迫った蹴上《けあげ》までくると、そこの茶店に、平岡が従者とともに待っていた。

「これはよい都合だ。近郊散策にここへ参ったところだ。いっしょに昼飯を食おう」

平岡は、白いふっくらした顔に笑いをにじませていった。

栄一も喜作も感激した。平岡のような重臣が、栄一たち軽輩の旅立ちを公然と見送るわけには行かぬ。そういう口実で、平岡はわざわざ二人を見送りにきてくれたのだ。

木の芽田楽に、たけのことといった京の季節の味。少しばかり、酒も出た。茶店の前を、山からの清水が走り下り、杉木立をわたって青い風が吹いてくる。東山の山々の緑の中に、寺の大屋根や五重の塔が浮き、その先に、比叡山《ひえいざん》がそびえている。北西にひらけた谷間には、京の町のいらかの海が見えた。

季節もよし、風景もよい。重臣にごちそうになり、自分たちの計画どおりの旅に出させてもらう――。

何か、夢の中に居るような気がした。寒々とした行灯《あんどん》をかこんで、横浜焼打ちを思いつめていた半年前のことが、うそのように思えてくる。はるか血洗島で待っている千代たちに、（もうすぐ元気な顔を見せるぞ）と、風にのせて伝えたい気がした。

平岡には、とくにこれといった用談があるわけではなかった。

「何も気負い立つことはない。気楽に用を果してくるがよい」といい、「先の長い人生だ。くれぐれも体に気をつけるように」

と、何度もいった。

終始、人なつっこい笑顔であったが、その眼が、どこか、さびしそうであった。

「おぬしたちがうらやましい。代ってやりたいくらいの旅だな」

と、まんざら冗談でなく、いったりもした。「天下の権は……平岡に在り」といわれるような重々しさはなかった。

平岡は、政局の中心人物である。京都で、いや、天下でもっとも忙しい実力者である。蹴上まできたことで、ほっと一息ついている風情《ふぜい》でもあった。

食事が終り、別れるときがきた。平岡は、名残り惜しそうに、二人に目をやり、京の町へ引返して行った。それが、この世の別れになろうとは、栄一たちも、当の平岡も、知るよしもなかった。

栄一たちに、半年前の上洛《じようらく》のときとはうってかわった明るい旅がはじまった。二人を追うものは居ないし、いまは正真正銘の一橋家家臣。いばって関所も通行できた。どの宿場の灯も、あたたかく迎えてくれた。

だが、江戸に着いてみると、目算が次々にはずれた。小腰平助にこそ会えたが、水戸浪士はもちろん、旧知の千葉周作門下生や、海保《かいほ》塾塾生たちの多くが、武田耕雲斎・藤田小四郎らの天狗党《てんぐとう》に加わって、筑波《つくば》山に立てこもってしまっていた。

藤田小四郎も、もともと、栄一が勧誘するあてでいた人材であった。前年秋、栄一は真田範之助の紹介で、江戸で小四郎に会っている。

小四郎は、栄一より二つ年少であったが、頭の回転がはやく、しかも明朗な気質で、酒をくみながら、よくしゃべった。横浜焼打ち計画がすでに胸にあった栄一は、そのとき、小四郎をとがめるような議論をした。

「われわれ百姓でさえ、国家のために命をすてようという気持でいるのに、代々勤王を唱える水戸家の方たち、とりわけ、東湖先生の御子息であるあなたが、何もしないで、議論ばかりなさっているのは、おかしいではないか」

小四郎は悪びれず答えた。

「おぬしは、われわれが水戸藩士だから事を起せると思っているが、藩士だから、かえって軽々とは動けぬ。しかし、必ず、他日何事かをなし、国家のために報いるところがあるから、見ていたまえ」

水戸藩内の内紛もからんだが、その言葉どおり、小四郎は尊王攘夷《じょうい》を旗印に兵をあげたのだ。かなり大きな騒動のようで、血の気の多い男たちはみな加勢に出かけてしまい、栄一には、まるで江戸ががらあきになったように見えた。

平岡に約束した「撃剣家」や「漢学書生」で集められたのは、小腰平助はじめ十人足らず。どちらかといえば、血気に乏しい男たちだが、もはや、志気や気魄など吟味する余裕もない。数をそろえるのが、せいいっぱいであった。

人数の足りぬ分は、百姓の中から集める他はない。武蔵国《むさしのくに》埼玉、高麗《こま》、葛飾《かつしか》の三郡、下総国《しもうさ》葛飾、結城《ゆうき》の二郡、下野国《しもつけ》芳賀《はが》、塩谷の二郡に散在する一橋領を巡回して、農民兵を徴募することに段取りをきめた。

一方、栄一は黒川から紹介された幕府の役人を訪ね、入牢中の長七郎を放免させようと、かけ合ったが、この工作も成功しなかった。

長七郎の罪状は、歴然としていた。

横浜焼打ち計画の中止後、中村三平と連れ立って江戸へ出てくる途中、長七郎は戸田の原で行会った商人風の男を、すれちがいざま抜打ちに斬《き》った。長七郎の腕前である。商人は、けさがけに斬られて息絶えた。魔にとりつかれたか、何かおびえにとらえられたとしかいいようのない瞬間の出来事、動機のない殺人であった。（八州取締の隠密《おんみつ》とでも思ったのではないか）というのが、せめても考えられる動機であったが、かんじんの長七郎が気がおかしくなっていた。

栄一たちが何度も通う中、役人たちも折れて、放免はできぬが、格子《こうし》越しの面会は許してくれた。だが、そこで栄一たちが見たのは、蓬髪《ほうはつ》でやせおとろえ、青いうつろな眼をして泣きじゃくる癈人《はいじん》に近い男であった。栄一たちをそれと認める様子もなく、話しかけても、「ええっ」「ええっ」と、しわがれた声を出すばかり。すぐにまた、眼に青い涙をためて泣き出した。

（これが、あの憧《あこが》れの的であった長七郎と同じ人物なのか）

栄一と喜作は、顔を見合せた。あまりの変りように、暗然として声も出ない。

それでも、事件直後は、まだ長七郎も正気に戻ることもあったらしい。牢役人の眼をかすめて、人を使って京都の栄一に急報してくれたのも、正気に戻ったときの所作であった。ただ、それだけに、役人の心証を悪くした。正気と狂気を使い分ける不届き者に見られ、役人たちに責めさいなまれた。そのあげく、いっそう狂気が昂《こう》じてしまった形であった。

長七郎の身分は、百姓でも町人でもなく、「浮浪」となっていた。ただ「浮浪」であることだけでも、罪になりかねないのに、人殺しまでしている。どれほど工作してみようと、当分は釈放される見込みはなかった。

長七郎がいつから狂気にとりつかれたのか、よくわからない。ただ、焼打ち計画に反対した夜、長七郎が声を上げて泣いたのは、いまから思えば、異様といえば、異様であった。眼の色も、妙に青みを帯びてもいた。

長七郎を狂わせた原因もはっきりしないが、ひとつだけいえるのは、あまりにも時勢の変化がめまぐるしかったことであろう。早くから郷里の輿望《よぼう》をになって村を出た長七郎は、ひとりで時勢の動きの中で翻弄《ほんろう》され続けた。大男で剣の名手とはいっても、心は、それとは関係なく、傷つきやすい。しかも、事態は尊王攘夷という一本槍《やり》ではとけず、刻々流動してやまない。永らく緊張し続けた魂が、ついにすりきれてしまったのではないだろうか。

入牢は、長七郎だけではなかった。

江戸へ着くとすぐ、新五郎に手紙を出しておいたのに対し、末弟の平九郎から思いがけぬ返事が届いた。新五郎が筑波の天狗党に通じているとの疑いで捕縛され、岡部の陣屋で牢につながれているという。

「何たることだ」

喜作は、じだんだをふんだ。

「焼打ちを決行しておけばよかった。たとえ全員討死したとしても、悔いのない人生を送れたのだ」

みんなの犠牲で二人だけが幸せになっている思いがあり、それが生一本な喜作をいらだたせた。

だだをこねる喜作を、栄一はなだめ、すかした。長七郎も命の恩人だが、慶喜や平岡も、栄一たちを救ってくれた。それに、いまは主従の間柄にも在る。とりあえず、家臣としての忠誠を尽し、「人選御用」の使命を果さなければならない。それに、兵を集めておけば、いつか、英明な慶喜公を奉じて、討幕の軍を起すこともできるのではないか。

栄一と喜作は、江戸を離れ、歩兵徴募の旅に出た。

まず、武蔵東部から下野へ。江戸に近いせいもあって、まだ侍に憧れる若者も居て、人数は少しずつ集まった。

利根川沿いの関宿《せきやど》には、千葉道場にきていた川連という郷士が居るはずであった。勧誘しようと、その家をさがして行ってみると、川連が在宅していた。

だが、川連は、栄一の顔を見るなりいった。

「いよいよ、おぬしもはせ参じてきたのか」

川連は、すでに天狗党に加わり、たまたま金と人を集めに家へ戻ってきたところであった。そのため、栄一たちも、天狗党へ加盟しにやってきたと、早合点したのだ。

栄一が首を振り、一橋家への仕官をすすめにきたのだというと、川連は目をむいた。

「おぬし、正気でそういうのか」

栄一はうなずいて、

「筑波挙兵こそ、おれには正気の仕業とは思えぬのだが」

筑波騒動は、江戸かいわいでは大がかりなものに思われているかも知れぬが、京を中心に全国的な視野から眺めてみると、ほんの一局部のさわぎでしかない。呼応する勢力はなく、しょせん、むだな血を流すばかり。政局はそうしたことでは、ゆるぎそうにもない。

そうした形勢を話してみるのだが、川連は耳をかそうともしない。

「京都で臆病風《おくびょうかぜ》に染まったな」

と、にらみつける。

栄一は苦笑した。それは、前年秋、栄一が長七郎にいったのと、まるで同じ文句であった。

「おぬしたちも、一度は挙兵を企てた男ではないか。一橋家の飯を食って、天下の大義を忘れるとは、恥ずかしくはないのか」

川連は、栄一を叱《しか》った。

栄一はきき流し、天下の形勢を、くり返し話した。

尊王攘夷は、百姓一揆《いっき》なみの挙兵でかたづくような簡単な問題ではない。栄一は、京都の町を疾走する洋式騎兵隊の話や、豚肉をくい、洋式兵備に熱を上げる薩摩の西郷隆盛の話などをした。

栄一が話すのを、川連はきいてはいなかった。

川連は川連で、今度は、意気さかんな天狗党の様子を話した。主将の武田耕雲斎は、もと水戸家の重臣であり、一橋慶喜の信頼の厚かったひとである。天下の形勢を知らぬはずはない。むしろ、水戸の血をひく慶喜に蹶起《けっき》をうながすための挙兵だともいった。

栄一からみれば、朝廷と幕府と雄藩の間にがっちり組みこまれている慶喜が、蹶起するはずもなかった。

議論は、平行線をたどるばかりであった。

窓の下には、利根川が流れていた。

川面《かわも》に、芦《あし》が葉裏を返してゆれる。水鳥がないた。ひろびろとした流れの中に、江戸との間を往《ゆ》き来する舟の姿が見える。その同じ川面を、刀や槍をかくし積んで舟で上ったのも、つい最近のことであった。そのときの緊張を思うと、まだ汗が出そうであった。

(あのとき自分は、この川連以上に頭を熱くしていた――)

座敷に坐《すわ》って風に吹かれ、挙兵をいましめている自分の姿が、ふしぎな気もした。

裏切ったとか、変節したという思いはない。

(幸いにして、いささかなりと、天下の形勢に通じるようになった。知ったことで、わしは、まっとうな判断もできる。それに比べれば、川連は……)という思いであった。

「真田範之助を知っているな」

と、川連。

「知っている。真田にも一橋家仕官をすすめたい」

「ばかな」

川連は、かわいた声で笑った。

「真田は、最初から旗揚げに加わっている。見そこなうな」

長七郎と激論して横浜焼打ちを中止してから、真田はその足で水戸に赴いたが、そのまま、今度の挙兵に頭をつっこんだ様子であった。

真田は少しも変っていない。相変らず頭を熱くしたままだ。せまく思いつめたまま生き、そして、死のうとしている。無慙《むざん》であった。栄一は、真田もいっしょに京都へ逃げていたら、と思った。

だが、栄一のそうした思いとは逆に、川連が浴びせかけてきた。

「真田がきいたら泣くぞ。真田は、おぬしたちを、百姓ながらあっぱれだとほめていた。いつ再挙をはかるかと、たのしみにしてもいた」

栄一は、うなずいてきいたが、そのあげく、いった。

「どうか、真田に一橋家仕官をすすめてほしい。あれだけ腕の立つひとを、むだに失いたくはない」

「おぬし、まだ、そんなことを……」

栄一は構わず続けた。

「ついでに、藤田小四郎にも、同様のことを伝えてほしい。天狗党の同志諸君に、みな、一橋家仕官をすすめたいくらいだ」

「ばか。もう、きく耳を持たぬわ」

それでも栄一は、同じすすめをくり返した。旅の帰りに、もう一度、関宿に寄るからと、再会の日を約束させた。

下野を巡回して、栄一たちは、ほぼ半月後、ふたたび関宿にきた。

前回、喜作はほとんど、だんまりで押しとおした。喜作は、栄一ほどは変っていない。ああした議論に巻きこむと、うっかりすれば、眠った子を起すようになると、栄一は心配し、今度は、ひとりで川連に会うことにした。

幸い、喜作自身も川連と会いたがらず、村方を廻ってくるといった。

川連家の座敷には、川連と並んで、大男の真田が待っていた。

「おぬしを説得しようと、はるばる筑波山から下りてきたのじゃ」

真田は、懐《なつ》かしい濁声《だみごえ》でいった。あから顔がさらに陽灼《ひや》けし、いかにも山野をかけ廻っている男の感じであった。

「渋沢両名をぜひわれらの挙兵に加えるようにと、藤田小四郎どのも申された」

「せっかくだが」

と、栄一は首を横に振った。

真田は、たたみかけた。

「長七郎は乱心したそうだが、なぜか、わかるか。不発の罪じゃ。男子志を立てて、しかも行わざれば、あのように魂までくさってしまうのじゃ」

真田は、本気で栄一たちを天狗党へひきこむつもりでやってきていた。

(やっかいなことになった。それにしても、喜作を同道しなくてよかった)と、栄一は思った。栄一としては、もう一度、かつての長七郎と同じ役割を演ずる他はない。

栄一は、真田を惜しんだ。金紋の朱胴をきらめかせて長七郎と組合ったときの情景が、栄一にはまだ忘れられない。そして、面を八重がらみにしめてまで、なお組打ちで勝とうとしたかけひきのしぶとさ。

「あなたのように勝負にかけてはしぶといひとが、なぜ、無謀に、火の中にとびこむ虫のまねをするのですか」

議論の再開であった。何時間もかけて話合ったが、最後は物別れとなった。

「一橋慶喜公を奉じて変革をはかろうとするのが、なぜいけないのか。なぜ待てないのか」

栄一の問いに対して、真田からは満足の行く答えはきけなかった。

「成否は問わぬ。天下に志を明らかにし、討幕の口火をきるのが、志士の本分だ」

真田の意見は、それに終始した。

議論を打ちきったときは、すでに夜になっていたが、真田たちは、筑波に戻るのだと、舟を仕立てて利根川を渡って行った。

舟のへさきに提灯《ちょうちん》がひとつ、水面に灯《ほ》かげを落しながら、遠のいて行く。いや、遠ざかって行くのは、命の灯であった。失うのが惜しい。水の中へ入って行ってでも、ひきとめたい灯であった。

その灯が闇《やみ》にのみこまれてしまうまで、栄一は岸に立って、見送っていた。

宿に戻ると、喜作が待ちわびていた。

挙兵の地は近い。喜作が天狗党へ走る気になってはいないかと、栄一は心配した。

だが、喜作は、意外にさばさばしていた。

「天狗は、金がなくて困っているらしい。そのため百姓をいじめるといううわさが、このあたりにまで伝わって、評判がひどく悪いぞ」

喜作は、百姓に戻った顔でいった。

喜作はまた、にわかに分別をとり戻した顔になっていった。

「旗揚げには、金が要る。まず金を用意しなくては、勝負にもならんのにな」

栄一はほっとして、大きくうなずいた。逃避行と京都での生活を経て、喜作は喜作なりに、少しは変ったと思った。

「旗揚げは、むつかしい。旗揚げしてからもむつかしいし、旗揚げするのもむつかしいな」

喜作は、さらに考えこむようにしていった。いつもの喜作らしくない。

「何かあったのか」

「われわれの泊った三条小橋の茶久の近くに、池田屋という宿があったな。それほど大きな構えではなかったが」

「それがどうした」

「村方の役人にきいた話では、たいそうな斬合いがあったらしい」

「誰《たれ》と誰が」

「肥後、長州、土佐の志士たちが、京都の焼打ちを計画していたところへ、新選組が襲撃して、何人も斬殺したのだそうだ。旗揚げ前にやってしまったわけだ。かわいそうに、宿の亭主も殺してしまったらしい」

喜作は首すじをなでた。

「おれたちも危なかったな。よく八州取締に、ふみこまれずにすんだ」そういってから、また、「それにしても、やられるなら、蹶起した後がよい。天狗党が蹶起を急いだのもわかる気がする。おれだって、あのときは、蹶起を急いだものだ」

栄一は、見送ったばかりの舟の灯を思い出した。筑波深くには、いま、さかんに篝《かがり》火《び》が燃えているかも知れない。だが、それも、つかの間のうちにふみ消され、後には白骨だけが残ることになるのではないか。

「蹶起前といえば、新五郎さんは不運だな。あのひとが、いまになって、天狗党に参加する気だったとは思えない」

「きっと何かのまちがいだ」

「まちがいならいいが、かねがね岡部の陣屋には、にらまれていたのだ。われわれの罪まで、新五郎さんが背負う形になっていたのだから」

喜作は、恩義を感じていた。郷里の方向にあたる西の空を仰ぐ。空には、天の川がすぐ近くまで下りてきていた。

栄一は、ふとんに横になった。

「喜作、もう寝よう。ここで、あれこれ考えても、はじまらぬ」

「しかし……」

「すんだことはすんだこと。これからどうするかを、考えればよい」

「そう、それを考えよう」

「それも、明日の朝、考えるのだ」

喜作も横になった。

郷里は、そこから遠くはない。夜風は郷里と同じにおいに満ちていた。舟にのれば、一夜の中に着く距離でもある。郷里へはせ帰って、家族に会いたい。若者たちをかたらって、岡部の陣屋へ請願にも行きたい――。

喜作のその気持は、栄一にもわかる。だが、いまは主持ちの身で、御用をつとめている道中である。明日は郷里に背を向けて江戸へ上り、さらに、下総へ徴募の旅に出ねばならない。

今夜なすべきことは、そのために、眠っておくことであった。

二人の英雄

六月末、栄一たちが江戸の藩邸へ戻ると、吉凶二通りの報《しら》せが待っていた。

まず、吉報は郷里からで、（新五郎が岡部の陣屋から釈放されて、家へ戻った。京への帰途を中仙道へとるなら、何とか途中で面会したい）という報せである。

凶報は、京都からであった。平岡円四郎が、六月十六日の夜、暗殺された。犯人は水戸浪士。慶喜《よしのぶ》が攘夷《じょうい》を決行しないのは、平岡が君側に居て妨げているためとの理由によるという。

平岡は働きざかりの四十三歳。旅立つ栄一たちを、平岡がわざわざ蹴上《けあげ》まで見送ってくれたのは、虫が知らせたとでもいうのだろうか。額のひろい色白の顔が、まだありありと瞼《まぶた》の裏に残っている。

「ひどいことをする」と、喜作。「平岡さまを殺して、何になる」

過激派の考えるような単純な攘夷論では国を危うくするだけだということが、ようやく喜作にもわかってきている。それに、平岡という人間の価値も。二人にとっての命の恩人というだけではない。平岡は、能吏であり、大物である。理想家肌であり、現実主義者である。京都を中心とした政局を収拾して行く上で、一橋慶喜の持つ最大の切札であった。その平岡が死んだ。

二人は、気落ちした。ただ、家士という身分社会にはめこまれているおかげで、勝手な行動もできぬ代りに、平岡が居なくなったからといって、ただちに失職するということもない。「人選御用」というすでにまわりはじめた歯車を廻し続けて行く他はない。

二人は、下野《しもつけ》・武蔵に点在する一橋領を巡回した。その間にも、筑波山で戦闘があったという報せが耳に入る。

栄一は、旅先で新五郎あて、長文の手紙を書いた。天狗党《てんぐとう》は、その数も七百に上り善戦しているが、その「過激の輩」の行末について、栄一は書く。

「しよせん、この勢にては、離乱瓦解《がかい》よりほかこれあるまじく、誠に以《もっ》て長大息の次第に候《さふらふ》」と。

栄一は、もはや、一年前、栄一自身がそうであったような「過激の輩」ではなかった。

さめた眼で事態を見ていた。

栄一は、そうした自分自身の変り方についても書く。

「生も大いに老練用ゆるところこれある人物に相成り申し候」と。

「老練」とは、何か。

(久しく経験を積み、物事になれて巧みなこと)と、辞書にはある。

その一年足らずの間に、栄一は何年分にもあたる大きな経験をした。とりわけ、横浜焼打ちについての反省は大きい。

後年、栄一は述べている。

「後日になつて考へたのであるが、私は飽くまでも我意を徹《とほ》さうとすれば、何《いづ》れにしても死の一途に帰したのである。自分一個の感情を堪《こら》へ切れず、前後の考へもなく激怒したのは恥づべきことであつたのに気づいた」

栄一は反省する。

「此事《このこと》あつて以来、堪忍《かんにん》の必要である事を熟々《つくづく》と感じ、常に忍耐心を養ふことに心掛けたのであつた」

志を立てるのも、激発するのも、やさしい。しかし、堪忍するのはむつかしいし、貴重でもある。

横浜焼打ちは、血気にはやった計画であった。尊王攘夷の精神はりっぱだが、目標としては、あやまっていた。長七郎などにより十分な情報を与えられて、その目標選択のあやまりがわかった。だから、計画は放棄した。

ただ、その段階で、目標実行のために栄一がとった行動は、すでに「老練」であった。軍資金を栄一ひとりが藍《あい》商売の中から着服して調達したのも、そのひとつ。同志たちから集めたり、有志から募金または徴発すれば、必ず、あしがつく。着服して調達すれば、気づかれるはずもないし、かりに露見しても、父子の間だけですむ。

いちばん目につく武器の収集も、栄一と新五郎でやっている。同志をほとんど地元から集め、しかも、その地元の同志たちに、具体的な行動内容については、くわしく知らせていない。このため、計画中止も、幹部の判断だけできめることができた。これも、ひとつの「老練」である。

規模の相違もあるが、天狗党の挙兵は、その意味では「老練」でなかった。下部に突上げられ、収拾がつかなくなって突っ走ってしまった形である。栄一は、成功はおぼつかないと見た。

栄一は、新五郎への手紙に、天狗党を率いる藤田小四郎の心境を思いやって書く。

「当今のところは大後悔」であろうと。

半年あまりの間に、栄一は京都で何を見たか。

政局は、奇怪なほど流動的。尊王攘夷派も開国佐幕派も、ひとすじ縄では行かない。それにがまんできず、長州派に代表される過激派が激発し、何かといえば人を殺し、京都は天誅《てんちゅう》ばやりであった。しかも、事態は少しも改善されず、かえって池田屋騒動のように、血が血を呼ぶ形になる。

その一方、「攘夷盗」という言葉がつかわれるほど、攘夷のための資金調達と称して町人をゆする連中が出没した。志士でもない男までが、攘夷を口実にする。そのため、攘夷論者である孝明天皇まで長州ぎらいになり、長州は諸藩から孤立し、民心も過激派から離れた。そうした過激派の横行が、栄一には、生きた反省材料になった。

栄一は冷静になり、参加しないことに自信を持った。

しかし、それで志をすてたというのでは、「老化」にはなっても、「老練」ではない。

栄一は、有効な方法を考えていた。

栄一は、新五郎に書いた。

「少々奇策これあり候。他日お分かち申すべく候。至つて持重策《じちよう》に候間、御案事下さるまじく候」

先ごろのように手紙が他人の手に落ちることを警戒して、その内容についてはふれていないが、「奇策」であり「持重策」でもあるというのは、慶喜をかついで討幕軍を起そうという計画ででもなかったか。

栄一は新五郎に、平九郎はじめ村の優秀な若者たちを一橋家にさし出し、栄一とともに上洛《じようらく》するよう求めた。

一橋家仕官は、変節でも何でもない。いま「老練」になった栄一は、一橋家に在ることこそ、尊王攘夷の志を遂げる道になると、自信を以て考えるようになった。平九郎ら若者たちを呼寄せようというのも、その自信のあらわれであった。

（志士は、志さえ立てればよい）というものではない。志を立てれば気がすむというのでは、簡単であるばかりか、無責任でもある。果して「志が立つかどうか」が問題であった。「どうしたら志を遂げられるか」を考えるべきである。精神だけではだめ、実が伴わねばうそだと、栄一は考える。

「老練」とは、効果の吟味を忘れぬ態度である。

横浜焼打ちの実行については「老練」であった栄一も、目標そのものの選定については「老練」でなかった。が、いまは目標設定をふくめて「老練」になったつもりであった。それが、「大いに老練用ゆるところこれある人物」になったということなのだろう。

余談だが、（精神だけではあきたりぬ。実が伴わねばうそだ）というのが、その後、栄一の一生を貫く態度になった。栄一は、いつも、方法を、効果を、問題にした。

たとえば晩年の栄一は、社会公共事業に尽力した。財界人の慈善行為は珍しくはないが、栄一の場合、ただ大金を出すということではなかった。慈善においてさえ、いかに効果が上るかを考えた。世間体のための寄付や、自己満足のための慈善には、目をそむけた。

晩年、王子の薬師堂のほとりに散歩に出たとき、慈善家の渋沢がきたというので、乞食《こじき》たちが何人も集まって、袖《そで》乞いをはじめた。通りがかりの市民も、日ごろの評判から、栄一がどれくらい金をやるだろうかと、注視した。だが、栄一は、

「働け、働け!」

と大声でいうだけで、ただの一文も投与えなかった。彼等を金をやることで救われる人間ではないと見たのだ。

社会事業や公共事業に募金を求められるとき、栄一は総額がたとえたいした額でないときも、自分ひとりで出してしまわず、自分が発起人になり、趣意書をつくって実業家仲間に廻してやり、声をかけ、ときには出かけて行って交渉してやった。栄一のような多忙の身には、かえってわずらわしいことだが、栄一はそうした方が、現実に少しでも金が多く集まるし、同時に多くの人が募金の対象に関心を持つことになると考え、実の伴う募金を実行してやまなかった。前述のように、「渋沢さんに百七つまで生きられちゃ、これからどれだけ寄付金の御用があるかわからない」と、服部《はっとり》金太郎に悲鳴を上げさせたのも、栄一が次から次へと奉加帳を廻し続けたためである。

栄一は、晩年、早稲田大学のための基金委員長も永く続けたが、あるとき、大隈《おおくま》重

信の邸《やしき》で財界人のパーティがあった。

席上を借り、栄一は早稲田への基金募集について訴え、自分の寄付額も話し、来会者ひとりひとりに寄付を勧誘した。

大御所の栄一のたのみである。財界人たちは、それぞれ調子のよい受けごたえをし、さて、その日のパーティが終って帰ろうとすると、玄関に机をはり出して通路をせまくし、そこに渋沢栄一が寄付申込用紙を置いて、にこにこして待構えていた。いいかげんな口約束ではすまさぬ。目の前で申込用紙に金額を書きこませてから、お帰りをねがうというわけであった。

そうして集めた金は、ただつかえばよい、というものではない。あくまで、活《い》かしてつかわねばならぬ。効果を、結果を、見届けねばならぬ。栄一は、この点でも「老練」であった。寄付の結果が、どうなったかに注意することを忘れなかった。くわしい報告がくると、たいそうよろこび、その後も協力を惜しまない。

クリスチャンでもないのに、発足まもない救世軍を熱心に応援したが、それというのも、救世軍が貧弱な財政的基盤にかかわらず、それを真剣に活かして運動しているのを見て、ひき立ててやらねばと考えたからであった。

栄一は、山室《やまむろ》軍平にいった。

「実業家は金を作ることを知っているばかりか、どんな風に使うたらよいかということをわきまえている。それだから、自分らよりもあまり下手に金を使うと見ると、出したくなくなる。しかしあなたのところでは、比較的わずかな金で大きな事業をなし、金が活きて働いているように見えるから、それでわたしは熱心に賛助しているのです」

あるいは、救世軍を応援する手紙の中に、

「其《そ》の費途僅少《きんしよう》にして、能《よ》く優秀の成績を見る。是《こ》れ本軍の一特長所にして、而《しか》して其世間を裨補《ひほ》するの功、亦《また》大なりといふを得べし」などと書いた。慈善においても効率を尊重し、実の上ることを第一とした。

栄一はまた、明治七年三十五歳のときから五十年以上も、東京府養育院長をつとめた。私財を持出し、募金のくり返しである。

養育院といっても、栄一のひき受けた当時は、乞食の収容施設であった。外国人がやってくるようになり、乞食が街にうろついていては体裁が悪いと、市中の乞食を狩集めて、三百人ほども本郷旧加賀藩邸にぶちこんだだけのものであった。

院長となった栄一は、老若男女を同一構内に収容していては、救済の実が上らぬと見た。

まず、西巣鴨《すがも》に分院をつくって、児童だけを別に収容し、さらに、児童の中で感化を要する者のためには井ノ頭《いがしら》学校を設けて分離。虚弱児童のために、安房《あわ》に分院をつくり、重症児や結核児童のために、板橋分院をつくって収容した。目的別に施設を区分して収容することで、同じ金額も活かしてつかう。いや、人をその分に応じて活かすことができる。ただ名誉職だけの院長にはできないことである。建前としての慈善を排す。実効の上る慈善を考える。精神だけでなく、実を、というのが、栄一の信条であった。

ただ、この時期の栄一の「老練」は、まだまだ怪しいものであった。

七月十九日。「尊王攘夷」の旗をかかげ、長州の大軍が京都へ進入したときいて、栄一は動揺した。二十五歳の若い心に、また、火がついた。

栄一は、新五郎にあわただしく手紙を書いた。

「誠に以て驚嘆の至り、如何《いかん》とも心事切迫」と。

先便では、「持重策」があるとか、「大いに老練用ゆるところこれある人物」などと、自画自賛していたのに、たちまち一変して、もう一度、決心し直すつもりだと書く。

時間の歯車を逆に廻して、前年の冬に戻ってしまう。

「去冬御同様一死報国、もはやかかる濁世《じよくせ》に安居も義士の恥づるところと深く決心の至り」

頭を熱くし、さらりと自分を投出した。「老練」をかなぐりすてた。

栄一は、とにかく早く京都の事情を知りたかった。帰京をあせったが、藩からは、「人選御用」の中止と江戸藩邸での足どめを指示してきたままで、帰京命令はきていない。栄一は、ひょっとして、これまでの自分の判断がまちがっていたのではないか、と思った。東に天狗党、西に長州藩が大軍を率いての蹶起《けっき》。いまこそ、攘夷決行のときではないか。幕府は何をしているのか。

栄一は、長州志士たちと同様、手紙の中で、幕府を「徳川」と呼びすてにした。

「此日《このひ》まで本筋にて徳川をして攘夷と存じ候へども、もはや其場《そのば》は断念よろしかるべきなり」

徳川がだめなら、慶喜は何をしているのか。なぜ、攘夷を逡巡《しゅんじゅん》しているのか。栄一は、いそぎ帰京したかった。

帰京して何をするか。

栄一は、新五郎に新しい覚悟を伝えた。

「憤死して君を正に致す」と。死を覚悟して、慶喜を諫《いさ》め、攘夷決行を迫る。憤死すれば、少なくとも、京都かいわいに、大義を知らしめることができるではないか。もちろん、それですぐ攘夷になるとは思わない。その上の行動は、後に続く人々に託す他はない。

「他年真の挽回《ばんかい》は何処《いづく》までも御依頼申上げ候」

と、栄一は新五郎の再挙を期待する。

栄一は、これに関連して、先便で依頼したばかりの平九郎ら若者の一橋家仕官の話をとり消した。慶喜をいただいての討幕などという持重策は、夢物語となった。慶喜の因循を諫めて、自分は切腹するかも知れない。そこへ平九郎たちを巻きこんでは、かわいそうである。

栄一は、本気で憤死を考えていた。ただ、わずかに「老練」であったのは、平九郎の身のふり方について、(家に置いておけば、何かの役に立つだろうが、心胆を練るためには、空《むな》しく家に安居しているのもどうか)という注意を書足しておいたことである。

文武にすぐれた十七歳のこの義弟を、栄一は高く買っていた。長七郎が癈人《はいじん》同然となったいま、平九郎こそ、再挙の中心となるべき人物。温存しながらも、鍛えておくべきだと見た。

栄一が想像したのとちがい、一橋慶喜は因循などではなかった。むしろ、さっそうたる行動で、京都を制圧していた。

藩主父子の冤罪《えんざい》の哀訴にきたといいながら、長州勢の大軍は、鉢巻たすきがけに鉄砲や抜身の槍《やり》で武装し、大砲まで持って、伏見・嵯峨《さが》・山崎と、三方から京をとり囲むようにして布陣した。夜は、空を赤くして篝火《かがりび》をたく。公卿《くぎょう》たちは、すっかりその勢いにのまれ、わずかに開いた北道から天皇を比叡山《ひえいざん》へ逃がすことを考える一方、

「ここで長州兵を阻止すれば、戦火を招いて、朝廷に災いが及ぶ。とにかくいまは長州の言い分に従い、藩主毛利父子を召して訴えをきいてやれ」という意見になった。

これに対し、守護職会津藩主松平容保《かたもり》たちは、「兵威を以《もつ》て朝廷を圧迫するとは、不届き千万《せんばん》。直ちに討伐すべし」と、真っ向から主戦論を打出した。

こうした意見の対立を、大局からさばいたのが、慶喜であった。

「いま、われわれには攘夷《じょうい》という一大事がある。外患が目の前に迫っているのに、内戦を起すのは、下策である。それに、長州はもともと尊王攘夷を旗印にしており、天下には、これを正義として賛成している者も多い。ここで一度は討伐するとしても、世論の一致がなく、列藩の統制がみだれれば、応仁の乱の二の舞いになりかねない」

慶喜は、形勢を分析したあげく、

「いまはまず、百方、手をつくして、長州にその不心得をさとし、穏便に兵をひき上げさせるべきだ」

と説き、朝議をその方向にまとめ上げた。なおも長州風になびこうとする公卿に対しては、

「もし毛利父子の一人でも朝廷に呼ぼうとされるなら、自分も守護職も、ともに辞職する」

と、強硬にいった。このため、朝廷内は愕然《がくぜん》とし、一言も発するものがなかった。

形を変え、使いを変えて、説諭はくり返された。

「大兵を率いて京都に迫るとは、臣子の分にもとる不徳の行為である。兵をすみやかにひき払い、ねがいごとがあれば、順序を立てて申出るべきである」と。

長州藩家老福原越後は、慶喜の誠意に感謝して、内部の説得に当ったが、真木和泉《まきいずみ》・来島《くるしま》又兵衛・久坂玄瑞《くさかげんずい》らの強硬派がききいれず、陣をとかなかった。彼等がはるばるそこへくり出すまでには、藩内の桂《かつら》小五郎らの反対や高杉晋作らの慎重論をねじ伏せて進発してきたのだから、説諭されたからといって、退去できる勢いではなかった。

来島又兵衛の如《ごと》きは、すでにその元旦《がんたん》に、

「この首をとるかとらるか今朝の春」

と、早々に辞世を残してきている。

それでも、慶喜は説得をくり返し行なった。(慶喜には、長州人の心中を見抜く力がない)とか、(慶喜は長州と通じて、謀反《むほん》を起すつもりだ)などというわさが流れたが、なお、慶喜は待った。

慶喜が待っているのは、長州の翻意だけではない。諸藩の出方を待ち、機の熟するのを待った。とりわけ、慶喜が注目していたのは、長州と並ぶ尊攘派の雄藩薩摩の動きである。

薩摩の西郷隆盛は、最初は、起るべき戦いを、長州・会津の私闘と見て静観することにし、「無名の軍を動かし候《さふらふ》場合にこれ無く」と、大義名分のない兵は出さぬ旨《むね》、国もとの大久保にも連絡していた。ただし、もし長州が京を攻めるなら開戦し、長州藩を討伐するという一種の日和見《ひよりみ》的な立場であった。

大坂に上陸して京に向う長州兵を阻止するよう幕府に命じられたときも、西郷はわざと兵を出さなかった。会津ひいては幕府に戦わせ、自らは傷つかず、漁夫《ぎよふ》の利《り》を得ようという計算であった。

だが、慶喜が一向に開戦しようとしないのを見て、西郷は見方を変えた。むしろ、一橋・長州の内応説を考えるようになった。それでは、薩摩が置いてけぼりにされる。西郷は即時討伐論に転じた。

中心になって長州をたたくことで、時局の主導権をとろうという読みである。

その読みを、また慶喜が読んだ。慶喜にしてみれば、「尊王攘夷」とただひたすらに突進んでくる長州の方が、むしろ可愛気《かわいげ》があり、御しやすい。無気味なのは、薩摩であった。このため、早くから薩摩の動向をさぐっていた。この春、栄一に折田要蔵のところへ内弟子入りさせたのも、そのひとつである。

平岡円四郎の死後、用人筆頭には黒川嘉兵衛《かひょうえ》がなった。人のよい老人だが、いざというときの慶喜の相談相手は、黒川ではなく、水戸家からきた原市之進であった。かつて江戸で門弟六百という私塾を持ち、激派の志士はほとんど、その薫陶《くんとう》を受けたといわれる。坂下門《さかしたもん》の変のときには、斬奸状《ざんかんじょう》を書いたとうわさされながら、捕えられることもなく、陰険といわれるほどの智謀《ちぼう》の主であった。

その原も、慶喜の見方を支持した。

「開戦となれば、芋たちが手をたたいてよろこび合うことでしょう。ここで長州が退けば、芋の奸策も行う所がないでしょうに」と。

薩摩が熱くなればなるほど、むしろ、ここで薩摩に肩すかしをくわせてやれと、慶喜は思った。だからこそ、長州の福原が感激するほど、慶喜は熱心に説諭をくり返した。真の敵は、もはや、長州ではなかった。

慶喜、このとき二十八歳。西郷は十歳年長の三十八歳。二人はにらみ合い、かけひきをくり返した。

七月六日、慶喜は在京諸藩の留守居役を召集、何度目かの長州兵退去の説得を命じた。

「この期《ご》に及んで、なお説得を続けるのは、朝威を損ずることになる」

と、西郷はその命令をことわった。一刻も早く長州を討とうというのである。

だが、慶喜は腰を上げない。もっとも慶喜にしても、できれば肩すかしをと思ったまでで、説得が効果をあげるとは期待していなかった。

（いずれ長州を討つことになる）

ただ慶喜は、誰が見ても開戦やむなしという形勢になるのを待っていた。そうすることで、在京諸藩に長州攻撃の統一行動をとらせれば、総指揮官の慶喜の権威は、さらに高まるはずであった。

慶喜のその読みを、今度は西郷が読んだ。西郷はいよいよ開戦を急いだ。むしろ、そうした慶喜を出しぬき、直接に勅命を受けて主導権をにぎり、長州攻撃の火蓋《ひぶた》を切ろうと、七月十七日、土佐藩久留米《くるめ》藩と連署して、討伐断行の意見書を朝廷に提出した。

もちろん慶喜は公卿たちに手を廻して、薩摩のねらいを封じ、「まず説諭を」という朝議の線をくずさない。

しびれをきらしたのは、薩摩だけではなかった。当の長州が、説諭説諭のくり返しで一向に事態が進展しないのに業《ごう》を煮やし、会津藩主松平容保誅伐《ちゆうばつ》の名目で、十八日子《ね》ノ刻《こく》（午前零時）、軍を動かして、三方から京都へ進撃した。

長州三家老の一人、福原越後の軍勢は伏見から東海道へ。国司《くにし》信濃《しなの》は八百余の手兵をひきつれ、嵯峨を発して北野から一条戻橋《もどりばし》へ。そこで二隊に別れて、一隊は来島又兵衛が率いて蛤門《はまぐりもん》へ。一隊は国司とともに中立売門《なかたちうりもん》へ向った。山崎からの長州兵は、西街道から松原通へ。

深夜、長州兵発進の報に、慶喜ははね起きた。すぐに諸藩へ出兵するよう伝令を出すとともに、自分は参内《さんだい》のための衣冠姿ですばやく馬にのってとび出した。

開戦に当って慶喜がいちばんおそれたのは、公卿たちが臆病風《おくびようかぜ》に吹かれて、守護職の罷免《ひめん》をいい出し、あるいは天皇を比叡山へ移そうとすることであった。その動揺を、自らかけつけることで、おさえようとした。

従者たちも、あわてて馬で慶喜を追いかけたが、その数はわずかに四騎。

竹屋町にきたとき、抜身の槍をかかえた白鉢巻の兵二人に出会った。さらに一町ほどして、また同じ姿の兵二人に行会った。慶喜はこれを会津藩の見廻兵と思いこみ、(早々に感心なやつ)と思ったが、実は先発の長州兵であった。

長州兵は長州兵で、単騎でかけてきた衣冠姿の慶喜を公卿が参内するのだと思い、とがめだてもせず、行きすぎた。

慶喜は、馬にのったまま、中立売門にとびこんだ。従者は誰も居ない。自分で門の柱に馬をつないで、御所に入った。守護職も所司代も居ない。役人もきていない。あらかじめ指示しておいた警固の者たちも、深夜のこととてまだ集まっていない。

慶喜は、玉座のすぐ近くに呼ばれた。

「すみやかに長州兵を誅伐せよ」

孝明天皇の命令を、公卿を通さずに、きいた。

このころになって、はるかに大砲や小銃の声がきこえ出した。

慶喜は近習の者たちにいそいで九門の警備をかためさせた。その中《うち》、ようやく、公卿たちや守護職、それに、諸藩の兵が集まってきた。

慶喜は、そこで小具足をつけた。

立烏帽子《たてえぼし》に紫練綾《ねりあや》の鉢巻、紫裾濃《すそご》の腹巻の上に、黒の葵《あおい》の紋入りの白ラシャの陣羽織。小袴《こばかま》のすそを高くくくり上げ、腰には熊毛《くまげ》の尻鞘《しりざや》のついた黄金《こがね》づくりの太刀。手には、金の采配《さいはい》をとった。眼もさめるようないでたちである。

先頭に御旗三旒《さんりゅう》と日の丸。歩兵隊、小筒組、遊撃隊、床几隊《しょうぎたい》と続き、その中ほどに銀幣《ぎんぺい》の馬標《うまじるし》を立て、慶喜が馬にまたがってくり出した。このあたりまでは、ほとんど、慶喜の一人舞台であった。

在京諸藩の兵力は六万に近いとされ、長州勢二千は物の数ではない。

ただ、慶喜にも誤算があった。

ひとつは、長州勢の来襲を十九日と見ていたのに、十八日の夜半に攻めこまれたこと。このため、とくに御所警固の諸藩が十分、部署につく間がなかった。

いまひとつの誤算は、長州勢の主力を、上席家老福原の指揮する伏見の部隊と見た。兵力は五百だが、上士から編成されており、完全な訓練を経た武士集団である。このため、伏見方面へは、大垣、彦根、桑名、会津などの精強部隊をふり向けて配置した。ところが、この上士から成る長州勢は意外に弱く、大垣藩一藩だけで阻止してしまった。

それだけに、逆に他の二隊の長州勢の戦力を過小評価し、配備が手薄になった。下士や浪士、他藩の勤王志士などから成る混成部隊の方が、むしろ、戦意はさかんであった。はげしい勢いで、御所に肉薄してきた。

中立売門守備の黒田藩はひとたまりもなく破られ、乱入してきた国司信濃の部隊は、蛤門で来島又兵衛の部隊と合流して、勢いを増した。会津兵が、けんめいに持ちこたえている。そこへ一橋勢が加勢した。慶喜は金の采配をふるい、叱咤《しった》して防戦させた。

戦いは、はげしかった。長州兵は二、三十人ずつにわかれ、門のすき間や塀《へい》の上から射撃してくる。弾丸は慶喜の身辺をかすめ、乗馬に命中して傷つけた。まわりに居た家士たちも撃たれた。

すでに、夏の夜は明けていた。

射撃の合間を縫って、長州の抜刀隊や槍隊が突撃してくる。一橋勢は後退し、会津兵も浮足立った。

西郷隆盛の指揮する薩摩兵が加勢にかけつけてきたのは、このときであった。

薩摩兵は、大砲を浴びせかけながら、猛然と長州勢めがけて突っかけた。競争相手の長州を、いまこそ、たたきつぶそう。それに、西郷にしてみれば、あれほど開戦を急いだのに、緒戦においてで出おくれた形であり、何としてもこの場で、薩摩の力で戦局を左右しておこうと、切迫した気持に追いこまれていた。

西郷は大声をあげて薩摩兵を指揮して、襲いかかった。長州兵にとっては、死にもの狂いの戦いとなった。

ほっとした慶喜の胸に、別の不安がさした。(天皇はどうして居《お》られるであろうか)

慶喜は従者だけ連れて、急いでその場を去った。

慶喜が御所内庭に戻ってみると、参着した諸藩主や家来たち数十人が、旗差物をかざし、抜身の刀槍《とうそう》を持って、ごった返している。慶喜は叱《しか》りつけて外へ出し、それぞれに部署を指示して配置した。

ようやく常御殿《つねのごてん》に入り、天皇の御無事を見届け、

「狙撃《そげき》されたそうだが、どうか」

との見舞いをいただいた。

砲声銃声が、すぐ近くにきこえる。公卿たちは、たすきがけでつめているが、様子がおかしい。天皇を擁して逃げようという気配がある。慶喜は長い首をかしげた。

最初、公卿側である有栖川宮《ありすがわのみや》の立てた作戦計画では、御所のいちばん内部の宮門の警衛は、加州、因州、備前の三藩に任せるということであった。三藩とも長州に同情的であり、慶喜は信用していない。現に加州藩は、その日は逆に京都を離れ、大津方面へ兵を動かしていた。天皇を比叡山へ連れ出そうという企《たくら》みに呼応している。

慶喜はその辺の疑問を、すばやく、守護職松平容保、所司代松平定敬《さだあき》に話し、

「天皇御動座のことがあっては、大事を失する。よくよく守護し奉《たてまつ》るように」

と、二人をその場の見張役に残した。

慶喜はまた前線へひき返した。

堺町門《さかい》付近では、山崎からの長州勢が越前藩と交戦していた。越前藩が加勢を求めてきたので、慶喜は一、二の藩に命じたが、出動しない。やむを得ず、一橋の大砲隊を救援に向けた。

そこへまた、(すぐ参内せよ)との急使がきた。

慶喜はいそがしかった。いぜん、一人舞台であった。二人の従者をつれただけで、ひき返して参内する。

公卿《くぎよう》たちは色を失っていた。御羽車をもち出し、板輿《いたごし》を庭におろし、草鞋《わらじ》をはいている公卿もある。

松平容保が病身ながら、声をはり上げ、

「誓って玉体を守護し奉ります」

と叫んでいるところへ、慶喜がかけつけた。

公卿たちは口々に浴びせかける。

「守護職をここから外へ出せ」

「勝敗はどうだ」

慶喜は眼を大きく見開いて答えた。

「勝利はたしかです」

「それなら早く和を結べ。負けて和を結べば恥辱であろうが、勝って和を結ぶなら構わぬではないか」

「先ほどから銃弾がこちらへもとんでくる。まことにおそれ多いきわみだ。すぐ和を結んで、長州父子の陳情もきいてやれ」

支離滅裂の言い分である。目先の恐怖だけにちぢみ上っている。慶喜は憤然とした。

「皇居に発砲した賊徒と和を結べとは、何事ですか」

公卿たちを大声でどなりつけた。

また、まぢかに砲弾の落ちる音がした。

「そうはいっても、現にこのように……」

「お静まり下さい。わたしが御守護をひき受けている以上、必ず御無事をお約束します」

女たちがさわぎ立つ。砲声に皇太子は気絶されたという。

ただ天皇は、慶喜を信じて、泰然として居られる様子であった。

（ここで公卿たちと議論していてもはじまらない。とにかく、早く長州を撃退することだ）と、慶喜は思った。

松平容保らに公卿たちをきびしく見張るようにいいつけて、三度、戦場へとって返した。

白兵戦でもみ合っていては、時間がかかる。慶喜は、すばやく堺町門・蛤門の裏手に兵を廻し、山崎からおくれて到着した長州兵のたてこもる鷹司邸《たかつかさてい》には火をかけさせた。このため、長州兵はついに総くずれとなり、河原町の長州藩邸に火をつけて敗走。火は夏空を焦《こ》がして、京都市中にひろがり、二万八千戸を焼くことになった。

こうして、八ツ時（午後二時）過ぎには、市中のすべての戦闘は終った。

だが、慶喜は二十四日まで、宮中にとどまった。公卿たちの動揺をおさえ、長州派公卿の策謀を封ずるためであった。

果して二十日の夕方、十津川《とつかわ》郷士と称する男たち三百人が、どこからともなく常御殿の庭に集まった。板輿をひとつ、かくし持っている。警戒の兵からその報《しら》せをきいた慶喜は、すぐ庭を包囲し、

「すみやかに退散せよ。さもなければ、残らず討ちとる」

と厳命して、退去させた。

市中に延焼した火は、二昼夜にわたって燃え続けていた。このため、公卿たちがさわいだ。まだ動揺していた。同じ二十日、御所内に砲弾の落下する音がしたと、公卿たちがさわいだ。あり得ないことである。調べさせてみると、女官の一人が鉄漿《かね》壺《つぼ》を落した音とわかった。

明治になってから、事態をわざと過小評価するため、「蛤御門の変」と称されるようになったこの京都での戦争は、当時、干支《えと》にちなんで、「甲子《きのえね》の戦争」といわれた。

この甲子の戦争は、慶喜の読み通り、慶喜に名をなさしめるための戦争になった。

「一橋中納言《ちゆうなごん》が居なかったら、世の中は暗黒になったであろうに」

と、朝廷筋は慶喜をたたえ、諸藩士や市民は、

「やはり神君家康公の再来であった」

と、いまさらながら、慶喜を仰ぎ見た。

慶喜の他に、いま一人、この戦争で名をあげたのは、薩摩の西郷隆盛であった。慶喜その人はともかく、一橋勢は弱く、会津はじめ諸藩も受身になっていた戦局を一挙に好転させたのは、軍賦役《ぶやく》西郷の指揮する薩摩兵の奮戦であった。

西郷はこのとき、はじめて実戦を指揮したが、馬にまたがった巨大な体は、たちま

ち敵の目標となり、馬は撃たれ、一弾は西郷の足に命中し、西郷は落馬した。だが、西郷は負傷をかくして、激戦の中で指揮を続けた。その手で長州勢をつぶすことで、自分の読みを生かし、慶喜の読みにはり合うのだ。負傷にひるんでいる余裕はなかった。

西郷は郷里への手紙に、誇らしげに書いた。

「くはしくいくさの様子も申しつかはしたく候《さふら》へども、自慢話と相成り候ては、かねての素志も水の泡《あわ》と相成り候間、わざと省略いたし候」

西郷は会心の戦闘をした。だが、それはまた、命がけのおそろしい経験でもあった。同じ手紙に、西郷は率直に書いている。

「御存知の通り軍好《いくさずき》の事にござ候へども、現事に臨み候ては、二度は望み度くござ無く候。実に難儀のものにござ候」と。

慶喜は圧勝した。西郷も勝った。ただ西郷の勝ちは、命がけで得たものであり、しかも、局部的であった。慶喜の圧勝の踏台にもなる勝ちであった。

こうして、一橋慶喜は、完全に政局の主導権をにぎって、京都を制圧し、諸藩ににらみをきかすことになった。

慶喜圧勝、長州潰走《かいそう》の報せは、すぐ江戸に届いた。慶喜は、栄一の記憶の中に在るような、「ふん」「ふん」と、ひとの話をきき流すだけのぼんやりした長い顔の男ではなかった。まことに、りりしい活躍ぶりである。

栄一は、複雑な気持になった。自分の主君の勝利でありながら、よろこべなかった。

長州は「逆賊」の名を公然と受け、二十一藩が勅命によって長州征伐に向うという。江戸では、長州の下屋敷もお取払いになった。「中々幕勢の盛んなるには驚き入り候」といった有様。にわかに近づいたかに見えた「尊王攘夷《じょうい》」の決行は、またずっとはるかに遠のいた形になった。もはや、長州に期待できない。

栄一は、新五郎に力なく書送った。

「私共の心事は滅長も救長もこれ無く、只々《ただただ》攘夷の義、今一度もり返し……」と。

栄一たちは、発奮の方向を失った。江戸でできるせめてもの仕事は、ふり出しに戻って、長七郎を牢《ろう》から救い出すことだけであった。嘆願書を出したり、奉行所へ出かけたり、公用人に面会したり。だが、交渉は一向に進展しなかった。

しばらくして、栄一はまた新五郎に手紙を書いた。

前尾張藩主徳川慶勝《よしかつ》が総督になり、長州征伐がはじまった。ただ、わずかに鬱憤《うっぷん》を晴らしたのは、因、備、阿、土の諸藩が、征長令を返上したことくらいである。だが、長州を正義と認める藩が残っているということで、少しばかり救われた思いもする。

長州は奮戦しながらも攻め立てられ、天狗党《てんぐとう》もまた苦戦している。「東西とも只々落涙の事」であり、ふたたび、「長大息《ちょうたいそく》仕《つかまつ》り候」と書く以外にない。

八月末になって、栄一たちは、ようやく帰京命令を受けた。それまで集めた四十人をひきつれて帰るのだが、東海道の通行では仰々しく人目につくというので、道を中仙道にとるようにとのこと。その実、栄一たちに故郷近くを通らせようとのふくみである。

平岡に代る黒川嘉兵衛は、とくに才腕のあるひとではないが、苦労人だけに部下を使う道を心得ていた。栄一たちの心中をひそかに察してくれているようでもあった。

栄一は、家族や新五郎に、ひそかに会う手はずを書送った。

心残りの事

(このまま、あえなくなるかも知れぬ)との言葉を残して、栄一が家を出てから、すでに一年近くなる。江戸とはちがい、遠い京都。毎日のように争いごとがあり、人斬《き》りが横行するときいているだけに、千代には長過ぎるほどの一年であった。

一橋家の御用で関東に下ってからも、栄一は、ほとんど千代にも家にも、手紙をよこさなかった。ただ相変らず国事には関心があるようで、新五郎のところへだけは手紙がくる。その度に新五郎は、手紙の趣を伝えに、血洗島の家へやってきた。やはり秘密の用件でも書かれているのか、手紙そのものは、めったに見せてくれない。

青田からも森からも、目に見えぬ炎が燃え立つような夏のさかりの一日。新五郎がまたやってきた。

「ここを読んでみろ」

と、一通の手紙のそれも追伸の部分だけを、笑いながら千代にさし出した。栄一からの便りである。

千代は何事かと思い、なつかしい夫の筆跡をたどった。

(人選御用の途中、宇都宮で同志に会い、歓待を受けた。同志には、十七と十五の二人の妹があり、この二人がなかなかよくできた娘。ぜひ男らしい男に嫁ぎたい、それに、できれば、ふしだらな女関係などに見向きもしないような男がいいという。つまり、それが、われわれ両人のことである。ぜひ嫁にもらってくれと、たのまれた。娘たちは、よほど恋着の様子で、少々困惑している)と。もちろん、本気ではなく、「呵々《かか》」と結んである。

だが、千代はおもしろくない。

「いやなひと」

と、手紙を突っ返した。新五郎は笑った。

「妬《や》くな。冗談ではないか」

もちろん、千代も本気で妬きはしない。ただ、毎日毎日、今日も無事だろうかと、それればかり案じ続けてきただけに、のんきな話に腹が立った。

「こちらの心配も知らないで、あんまりです」

「怒るな。そこが、栄一のいいところだ」

新五郎は、なだめるように千代を見、

「あの男は、物事を思いつめもするが、長七郎のように、それだけではない。思いつめていながらも、どこかでぽっと息のぬける男だ。事を成すには、ああいう男の方がいいのだ」

「でも、あまりに……」

「おまえには見せられぬが、この手紙の前の方には、思いきった志も述べてきている。はりつめてばかりいたら、かえって心配ではないか」

そういわれれば、たしかにそうでもある。だが、釈然としない。

「喜作さんは、どうなんですか」

「あれは、どちらかといえば、はりきり過ぎる男だ。栄一がついていなければ、とっくに、どこかで斬死している」

歌子がよちよち歩いてきた。

「おお、おまえも手紙が見たいのか」

新五郎が指先で、軽く歌子の頰をつつく。歌子は、その指をつかんで、あまえた。

それが兄ではなく、夫であったなら。千代は胸がいたむ。不覚にも涙がにじんできそうであった。

新五郎は、手紙を懐《ふとこ》ろにおさめた。

「栄一がこういう手紙をくれる中《うち》は、安心して居られるというものだ。だから、おまえにも見せてやったのだ」

「それはそうでしょうが……」

と、千代はまだ割りきれないし、物足りない。栄一がにくいし、栄一が欲しい。はなやかな若い姉妹にもてなされ、うきうきしている栄一の顔が目に見えるようである。あでやかな笑い声が、赤城の山を越えてきこえてきそうである。栄一は、きっと千代のことも歌子のこともしゃべらず、ひとり者のように気楽な口をきいていたにちがいない。やはり、栄一がにくい。それに妻子さえ会えないでいるのに、栄一とたのしい時間を持ったその姉妹が、にくらしい。

ただ千代の救いになったのは、近い中に栄一が中仙道を通るので、そのとき会えるらしいということであった。会ったら、その姉妹のことも忘れずとっちめてやろうと思う。だが、そう思うはなから、会ったときのうれしさを想像して、胸がときめいてしまった。

五日ほど後、また、新五郎がやってきた。ひろい額に皺《しわ》を寄せている。栄一から、来られなくなったとの便りがきたという。

千代はがっかりした。御用向きのせいとはいうが、宇都宮の姉妹に関係があることのようにも思えるし、また、千代が妬いたことが風にのって栄一に伝わって、そのため、栄一に心変りさせたようにも思えた。

そのまま、栄一からの便りはとだえた。

家の者は、つとめて栄一のことは話題にしなかった。ただ、えいだけが、「栄一はどうしているだろうね」と、思い出してはいう。誰もこたえない。こたえようもない。

市郎右衛門は、栄一が関東に下向してまもなく、一度だけ出かけて、栄一に会っている。だが、父子が互いに健康をたしかめただけで、深い話もせずに戻ってきた。

藍《あい》の仕事で忙しい季節になり、市郎右衛門は朝早くから夜ふけまで、黙々と働いている。口数も、めっきり減った。

（しゃべっている分だけでも、よけいに働こう。そうでもしなければ、栄一の居ない空白は埋められない）といった風である。それが、千代にはつらくもあった。

夫はどこで何をしているのか。だいそれたことをたくらんでいては困るし、また、どこかで娘たちと屈託なく話合っているかと思うと、口惜しい。京都とちがって関東のことである。さがしあてて、袖《そで》をつかんで、つれ戻してきたい。大きな羽織でもあるなら、頭からかぶせて、ひっぱってきたい。

京都での戦争や長州征伐の報《しら》せが、田舎にも伝わってきた。

「栄一の仕える一橋の殿様が采配《さいはい》をふるわれた」

と、市郎右衛門が、少しは満足そうに話した。

「栄一も忙しくなったのであろう。便りのないのがよい便りと思うことだ」

千代の心中を見すかしたようにいう。

千代は、顔には出さず、待つ他はない。

八月も終りのある日、夕餉《ゆうげ》がすんでから、えいが千代に、「鹿島《かしま》の湯へ入りに行こうよ」と、声をかけた。

村境の鹿島神社には、御神木になっている榎《えのき》の大木がある。中がうつろになり、ふしぎなことに、そこに清水がたまる。

（ありがたい水だ。きっと霊験《れいげん》があるにちがいない）と、拝殿裏に小屋がけの風呂場《ふろば》をつくり、月に何度か、村の女たちが共同でその清水を汲《く》んでわかし、風呂に入るしきたりができた。女たちには、骨休めになり、気ばらしにもなる湯で、その意味でも霊験がある。

すでに歌子は眠っていた。義妹の貞が見ていてくれるというので、千代はえいの供をして出かけた。

月が明るく、上州の山が近く黒々と見えた。蛙《かわず》の声が道の両側に溢《あふ》れている。

「栄一はどこに居るのだろうね」

また、えいの口癖が出る。

「あの子がこんな風になろうとは、わたしは思ってもみなかった」えいは、ひとりごとをいいながら歩く。「愚痴ではないよ。こういう風に、わたしは生れついたということなのさ」

たしかに、えいは栄一のことを口にする割に、それほどくよくよしている風ではなかった。お天気のあいさつ代りに、栄一のことを口にする、ともいえた。口にすれば気が晴れるといったところもあって、さっぱりしている。

その点では、むしろ、黙っている市郎右衛門の方が、しめっぽかった。

鹿島神社の境内にくると、近所の女二人があたふたと出てくるのに行逢《ゆきあ》った。一人は、歩きながら、浴衣《ゆかた》の紐《ひも》をしめている。湯にあたたまった肌が、におった。

「おえいさん、風呂はだめだよ」

「病みほうけのりんがきたんだよ。とんでもない女だ。せっかくのお湯も台なしだ」

女たちが口々にいう。えいはうなずいたが、そのまま歩いて行った。

「おえいさん、おまえ、りんといっしょに風呂に入る気かい」

「そんなに病気がもらいたいのかねえ」

えいは、笑顔で背中でききい流した。

「あきれたおひとだよ」

「千代もかわいそうにな。けど、そこまでつき合っちゃだめだよ」

ためらっている千代に、女たちはそうした声を残し、ふり返りながら去って行った。

えいの後を追って風呂場へきて、千代は棒立ちになった。病みほうけのりんが、ぼろぼろの着物をぬぎかけたまま、柱にすがって立っている。もはや鼻はそげおち、残った片眼もつぶれかかり、幽鬼に近い姿である。

その姿のまま、入ってよいかどうかと、りんはとまどっていた。

「早くお入りよ」

えいは着物を脱ぎはじめた。

「わたしも入れてもらうよ」

「でも……」

「気にしないでお入り。霊験あらたかなお湯だから、おまえこそ、入るべきなんだよ」

りんは、まだとまどっている。

えいは、すばやく脱いだ着物をまるめた。

「お姑《かあ》さま……」

今度は、千代が声をかけた。

「うん、うん」

わかっているといった風に、えいはうなずき、

「お医者さまがうつらぬといって居《お》られるんだもの。おまえたちが心配する筋はないよ」

えいは、千代とりんに等分にいった。あっさりしていた。まが抜けているほど楽観的で、割りきっている。(どこかぽっと抜けたところがいい)と、新五郎が栄一につ

いていった批評を思い出させた。あれは母親ゆずりなのだろうか。

湯舟には、二人しか入れない。千代は薪《まき》をくべながら待った。

いっしょに湯舟に入ったえいは、りんに病状や食物のことなどをきいている。何がおかしいのか、ときどき笑い声も立てた。

待っている千代は、みじめであった。りんの出た後の湯に入る気はしない。村人がいうように、りんが病菌のかたまりなら、りんと同じ湯に入ることは、りんのつくった大福餅《もち》を食べること以上に危険なことかも知れない。えいの無頓着《むとんちゃく》は、えいひとりに終らない。千代が感染し、それが、貞や歌子にうつったらどうする気だろうか。

だが、えいはうつらぬときめこんでいる。入らなければ、姑《しゅうとめ》にそむくことになる。ここまできて、にわかにかぜだとか、月のさわりだとかいって、ことわることもできない。あれこれ案じてみても、結局は入る他はない。

千代はまた栄一のことを思った。夫が居たら、こんなことにはならずにすんだという気がした。夫はいまごろ、どこで何をしているのだろうか。千代は、夫に恋着したという姉妹の見たこともない顔を、月の上に思いえがいてみたりした。

やがて、えいとりんが、いっしょに上ってきた。

「さあ早くお入り。いいお湯加減だよ」

「……はい」

千代は覚悟をきめた。板の間の端に立って、着物を脱ぐ。健康な千代の裸体を、りんのつぶれかかった眼が、うらめしそうに見つめた。

千代は、いそいで湯舟に入った。目をつむって、体を沈める。病菌の海の中へ身を投げる思いである。立上る湯気にまで、病菌がまじっている気がする。

そのとき、小走りにかけ寄ってくる音がした。いまごろ、誰であろう。三人の眼が向いた。

姿を見せたのは、義妹の貞であった。家からかけてきたのか、息をきらしている。

「おねえさん」

貞は大きな眼をまるくして、まっすぐ千代に呼びかけた。千代はぎくりとした。歌子に何かあったかと思った。

「いま平九郎さんがうちへきて、お兄さんからの報せを……」

「栄一に何か」

えいが顔色を変えた。

「中仙道を通って帰るとのお報せなの。一目逢《あ》えるかも知れないと」

そこまでいってから、貞ははじめてりんに気づいて、大きな眼をさらに大きくした。

りんは、いそいで身づくろいをすませ、目礼して出て行った。

「おかあさんも、おねえさんも、りんといっしょのお風呂に……」

貞は、あきれた顔になった。だが、すぐ思い直したように、自分も着物を脱ぎにかかった。

「わたしも入る。おねえさんだけ、病気にさせておけないわ」

「でも……」

千代はあわてた。千代は姑に従ったまでだが、貞はその必要がない。だが、えいの前では、それを口にもできない。

その間に、貞が元気よく湯舟にとびこんできた。色白の丸顔で、おちょぼ口。栄一とは十二ちがい。さっぱりした、明るい性格の少女であった。

市郎右衛門とえいの間には、何人もの子が生れたが、多くは夭折《ようせつ》し、成人したのは、栄一と貞だけであった。

貞は、大成した栄一が、何でも話合える、ただ一人の血を分けた肉親となった。

村の人々が、晩年、栄一を「殿様」とか「子爵《ししやく》」とか呼びならわしたのに対し、貞は「東京ンち」とか「東京の大将」という言い方をした。えらいも、えらくないもない。栄一は、村から東京へ出て行った若者の一人ではないか。気楽に考えてつき合ってくれ、という気持であった。

家を出た栄一に代り、後に貞は養子を迎えて、家を守った。養子はよくできた男で、藍が輸入ものにおされそうだと見ると、養蚕や葱《ねぎ》つくりに転換し、家業をもり立てた。庭も買足し、家の建物も、ひと廻り大きくつくり直した。墓参りや鎮守の祭りに帰郷するのをたのしみにしている栄一のために、床の間つきの十畳の座敷を用意した。他の部屋は養蚕ができるように天井が抜いてあるのに、この座敷にはきちんと天井をはり、「東京の大将」用として、ふだんは使わなかった。

貞は話上手で、ユーモアがあった。

明治四十二年、栄一が実業団長として渡米するとき、貞は病床に在った。別れをかねて見舞いにきた栄一に、貞はいった。

「兄さん、いろいろと忙しくてたいへんでしょう。わたしもお手伝いしたいんだけど、この体ではね」

そういってから、おちょぼ口になり、

「そうだ。せめても病気の方はわたしがおひき受けして、兄さんが丈夫で居られるようにお手伝いしましょう」と。

愛する妹のために、栄一は東京から何人も名医を送った。貞は医者にいった。

「田舎の婆《ばあ》さんにはもったいない。東京には先生に診《み》ていただかなくてはならぬえらい方が、たくさんおいでだろうに」

翌年五月、危篤《きとく》におちいった貞は、

「兄さんは……」

と、きいた。東京を出た栄一が、ちょうど深谷《ふかや》駅に着くころであった。そうきかされると、貞は、かすれた声で、

「もう間に合わない……」

と、いった。それが最期《さいご》であった。

明治中期に改築された栄一の生家は、いま、貞の長男元治が守っている。栄一は、この甥《おい》を可愛《かわい》がった。自分に似て少し強情なところが気に入ってもいたのだが、ひとつには、郷里の家の跡継ぎということで期待もした。

それだけに、元治が一高へ入り、将来、電気を勉強したいといい出したとき、栄一はあわてた。

「りっぱな農業家になっておくれ。だいいち、電気なんぞ勉強したって、くって行けるかどうかわからんぞ」

日清戦争が終ってまもないころで、第一銀行頭取である栄一が五十代半ば、甥の元治は二十歳であった。

当時、電灯はガス灯に圧迫され、その数年前、漏電で国会が焼け、皇居への給電が中止されるなど、電気についての不信がひろがり、栄一ほどの実業家でも、電気の前途に不安を感じていたのだ。それに、栄一には、自分が家をすてたという気分の上の負目があり、ぜひ妹の長男である元治には、郷里の家を守らせたかった。

だが、元治はいい返した。

「仮にこのまま農科をやるとしても、わたしは血洗島へは戻りませんよ。血洗島にひっこんでは、大学での勉強が生きませんからね」

「なるほど、四畳半の部屋で六尺の棒は振れないからな」

むきにならず、そういうたとえがひょいひょいと出る栄一であった。

元治は工科大学を出、一度は古河《ふるかわ》に入ったが、すぐやめて逓信《ていしん》省の技師となった。

役人ぎらいで、実業第一主義の栄一は、今度はまた甥を実業界へひっぱりたくなった。沖電気へ出資したのを機会に、その会社へ入れようと、元治の説得にかかったが、元治はいうことをきかない。

栄一は貞を呼んで話したが、貞は首を振った。

「だめだめ、兄さん。あの子はあれでいいのです。あれはあれで、何とかやって行きますよ。もう、あきらめて下さい」

こうした点では、貞の方が、栄一よりさっぱりしていた。家の跡継ぎだとか、出世だとかいうより、息子の希望通りにさせてやるのがいいと、割りきっていた。くよくよしないのは、えいの血筋でもある。

元治は、学者として大成した。東大教授をつとめ、名古屋大学を創設、その初代総長をつとめた。日本の電気業界の主な指導者たちは、ほとんど元治の薫陶《くんとう》を受けている。

元治は、いま九十五歳。蔵が三つもある大きな家を、ひとりで守っている。

まだ四つか五つの栄一が、かぜをひいたため、仲良しの喜作とあそぶのをとめられた。大好きな喜作とあそべないというので、栄一は子供心に腹を立て、えいたちの目をぬすんで、蔵の奥へかくれてしまった。それほど栄一と喜作は仲良しであり、また、栄一がきかぬ気の子供だったということである。

病気の栄一が居なくなったというので、家中大さわぎ。えいはうろうろして、村中を走り廻った。

夜おそくなって、やっと、蔵の中でねている栄一が見つかった。その蔵が、まだ残っている。

「伯父より、もう四つも永生きしました」

という元治は、眼も耳もたしかで、いまも原書を読み、論文を書き、邸《やしき》の中を小走りに走る。

血洗島への最寄《もより》駅は、国鉄高崎線の深谷駅である。駅前でタクシーをひろい、「血洗島の渋沢栄一の生家」といっても通じなかったが、元治の名をいうと、

「ああ、あの元気なじいさまの家だべ」

と、すぐわかった。


栄一たち一橋家の同勢四十余人は、九月一日江戸を出、中仙道にかかり、九月三日、深谷宿に着くことになった。

最初、千代は、一晩か二晩、栄一にゆっくり家でくつろいでもらえると思っていたが、それは全くの期待はずれとわかった。もともと、岡部の領主のおぼえのよくない栄一である。その上、領地から逃散《ちょうさん》したという札つきの身である。仕官に当って、一橋家から一応の連絡はあったが、岡部としては許せない気分である。中仙道の通行は認めるとしても、一歩なりとも領内に足を踏入れてはならぬ、領内の者に会ってはな

らぬと、村役人を通じて、栄一の父市郎右衛門、喜作の父文右衛門に、厳重に申渡しがあった。そればかりでなく、あわよくば、召捕るなり、引渡しを迫るとのことであった。

千代は、再会のよろこびどころではなくなった。それならいっそ、会えぬのはつらいが、東海道を上ってくれればと思った。

だが、栄一からは、そうした千代の不安も知らぬげに、再会の手はずを知らせてきた。三日の夜おそく、まず深谷宿でひそかに新五郎に会う。役人の見張りがあるなら、その段階でわかるはずである。新五郎を帰した後、栄一はこっそり深谷宿をぬけ出し、隣の宿根《しゅくね》の部落の遠縁の家に行き、八つ（午前二時）ごろ、千代と落合う。その後、暁方《あけがた》までに、千代は村へ、栄一は深谷の宿へ戻るという段取りである。

栄一らしい工夫をこらした手はずだが、万一見つかったときには、栄一だけでなく、千代もおとがめを受けかねない。

「千代、どうする気だ」

市郎右衛門が重い顔できいた。

「参ります」

と、千代はすぐ答えた。

栄一がそこまで考えてくれている以上、千代としてためらうことはなかった。一目でいい、夫に会い、歌子の顔を見せておきたいと、胸がかわいた。

ただ、深夜、赤子を連れての遠出なので、誰かがつきそわねばならない。男では目立つし、あいにく、えいは夏かぜでふせっていた。このため、貞が同行してくれることになった。

いよいよ、その日がきた。

夜に入って、夕立のような通り雨があった。道のりは難儀であったが、おかげで、傘で顔をかくすようにして、宿根の遠縁の家に入った。

雨は夜半すぎに上り、手はずどおり、栄一がやってきた。侍姿がすっかり板につき、はじめの中《うち》は、言葉づかいまで別の人のようであった。ねむっている歌子を起そうと、栄一は何度も頰をつついたが、歌子はすぐに寝入ってしまう。

千代はあれもこれも話すつもりであったのに、胸がいっぱいになって、言葉にならない。宇都宮の姉妹のことなども、すっかり忘れてしまった。

栄一は、思いのほかに落着いていたし、やさしかった。京都でのくらしの話をし、早く千代や歌子を呼寄せたいと、くり返しいってくれた。

時間はまたたく間に過ぎた。一刻《いっとき》（二時間）ほど後には、もう一番鶏《どり》のなく声がした。夜が明けきっては、人目につく。役人の目にとまれば、栄一も千代も捕えられるし、縁者にも迷惑がかかる。

栄一は深谷へひき返し、千代と貞は、かわるがわる歌子を抱きながら、北へ走った。街道を避け、田んぼの中の道を縫うようにして急いだ。早起きの村人に見とがめられてもまずい。早く家へ帰りつかねばと気があせり、千代は畦道《あぜみち》をふみはずして、水田に落ち、膝《ひざ》まで泥にまみれた。

ようやく家へ無事帰りついたが、(途中つかまりはしなかったか。中仙道を無事、領外へ出られたろうか)と、今度は栄一の身の上が心配になった。

その日の午後、宿根の親類から使いがきて、様子を教えてくれた。

その報せでは、岡部の陣屋前では、人数をくり出して、さしとめにかかったところ、栄一たちは堂々と隊伍《たいご》を組んだまま、

「理不尽にさしとめるなら、斬払《きりはら》ってでも通行するぞ」

と、叫んだ。いかにも武芸者らしい者が幾人も居る様子なので、陣屋の連中は勢いにおされて、手出しもせず、やり過したという。

さらに、領内を出外れるところで、藩士二人が待受けていて、

「御同勢の中に、当領分の百姓が居るから、どうか意見して戻してくれ」といった。

　すると、栄一本人が、

「両名はわれわれの引率者であり、ここで帰られては、一橋家の御用にさしさわりがある。到底かなわぬこととおあきらめ下さい」

　と突放して、通り抜けて行ったという。

　えいは、病床でその話をきいて、

「あの子なら、そんな風にいいかねない」

　と、笑顔を見せた。

　一橋同勢の凛々《りり》しい有様、それに比べての岡部陣屋の情けない有様に、

「やはり一橋家の御威光は、たいしたものだ」

　と、市郎右衛門は市郎右衛門で満足そうであった。

　一年ぶりにしては、短い逢瀬《おうせ》であった。それにまた、次にはいつ会えるかわからぬのだが、それでも千代は、急に体の中に灯がともったように、元気になった。

　追いかけるように、数日後、栄一から珍しく千代あてに便りがきた。

「先頃は宿根にて久々相逢、さぞさぞ残り多き事とぞんじ候《さふらふ》。此方《こなた》にも同様の事なり。さて永々の留守中、父上母さまへ孝養いたされ候段、あさからずぞんじ候。尚《なほ》此後《この》もひといにたの《ママ》み入候。うた事ハ大切になさるべくぞんじ候……」

京都へ呼寄せることも考えているから、それまで孝養をたのむとくり返し、

「いつか又あふ事もこれあるべく、それをたのしみにいたし、くれぐれしんばういたし候様、かへすがへすたのみ入申候。申したき事は山々に候得どもあらあら書残し候。めでたくかしく」

それだけの短い手紙。格別の用件はない。一種の恋文であった。

千代の心の灯は、また大きく、あたたかくともった。千代は姑《しゆうとめ》たちの目をぬすんでは、幾度となく、その手紙を読返した。

短い手紙に、追伸があった。

「何か気のもめる事ある時ハ、手計《てばか》のあにさんにさうだんいたし申すべし。さやういたし候ハバ、よきふんべつ出申すべし」

と、いかにも栄一らしい思いやりを示した後、

「相わかれ候よりハ一度も婦人くるひ等《など》も致さず、全くくにの事のみしんぱいいたし居《を》り申し候間、おまへにもずゐぶんしんばうの程《ほど》ひとへにたのみ申し候」

と、夫婦互いの貞節を強調している。

ただ、栄一の場合、額面通りには受けとれない。

国事を思うばかりで、女にはふり向きもしなかったなどというのはうそで、すでに

前年村を出、江戸へつくと早々、吉原へくりこんで女あそびをしている。その後、わずかの間に百両をつかい果し、さらに二十五両の借金までつくったのも、旅費のせいだけではない。さらに、新五郎への手紙に冗談まじりに書いたように、独身者のように振舞って、たのしい思いを味わってもいる。

その辺のところをさっと素通りして、「一度も婦人くるひ等も致さず」と、書く。妻をいたわり元気づけるためにも、その方がいいのであろうし、その程度のことは、女あそびではあっても、「婦人くるひ」でないのかも知れない。

その後、十日あまりして、京都の生活に戻った栄一から、また千代あてに手紙がきた。

（京へ戻り、慶喜卿《きよう》にお目通りを得て、いろいろお話をうかがった）などという報告に続いて、（来年になったら、京都へ呼寄せるから、待っているように。もし江戸へ転勤になるようなら、早速、江戸へ呼寄せるであろう）と、先便と同じ趣旨をくり返し、千代をよろこばせた。

「何事も気をもまぬやうなさるべく候。気をつかひ候は大どくにござ候」

などという注意は、いかにも愛情のこもった、そして当を得たものに思えて、千代には、ありがたかった。

もっとも、栄一は栄一で、独身生活をしてみて、妻のありがたみをしみじみ味わされているようで、

「万事壱人にては不自由にて、女房の有難みと申す事、別して承知いたし候」

と、書いてきた。

ただ、栄一は、その先、少しふざけて続けた。

「是非今壱人仕込致し置き候はば、よき事とぞんじ候。其事ばかりは人代《ひとしろ》をたのみ申す事にも相成りまじく存じ候」

女房をもうひとり、養成しておけばよかった、などというのだ。

「こんな冗談を書くなんて、兄さんて、しようのないひと。ねえさん、怒らないで」

と、手紙を見た貞が、慰めてくれる。

千代は、気にしてはいなかった。それより、(いつ呼寄せてくれるか。いつになったら、一緒の生活ができるか)と、そのことばかりで、頭がいっぱいになっていた。気をつかうことなく、それまでは辛抱し続けねばならぬと思った。

仕事をつくる

一橋慶喜は、京都を制圧していた。

「天下の権は一橋に在るべく」して、正《まさ》に、その一橋に在った。朝廷公卿《くぎよう》の信任、諸藩の輿望《よぼう》、庶民の人気、すべてを一身に集め、慶喜は京都に君臨していた。政治は一橋を中心に展開し、諸藩の留守居役は争って一橋家御用談所に交際を求めてきた。

（藩主が上洛《じようらく》したから、朝廷へのとりなしをたのむ）

（どこそこの御門の守衛を免じてほしい）

などと、たよりにされたり、用件を持ちこまれたりする一方、

（誰某《たれそれ》がお目にかかりたいから、祇園《ぎおん》へ御案内したい）

（誰某が帰国するから、その送別の宴に栂尾《とがのお》へお越しねがいたい）

などと、懇親を求めてくる。昨日は仙台藩、今日は土佐藩、明日は尾張藩からの招待といった具合に、ほとんど毎夜、宴会続き。御用談所詰めの栄一は、そうした招待を受ける常連の一人となった。

暗殺された平岡に代り用人筆頭となった黒川嘉兵衛は、幕府の御小人目付からそこまでたどりついた苦労人だけに、多少物足りぬところもあるが、親切な重役であった。

「幕府の家来でも一橋家の縁故でもないおぬしたちは、平岡が死んで望みを失ったかも知れぬ。だが、及ばずながらも、わしがおぬしらの志の立つよう、使えるだけ使っ

てやるから、力を落さずに精進するがよい」

京都に戻った栄一と喜作に、まっ先にそう声をかけてくれたのも、黒川であった。

平岡は部下の才を愛する上役であったが、黒川は人となりや義理人情を大事にするタイプで、先任者の遺志を律義《りちぎ》にひきついでくれた。

栄一が江戸で感心して眺めていた新門辰五郎をひいきにしたのも黒川で、このため辰五郎はその火消の手下二百人とともに幕府の蒸気船で大坂経由、京都へ入り、蛤御門《はまぐりごもん》の変では、本職の消火に活躍した他、一部は歩兵となって、一橋家の人数不足を補っていた。

黒川も、ときどき、宴席に渋沢を伴った。

お寺のように大きく、みがきぬかれた料亭。蠟燭《ろうそく》の灯があかあかとともされた広い座敷。芸妓《げいこ》や舞妓たちがそろい、「こんばんは」と、あでやかに頭を下げる。

上座のはずれで、栄一はまるい顔をにこにこさせている。

「おい、栄一。おぬし、こんなことがたのしいのか」

と、喜作が横からひじでつつく。栄一は答えず、相変らず、にこにこしている。

「しようのないやつだ」

喜作は太い眉《まゆ》をつり上げる。だが、「よう、お越しやあす」と、いいながら、厚化粧した女が近づいてくるのを見ると、表情がくずれる。

「悪いことではないわい」

栄一を見て、間が悪そうに笑う。

たしかに、悪くはない。明るい光の溢《あふ》れる中で、うたって、あそんでいれば、それで仕事になる。一年前、暗く寒い行灯《あんどん》のかげで、横浜焼打ちを練っていたころを思うと、まるで夢の世界へ移り住んだ感じであった。

ただ、栄一たちは、その夜毎《よごと》のあそびに溺《おぼ》れているわけではなかった。

藩邸内の長屋へ帰り、酔いがさめるのを待って、

「志のある身だ。謹直に過ぎそうではないか」

などと、互いに、いましめ合った。ついでに、招待してくれた他藩の周旋方などの人物評定もやる。

栄一たちがびっくりするほどの交際上手はそろっているが、これはと思う男は、めったに居なかった。ただ交際上手ということだけで、おもしろおかしく世の中を渡っている男たちである。

(同じようににこにこしてはいても、あの同類にはなるまいぞ)と、栄一は思う。

(おれたちには、志がある)

尊王攘夷《じょうい》の再起をはかるつもりだが、手がかりは一向につかめない。一橋を動かすことによっての攘夷の決行という筋書なのに、慶喜の眼には、まるで栄一のことなど映っていないかのようである。攘夷についての建白書もさし出してあるのに、何の沙《さ》汰《た》もない。

郷里からは、尾高新五郎がしびれを切らして、上洛したいといってきた。栄一は、「まだ、その時期ではない」と、ことわり、代りに、平九郎を勉強のため上洛させるようにと説いたりした。

その間に、尊王攘夷を訴えて挙兵した天狗党《てんぐとう》が、中仙道から北国路に出て、京に迫っていた。武田耕雲斎、藤田小四郎らを将に、総勢八百余人。水戸の流れを汲《く》む一橋慶喜に、自分たちの主張を哀訴するのだという。

そのはげしい気勢で、最初の中《うち》こそ、幕命による諸藩の迎撃を寄せつけなかったが、長い道中に疲れ果てた。一方、迎撃軍は圧倒的な兵力をかり集めて布陣した。

このため、天狗党は対決を避けて、雪深い北国路へと迂回《うかい》。軍資金や食糧も尽き、負傷者を抱えての困難な雪中行軍となった。「尊王攘夷」という旗印。しかも、一行の中には、藤田小四郎、真田範之助はじめ、栄一の旧知の者が幾人も加わっている。

天狗党の惨憺《さんたん》たる行軍の模様を、栄一はつらい思いできいた。

天狗党がたよりにしている慶喜の去就は、どうか。

慶喜の判断は、感情にくもらされず、明快であった。慶喜は朝廷に上奏した。（関東の浮浪の徒多人数が徒党を組んで上洛をめざしており、由々しい事態です。これ以上、都へ迫ることがあっては、守衛総督としての職掌上、恐懼《きようく》にたえません。その上、一行の中には、実家水戸藩の家来も加わっている由《よし》で、まことに相済まない次第で、すみやかに江州路《ごうしゆうじ》まで出張して追討いたしたいと存じます）

勅許を得て、慶喜は直ちに出発した。栄一は、黒川嘉兵衛に従い、軍中の秘書として従軍。近江海津《おうみかいづ》まで進んだとき、天狗党は一橋勢出陣ときいて、加賀藩の手に降伏した。たよりにしてきた慶喜と戦う気はない。むしろ慶喜に身柄を預け、その裁きに従おうとした。

慶喜は水戸烈公の子で、尊王攘夷派の英主である。慶喜の腹心である原市之進も、武田耕雲斎の弟子であり、旧知である。彼等は慶喜を信頼した。苦しみもわかってくれるであろうし、寛大な処分にも与《あずか》れると、判断した。

彼等は、慶喜が天狗党を「浮浪の徒多人数」と呼び、現実的な割りきった見方をしているのを知らなかった。

慶喜は、処置を伺いにきた加賀藩に対し、武装解除した上、幕府にひき渡すように命じて、早々に京都へ帰ってしまった。

結果は悲惨であった。若年寄田沼玄蕃頭《げんばのかみ》に渡された天狗党同志は、取調べひとつ受けず、酷寒なのに丸裸で鰊《にしん》倉庫に放りこまれたあげく、三百五十余人が雪の敦賀《つるが》港で斬罪《ざんざい》になり、残りは追放・流罪《るざい》となった。武田・藤田らの首二十四は、わざわざ水戸まで運んでさらしものにされ、刑罰はその妻子にまで及んだ。

年が明け、元治二年（一八六五年）二月のある日、栄一は喜作とともに、大徳寺を訪れた。小腰平助が、斬罪になった昔の仲間真田範之助の追善供養《くよう》を営むという。

大徳寺境内では、栄一が関東で徴募してきた歩兵隊の訓練が行われている。小腰がその隊長格であるところから、寺僧に話をつけ、坊のひとつで供養の席を設けたのだ。もちろん、天狗党士の供養とはいえない。病死した関東の友人をはるかにとむらうということにしてある。

冬の日は白く障子を輝かせていたが、坊の中は底冷えがした。酷寒の中で虐待《ぎゃくたい》され断罪された天狗党士たちの心中を思わざるを得ない。

栄一は、真田のことを、しきりに思った。小腰と連れ立って、尾高新五郎の道場へ現われたのは、まだ昨日のことのようであった。

小柄な小腰に比べ、真田はあから顔の大男。いかにも北関東一帯の道場主たちをふるえ上らせてきたというにふさわしい面魂《つらだましい》であった。長七郎の魔風のような剣に二度三度打ちこまれながら、真田はしぶとかった。最後には八重からげに面をしめて、組打ちにもちこみまでした。そのようなしぶとさやかけひきも、真田にしてみれば、生きるための智慧《ちえ》であったし、そうしてけんめいに生きるのも、志を全うせんがためであった。

真田は横浜焼打ちの仲間になり、中止を説く長七郎と激論した。村を去って行く朝、再挙を誓う栄一に、(もうよい、無理をするな)の一言。金紋の朱胴が朝日にまぶしかった。栄一には、それが何となく人生の一区切りに思えたのだが、志士真田は人生そのものに別れを告げてしまった。生きるためのしぶとさやかけひきに比べ、あまりにもあっけなく無慙《むざん》な最期《さいご》であった——。

読経《どきょう》がすみ、茶と手あぶりが出され、ようやく人心地ついた。

寺僧が去ると、小腰は洟《はなみず》をすすりながら、思い出したように、

「幕府の仕打ちはひど過ぎる。世間では、いよいよ幕府衰亡のしるしだと、蔭口《かげぐち》をいっている」

そういってから、栄一に向い、

「それにしても、慶喜卿も慶喜卿ではないか。貴公は、慶喜卿はたいした人物と申さ

れていたが、たよってきた天狗党を、あんな風に冷たく見殺しにされるとは、いったい、どういうことだ」

栄一も喜作も、答えなかった。

小腰は、自分で自分に答えた。

「慶喜卿は、立場上、やむを得なかったといわれるのだろう。昨年夏の戦争以来、慶喜卿の御威光はたいしたものだ。それだけに、幕府にとっては、おもしろくない。江戸では、慶喜卿を二心殿と呼ぶ者もある」

「二心殿だと」

「そうだ。慶喜に二心あるというのだ。いつか幕府を倒し、自ら天下の権をにぎろうとの下心ありと見ているのだ」

それに対しても、栄一たちは黙っていた。栄一には、そうあって欲しい気もした。

ただ、小腰は慶喜の別の二心についてもふれた。攘夷といいながら、本心は開国に在るというのだ。

「そんな、ばかな」

喜作は腹を立てたが、栄一はなお黙っていた。正直なところ、栄一は、天狗党や水戸浪士の性急な直情径行ぶりに、少々うんざりする思いになっていた。激発しておきながら、後になって、だまされたと泣言をいう。多勢の犠牲を巻きこみ、それでいて、事態は少しも改善されない。空《むな》しいだけでなく、腹立たしい。栄一は、義挙そのものに疑問を持った。

「ふん」「ふん」と聞流すだけで、何を考えているかわからぬ慶喜。慶喜は、栄一たちにはわからぬ複雑な計算をといているようである。そうした主君が、栄一には、たのもしく、また魅力的にも思えてきた。待つこと、見ること、考えること——そうしたことの大切さを、栄一は身にしみて味わう気がした。

栄一は、千代への手紙に書く。

「とかく心ならぬ事のみこれあるべく候《さふら》へども、気をながく、あひまちなさるべく候。その中にはよきこともこれあるべく候間、時節にしたがへ《ママ》候事かんじんと存じ申し候」

妻子を京都へ呼寄せるほど、まだ世の中は落着いていなかった。

長州征伐は終ったが、西郷の案が中心になってまとめられた和議に、幕府は不満であり、長州再征の動きがあった。その一方では、一橋慶喜の守衛総督を免じようと、老中が兵を率いて上京するという事件もあった。

ただ、そうした形勢の中でも、諸藩の交際上手、あそび上手たちは、相変らず昨夜は祇園へ、今宵は木屋町へといった風に、夜毎《よごと》の宴に興じていた。

栄一も宴席に連なり、その場では、屈託なくあそんだ。おもしろおかしく夜を過した。「よく笑う」といわれ、「おかしくもないのに笑う」といわれるほど、にこにこしている栄一であった。

ただ、栄一は、ただの交際上手にはなりきれない。といって、もちろん、志士にもなりきれない。そうなりたいとも思わない。栄一の変化は、そうした交際上手にも志士にもなりきれない自分というものに、かすかに自信を持つようになったことである。志士だけの人間、交際上手だけの人間の限界が、少しずつ見えてきた。そうしたものからはみ出す人間、それだけではつかみきれない人間こそ、世の中で何事か成し得るのではないか。慶喜がそうであり、西郷がそうである。

一夜、栄一は黒川に随行し、鴨東《おうとう》の料亭であそんだ。

夜がふけ、黒川はそこへ泊ることになり、栄一もあてがわれた寝所へ行った。部屋へ入って、栄一はおどろいた。枕《まくら》が二つ。部屋のすみに、長襦袢《ながじゆばん》姿の女が笑顔をつくって待っていた。(渋沢が気の毒だから、女をとりもってやれ)との黒川の指図だと、案内の仲居がいった。

栄一は、一度に酔いがさめた。女たちのとめるのもふり払い、そのまま、料亭の玄関を出た。

「おい、待たぬか」

すぐ後ろから、黒川が追ってきた。

「おぬし怒っているのか」

黒川は、栄一と並んで歩き出した。

「……いや」

「それなら、なぜ」

「両三年の間、心に誓ったことがありますので」

少しきれいごと過ぎると思いながらも、栄一は、きっぱりといった。黒川は、栄一の横顔に目を当てながら、

「志士とて、女あそびはするぞ」

「しかし、それとて、志士ひとりひとりの甲斐性《かいしょう》で……。上役の方に女をとりもって頂くわけではありませぬ」

そういってから、今度は栄一が黒川の顔を見た。なまいきな言い分でもある。だが、黒川は別に気分を害している風でもなかった。小さくうなずきながら、歩いている。

いかにも苦労人という感じであった。

栄一は、黒川に頭を下げた。

「せっかくの御好意を無にして、相済みませぬ」

「なんの、なんの」黒川は首を振って、「ひとは、そうありたいもの。それでこそ、大事がたのめる」

栄一は、ひやりとし、また、ほっとした。黒川が女を用意させたのは、ただ部下への思いやりだけではなかった。人物試験のねらいがあったのだ。料亭をとび出してよかった。けじめが大切だと、あらためて思った。

栄一は、女がきらいではない。先斗町《ぽんとちょう》に好きな女ができたが、その女は新選組隊士の思い者であった。このため、六人づれの新選組に役宅まで押しかけられ、おどされたこともある。

ただ、それは、仕事をはなれての男のあそびであった。

志士のしっぽが残っていたともいえるし、仕事と女あそびのけじめをなくしている各藩の交際上手への反撥《はんぱつ》のせいでもあった。

人物試験にも合格し、栄一はまた身分が進んで小十人となり、十七石五人扶持《ぶち》、月俸十三両二分、お目見《めみえ》以上の身となった。一年足らずの間に、二階級特進したわけである。勤務も、御用談役下役の下役がとれて、出役となった。

身分が上ると、またまた宴席が多くなった。絃歌《げんか》のさざめき。だらりの帯の女たちのあまいささやき。酔った耳にきこえる賀茂川のせせらぎの音も、心地よい。窓の外には、早春のおぼろにかすむ月があり、東山のやわらかな稜線《りょうせん》が眠っている。悪くはない。こがらしの中で、眼の色をかえて焼打ちを企てていたかつての自分が、うそのようである。

宴席でも、天下国家を憂《うれ》える意見が交わされることがある。だが、いかにもお座なりであり、悲憤慷慨《こうがい》して話せば話すほど、上すべりに感じられた。

各藩周旋方の多くは、世の中の泳ぎ方だけを知っているような連中である。そうした連中相手に、くる日もくる日も酒をのんでいると、空しさだけが増してくる。なるほど、おもしろおかしく人生を過すことはできるかも知れぬ。だが、それだけでは、生きている手ごたえがない。生きのびて一橋慶喜に仕えた理由もない。

（世の中に効能のある仕事をしたい。そうしなければ、奉公した甲斐がない。何かよい工夫はあるまいか）

仕事らしい仕事、たしかな仕事をしたい。そうした仕事がなければ、自分でつくり出したい。

栄一が考えたのは、大規模な農民兵部隊の徴募編成という課題であった。前年すでに関東で歩兵取立てを行なったが、これは当座の手兵集めで、人数も四十人余りに過ぎない。一橋の兵力の主体は、相変らず幕府や水戸藩からの借入れ部隊であった。これでは、守衛総督としての実をあげることはできないし、慶喜をいただいて天下に旗揚げするわけにも行かない。

一橋の領地十万石の中、八万石は、備中《びっちゅう》、播州《ばんしゅう》、摂津《せっつ》などの関西に在る。それら所領から、最終目標として二大隊千名の歩兵部隊を編成しようというのである。それも、各地の代官などに任せておいたのでは、人材が集まるとは思われない。栄一が出かけて、時勢を説き趣意を納得させて、すぐれた若者を集めて来ようというのである。

栄一は、まず黒川に申出、慶喜に親しく建白させてくれとたのんだ。

「平岡からもきいていたが、おぬしは、よほど建白好きの男だな」

黒川は苦笑したが、まんざらでもない顔つきであった。黒川自身は、新門辰五郎の起用もそうだが、有能な部下を持つことに、自分の存在理由を見出《みいだ》している。

栄一は、慶喜の前に出て説明した。慶喜は相変らず、「ふん」「ふん」としかいわない。ただ、眼は栄一を見つめていたし、同じ「ふん」でも、それまでとちがい、気が入っていた。

それというのも、栄一がお目見の身分になったからではない。栄一の提唱が具体的で、しかも、蛤御門の変以来、慶喜自身が痛切に必要を感じていたことであったからである。あのとき慶喜に、一千の精強な手勢があったなら、西郷に名をなさしめることもなかったはずである。

「ふん」をくり返した後、慶喜は最後に一言、念を押すようにきいた。

「果して、そちに集める自信があるのか」

痛い質問であった。農村は動揺しており、百姓一揆《いっき》を起すところもあり、領主の命令だからといって若者たちが集まる時代ではなくなっていた。そこで無理に人狩りをすれば、ますます民心は離反するだけである。慶喜は、そのことを心配していた。

その点、栄一にも、はっきりした見通しがあるわけではない。だが、栄一は、きっぱりと答えた。

「はい。粉骨砕身して、必ず相応の人を集めて参ります」

(たのんだぞ)

と、いわんばかりに、慶喜は長い顔で大きくうなずいた。つい一両年前まで武州の百姓だった見ず知らずの男にやらせるには破格な仕事であったが、慶喜は栄一に賭《か》けた。

同時に、栄一の自分自身への賭が、はじまった。もともと自分からいい出した課題。しかも、主君にはっきり請合った以上、なし遂げるまでは京に戻らぬ覚悟であった。

今度は、喜作は同行しなかった。大男で気性のはげしい喜作を、黒川は文よりは武に向くと見て、親衛隊である床几廻《しょうぎまわ》りに配置したためである。

二月の末、栄一は下役を連れて京都を出た。さし当り五百人が目標である。

「歩兵取立御用掛として渋沢を派遣するにつき、百事、同人の指図に従ふべし」

との通知を、勘定所から代官たちに出してもらっておいた。

最大の所領の在る備中には、井原に代官所が置かれているが、摂津、和泉《いずみ》、播磨《はりま》の三カ国に散る一橋領の代官所は、大坂に置かれている。栄一は、まず、そこへ寄ってみた。

代官たちは、如才なく栄一を迎えた。

「しごく大切の御用とは万々承知いたしております。しかしながら、まず備中の方からおはじめなさる方が、事は容易でございます。備中ができれば、こちらは簡単にできる仕組でございます」

代官たちは、口をそろえていった。やる気がなかった。事なかれ主義で、世の中を泳ぐだけの連中である。しかも、内心では栄一を、（何を、この成上り者の百姓めが）と思い、（備中で、できはすまい）と、見くびっていた。

栄一は腹が立ったが、そこで口先で争ってみても仕方がない。彼等がその気なら、まず備中で集めて見せて、うむをいわさず、彼等にもやらせる他ないと思った。

「一月後には、また、おのおの方を呼出すことになろう。そのときには、まちがいなく尽力をたのみますぞ」

栄一は、落着いた声で念を押した。

代官たちは、うなずきながら、栄一を見つめている。丸顔で下り目の眉《まゆ》、子供のようにまるい眼。小柄で小肥《こぶと》り、足が短い。どこにとりえがあるかわからぬような百姓上りの若侍である。（なぜ、藩はこんな男に大きな仕事をやらせるのか）と、いぶかるような眼の色であった。

たしかに、栄一には難かしい仕事であった。以前の関東での徴募とはちがい、関西には、旧知も居なければ、縁故もない。土地柄さえわかっていない。協力してくれるはずの出先の役人が、すでにその調子では、先が思いやられた。

ただ、栄一は屈託がなかった。栄一は、ただの役人ではない。こわいもの知らずの志士の血が残っている。命を投出すことを思えば、何でもやってのけられる。後は、その場その場で智慧《ちえ》をひねり出し、いちばん効能のあるやり方でやって行こう。

播磨路にかかるころから、栄一は、槍持《やりもち》を従え、合羽籠《かっぱかご》を持たせ、長棒の駕籠《かご》にのった。まず、威厳をつけて行こうと思ったからである。

代官たちの栄一を見る目がそうであったが、百姓上りの若侍とあやしまれてはならぬ。貫禄《かんろく》をつけ、押出しなりと堂々として行こうと、判断した。意気ごみだけで突っ走らない。大事に際しても、常に手段の効果判断を忘れぬ栄一であった。

こうして無理してはりこんで、駕籠で行列して行ったおかげで、思いがけぬ功徳《くどく》があった。

須磨近くを通りかかったとき、すれちがった旅人の中から、おどろいて駕籠の上の栄一を見返す者があった。手計《てばか》村の百姓で、伊勢京都見物のついでに、明石まで足をのばして帰る途中であった。

その百姓は、眼を疑った。ゆらゆらと駕籠にゆられて行くのは、たしかに、血洗島の栄一である。一橋家に仕官したというが、そうした大身のはずはない。だが、顔は栄一にまちがいなかった。

いや、供の一人が、やはり血洗島の若者で、最近、栄一のひきで一橋家に仕官したはずの男であった。

「もし……」

手計の百姓は、かすれた声でそれだけいったが、行列の誰も耳にとめなかった。百姓は気おくれして、次の声が出ず、そのまま棒立ちになって見送った。たとえ自分が名のっても、知らぬ顔をされるか、無礼者とののしられそうな気がした。それほど堂々たる押出しであった。

手計の百姓は、帰国すると、その足で血洗島の栄一の実家へ報告にきた。

「心を励まして、言伝《ことづ》てでもきいてくれればよかったが、どうも、あまりにりっぱな変りようなので……」

市郎右衛門も、えいも、千代も、貞も、眼を輝かせて、その話をくり返しきいた。言伝てのなかったのは残念だが、栄一のたいそうな勢いと元気な消息を知り、千代の眼には、うれし涙がにじんできた。

市郎右衛門も、満足そうであった。

「顔の色は、肥りかげんは……」

えいだけが、くり返し、栄一の様子をたずねていた。

備中一橋領の中心地、代官所の在る井原村へついた。

(陣屋へ名主を召集めるから、栄一自身で申渡してくれ)と、代官。敬意を払っているようで、その実、やる気がない。もちろん、栄一は代官など、あてにはしていなかった。

陣屋の白洲《しらす》に、名主が多勢集まった。

栄一が出て、募兵の趣を説明した。全員かしこまってきいている。話が終ると、名主の代表が答えた。

「いずれ、とくとさとしまして、すぐにもお請《う》けに出ます」

がらがらと木戸の音を立てて出て行く。

また次の一団がくる。同じように名主が答え、その場では一人の応募者もなく帰って行く。毎日、同じことをくり返しているが、全然、応募者がない。栄一は重ねて呼出し、熱っぽく説諭した。天下の形勢と、その中での守衛総督としての一橋慶喜の役割、兵力増強の必要性など、大義名分を訴える。

その一方で、栄一は、

「いまにも戦《いくさ》がはじまるかも知れぬ。そうすれば、百姓だからと、安心しては居《お》られぬ。むしろ、血気さかんないまの中《うち》から御奉公しておけば、上にも目のあることだから、器量しだいで、立身出世もできる。土くさい百姓で一生を終るより、ひと奮発して早く世に出た方がよい。かくいうわしも、もとは武州血洗島の一百姓で……」

と、功名心に呼びかけてもみた。

栄一は、話術には自信がある。いろいろ話し方を変え、おどしたり、すかしたりもしてみるのだが、一向に反応がない。人形を集めて話しているようなものである。

白洲を踏む音と、木戸のがらがらいう音だけが、空《むな》しく耳に残る。

(これは、おかしい)と、栄一は思った。何か、ある。だが、その何かがわからない。

ふつうなら、やきもきもするし、腹も立つところだが、栄一はちがっていた。

栄一は、腰を落着けた。

「心ならぬ事のみこれあるべく候《さふら》へども、気をながく、あひまちなさるべく候。その中にはよきこともこれあるべく候」

と千代への手紙に書いたとおり、栄一自身、気をながく持って、思案の涌《わ》くのを待った。あくせくしたり、思いつめたりしても、何も生れない。がらり方向を転じ、ゆっくり時間をかけて、取組んでみよう。

農民の呼集めは、一時中止、説諭もやめてしまった。

出張先で、急にぽっかり空白の時間ができた。供の者たちは心配する。代官は冷やかな眼で眺める。

だが、栄一は頓着《とんちゃく》しなかった。遊山《ゆさん》にでもきたように、のんびり近在を歩き廻った。畠《はたけ》で何をつくっているかのぞいたり、篤農家《とくのうか》の話をきいたり、評判の孝行息子の顔を見に行ったり。

撃剣家にも会ってみた。町道場を訪ねると、話の行きがかりから、師範代と試合をすることになった。

栄一は、それほど剣に自信があるわけではない。負ければ恥ずかしいが、それでも、懇親にはなると、その効果の方をとった。

栄一は、気魄《きはく》だけは人一倍であった。すさまじいかけ声とともに、相手のふところへおどりこんだ。技《わざ》でも何でもない。ただひとつ得意の体当りである。

師範代は、はずみで床へ音を立てて倒れた。立上ってからも、師範代は動揺がおさまらず、栄一をよほど腕の立つ者と錯覚した。手がちぢみ、逆に、栄一ののびやかな剣が、次々にきまった。(すごい剣を使うひとだ)という評判が立った。栄一に関心を持つ者がふえる。悪い気はしなかった。

栄一はまた、漢学者も訪ねた。

そのかいわいでは、興譲館という塾を開く阪谷《さかたに》希八郎なる人物が有名だという。

栄一は、阪谷の人柄などをあらかじめ調べ、酒好きと知って、自作の詩を添えて酒一樽《ひとたる》をまずおくっておいてから、訪ねて行った。

る。阪谷は、漢学者のくせに、珍しく開国論者であった。栄一は、もとより、攘夷《じょうい》論である。

「おもしろい。ひとつ議論しよう」

ということになり、栄一と阪谷は、書生たちの前で、攘夷・開国の得失を論じ合った。

二人とも、思いきって、しゃべった。ひびきのよい魚板《まないた》をたたき合うように、晴朗な論戦であった。立場のちがいこそあっても、国を思う心は同じである。議論の中で、二人は人間として意気投合した。

次の日には、栄一が、阪谷とその弟子たちを宿に招いて宴を開き、話合いを続けた。

栄一には、尾高新五郎、続いて海保漁村について学んだ漢学の素養があり、また、攘夷か開国かについては、すでに幾年も議論を闘わしてきているし、江戸や京都での新しい知識の裏づけもある。酒のふるまいのせいだけでなく、阪谷は栄一を買い、弟子たちも栄一の意見に傾聴した。

「今度きたのは、なみの俗吏ではない。剣術といい、学問といい、なかなかに、あっぱれである」

そうした評判がひろがった。その評判に動かされ、栄一の話をききたいと、近所の若者たちが訪ねてくるようにもなった。

出張の用向きも忘れたように、栄一は悠々と日を送った。花を見に行ったり、のんびり、ひとを訪ねたり、寺に詣《まい》ったり。栄一は、焦《あせ》らなかった。正面きって押すだけが能ではない。人間的ふれ合いを通して理解を深め、生きた情報を集める。地域社会に広く深く根を下ろす。どこに居ても、人生は人生だと、腰を落着けた。

そうした態度がまた、栄一を大物に見せた。

一日、栄一は近所の若者や興譲館の塾生たちといっしょに、名物の鯛網《たいあみ》見物に出かけた。春がすみにけむる瀬戸の海。ひとつ舟にのって沖へ出ると、互いにふしぎなほど親しみが湧《わ》いた。

海が赤く染まって見えるほど、鯛が集まって、とれた。用意してきた祝儀《しゅうぎ》の酒樽を海へ放りこむと、漁師が拾って、代りに、鯛をその場で料理してくれる。若者たちとにぎやかに放談しながら、酒をくむ。愉快であった。その愉快さを若者たちとわかち合い、いよいよ彼等の心をとらえた。

こうして、漁師の網に鯛がかかっただけでなく、栄一の網に若者たちがかかった。

「応募したい。ぜひ京都へ連れて行ってくれ」

若者たちが、次々と申出てきた。

栄一は、にこにこして受けた。ただし、口先だけでは困ると、願書に書かせた。にこにこしながらも、押えるべきところは押えておく。栄一一流のやり方である。

その上で、栄一は宿に名主たちを呼集めた。

「これまで度々説諭したのに、一人も志望者がないというおまえたちの話であったが、わずかの間におれが接した中からでも、これ、このように志願者がある」

栄一は、こわい顔をして、若者たちの願書を一同につきつけた。

「それなのに、数十カ村で一人も志望する若者がないというのは、まことにおかしい。おまえたちも心がけ、志願する若者もあるのだが、何か事情があって、それを押え、志願させないでいると考える他はないが、どうじゃ」

栄一は、名主たちの眼をにらみつけて、いった。

「おれを、これまできたような一橋家の家来と同じだと思ったら、大まちがいだぞ。おれはただ食禄をもらって安穏《あんのん》にくらしているといった男ではない。この仕事だって、自分で考え、主君に請負って出てきている。命がけの覚悟できている仕事だ。おまえたちがあまりぐずぐずしていると、そのままにはすておかぬぞ。事としだいによっては、おまえたちの五人や十人斬殺《きりころ》すくらいのつもりだ」

栄一は、高飛車にいった。

名主たちは顔を見合せた。栄一がふつうの家来でないということに、うすうす気づいていている。命知らずの浪士上りとの前歴もきいている。ほんとうに殺されるかも知れぬと、不安そうな表情になった。

すかさず、栄一はたたみかけた。

「おれの想像では、代官が面倒をきらって、おまえたちに足どめをかけているように思うが、どうじゃ。もしそうなら、代官とて容赦はしない。因循姑息《こそく》な輩《やから》は、代官であろうと成敗せねばならぬ御時勢じゃ」

栄一はまるい目をつり上げて一同を見渡してから、語調を変えた。

「おれは、このように覚悟を打明けて話した。だから、おまえたちも、包みかくさず、ほんとうのことを申立ててはくれぬか」

最前列の年輩の名主が、たまりかねたように声を上げた。

「渋沢さまのお目の高いのには、おそれ入りました。とても包みかくしてはおられません」

名主はそういってから、一同に向い、

「どうだ、皆の衆も、ありていに申上げては」

「いや、おぬし、代表で申上げてくれ」

名主たちは、口々にいった。

年輩の名主は、心をきめた顔で栄一に向直った。

「お察しのとおり、代官さまから御注意があったのでございます」

「なんと」

「近ごろ一橋家には成上りの山師のような家来がふえて、村々へ種々面倒なことを申しつけてくる。一々そのいうとおりになっていたのでは、領民が難儀するばかりじゃ。なるだけ、敬して遠ざけたがいい。今度の歩兵取立てのことも、村の若者に希望者がいないといえば、それですむと……」

名主はそういってから、青い顔で首をすくめ、

「ただし、代官さまからは、そうした注意のあったことを内緒にしておくようにと、かたく申しつけられております。ですから、渋沢さま、その辺のところは、ぜひよろしくおふくみおき下さいませ。そうでないと、わたしども、代官さまにどんな目に遭わされるやら知れません」

栄一は、大きくうなずいて見せた。

「よくわかった。おまえたちの迷惑にならぬよう代官に談判して、もう一度説諭する。

そのときには、十分に努力してくれ。希望者さえ出れば、別におまえたちをとがめ立てることはしない」

栄一は、名主たちを帰した。

次は、代官相手の再折衝である。ただ、これは、同じ高圧的に出るにしても、名主たち相手にしたのとは、いささか趣を変える必要があった。

栄一は、次の日、代官所へ出かけた。

無事安泰をことゝする役人をゆさぶるには、実はその無事安泰が怪しくなることを思い知らせればよい。栄一は、代官にいった。

「先日来、しきりに説諭しているのに、一向に応募者が現われないのは、志願する若者がほんとうに居ないのか、あるいは、自分の説得の仕方がまずいのであろうか」

栄一はそういってから、代官の眼を深々と見た。

「いや、それとも、代官であるあなたの平生の薫陶《くんとう》がよろしくないため、応募者が出ないということも考えられる。とにかく、そのいずれかに原因があるはずで、あなたにも、よくお考えいただきたいものだ」

栄一は、一息つくと、代官の眼をまっすぐ見たまま続けた。

「わたしも、この重大な使命を引受けてやってきた以上、不首尾とあらばなぜ不首尾なのか、その事情を徹底的に洗い立て、主君にも申上げるつもりである。その結果、あなたの日ごろの薫陶が代官たるにふさわしくないということが判明でもしたら、いかがなされる。その点、わたしはひとごとならず、御案じ申上げる。よくよく勘考されたい」

ただのおどかしではない。じっくり腰を落着けて滞在し、地元にとけこんでいる。何かをつかまれたと、代官は思わざるを得ない。

代官の顔色は変った。

「委細承知いたしました。これまでも厳重に申渡してあるのでございますが、なお一層厳重に申しきかせるようにいたします」

まの悪そうに、しかし、はじめて誠意を見せて答えた。

その後、栄一がもう一度名主たちを呼んできくと、備中で予定していた二百人の人数が、たちまち集まった。その他にも、腕自慢とか剛力とかで、ぜひ志願したいという者があり、予定の枠《わく》を越えて、さらに二十人、別途採用することにした。

帰途、播州、摂州、泉州に寄った。備中の様子がすでに知らせてあるので、代官たちは往路での約束にしたがい、人数をそろえてさし出した。こうして、予定していた五百の歩兵が首尾よく集まった。

五月半ば、栄一は京都に帰り、慶喜に報告した。

「満足に思うぞ」

慶喜から、はじめて心のこもったねぎらいの言葉をきき、白銀《しろがね》五枚と時服一重ねの褒美《ほうび》をもらった。

「ところで殿様、ひとつ建白したいことがございます」

「なんだ、また建白か」

栄一の建白には実績があるだけに、慶喜はにが笑いしながらも、きく気になった。

「各御領内を廻ってみまして、理財の面で考えることがございました……」

栄一はきり出した。

出張中も栄一は、ただ歩兵取立てという用向きだけを考えて、ぼんやり時間を過していたわけではなかった。見るもの聞くものを心にとどめ、海綿のように情報を吸上げてきていた。その結果として、栄一は、少し経済の仕法を変えれば、一橋家の財力を強める方法がいくつかあるのに気づいた。

まず、米。播州・摂州からは上米がとれる。年貢《ねんぐ》として納められたその上納米を、兵庫の蔵宿《くらやど》に任せてさばいているが、これを藩が直接、灘《なだ》や西宮の酒造家相手に入札で売れば、一割以上の増収になりそうだということ。

次に木綿。播州には、上質の晒木綿《さらし》がたくさんできる。それがばらばらに売られているため、木綿商人に買いたたかれているが、これを藩で適切な値で買上げてやり、まとめて大坂や江戸で売るようにすれば、領民のためにもなり、藩の増収にもなるということ。

第三に、備中では硝石《しょうせき》がとれる。時節柄、硝石に対する需要も多いが、これを個人で細々とやっているのをやめさせ、藩で元金を出し、製造所をつくって大々的に生産し販売するようにしたらよい——。

「ふん」

「ふん」

慶喜は、また例のような返事をしながら、きいていた。ただ、慶喜の瞳《ひとみ》の中には、栄一の姿が大きくはっきりうつっている。（心にくいことをいう男だ）と、慶喜は思った。この若い建白魔がいよいよ気に入った。よく勉強するし、自分で仕事をつくってくる。しかも、軽輩ながら、一橋家の明日の姿を考えてくれている。

（平岡は、いい家来を見つけてきてくれた）

慶喜は、冥土《めいど》の平岡にも褒美をやりたい気分であった。

慶喜の面前で、栄一はまだしゃべり続けていた。

「……こうして一日も早く経済力をつけ、幕府から多額の金穀を受けるような体制から脱却すべきだと存じます」

「ふん」

慶喜は大きくうなずいた。幕府との関係は、いぜんうまく行っていない。そうである以上、御三卿の身とはいえ、経済的自立の必要のあることを、身にしみて感じている慶喜であった。

行動するためには、経済力の裏づけが要る。京都にきて、慶喜はいっそう強くそれを感じた。貧乏公卿《くぎょう》を操る金まで一々幕府に出してもらっているようでは、思いきった活動もできない。それに、これまでの薩摩《さつま》や長州の気ままな振舞いも、それぞれ背後に経済力の裏づけがあってのことである。

慶喜の顔を、栄一がじっと見つめていた。

小柄な栄一の背後、開いた障子の先に、庭の松林が梅雨に煙っていた。黒く濡《ぬ》れた松の幹。松葉からは、緑の雫《しずく》がしたたり落ちている。

「ふうん」

栄一が何もいわぬのに、慶喜は溜息《ためいき》をついた。

「ただ、それを誰にやらせればよいのじゃ」

慶喜は、ひとりごとのようにつぶやいた。もちろん、栄一の答えがはね返ってくるのを予期していた。

「おそれながら、わたしめに……」

栄一が平伏した。

「理財こそ、もともと百姓でも商人でもあるわたしの本領でございます」

「ふん」

慶喜は、またそれだけいって黙った。

勘定奉行はじめ勘定方の重立った家臣たちの顔を思い浮べた。幕府からきた者、水戸藩からの者と、出はちがっていても、みな、くすんだ無気力な顔をしている。まじめだけで、意欲も創意もない。とても新しい仕事はこなせそうにない。となると、やはり、この若い軽輩に任せる他はないのか。

といっても、栄一のいまの身分のままでやらせるわけに行かず、昇進させる必要がある。抜擢《ばってき》につぐ抜擢となるわけだが。

（おまえはどう思う）

慶喜は煙る青梅雨《あおつゆ》の中に、平岡の面影を呼出して問いかけた。

平岡の顔がにっこりと笑い、うなずいて消えた。

「ふん」

つぶやいてから、慶喜は、

「よし、さがれ。考えておこう」

もう栄一を見ないでいった。

一転また一転

御用談所勤務に戻った栄一のもとへ、ある日、小腰平助が訪ねてきた。

小腰は、栄一の顔を見るなり、きり出した。

「隊員の一人に切腹させようと思うので、おぬしと喜作に立会ってもらいたい」

大きな声である。御用談所の役人たちの目が集まった。

「どうして、また」

「西陣の町人をおどして、金品をせしめたのだ」

「しかし、切腹させるほどのことはなかろう」

「いや。わが隊では隊内法度《はっと》を定め、勝手に金策をいたすべからずと申合せてある。

違反者は切腹という内規なのだ」

「まるで新選組みたいだな」

新選組の隊規違反者に対する制裁のきびしさは、京都の町々の話題になっていた。明らかにそれをまねしてやっているようだが、

「ほう、新選組でもそんなことがあるのか」小腰はとぼけていい、「とにかく、隊の名をかたって、強盗まがいに金品を調達したとあっては、許せない。斬首《ざんしゆ》でないだけ、むしろ慈悲なのだ」

短い背をそらせていう。その小腰の体からは、野のにおい、血のにおいが、におい立った。

小腰は、むしろ、それを意識していた。そうすることで、小腰という存在に目を向けさせようという計算なのだ。

祇園《ぎおん》通いが仕事であるような御用談所の役人たちは、煙たそうに顔を見合せた。首をすくめる者もあった。

小腰は声をひびかせて続けた。

「隊内だけで処分をすますと、私闘の結果と思われる心配がある。だから、藩からどなたかに検分にきてもらいたい。幸い、渋沢御両人は歩兵取立てに来られた因縁がある。ぜひ御同道ねがいたい」

うむをいわせぬいい方であった。

栄一が顔をしかめていると、

「なあに、ただ見物していてもらえばいいのだ。介錯《かいしゃく》する者は別にきめてある。うちの歩兵隊には、刀をさしたいだけの百姓上りが多い。形ばかりは侍でも、人を殺したこともない連中だ。首でも斬《き》らせて度胸をつけさせる必要がある」

小腰はそういうことで、暗に栄一や役人たちを皮肉るとともに、自分がいまの一橋家にとって有用な教師であることを誇示しようとしていた。

「これからも不心得者が出る度に、輪番で介錯をやらせ、きもを練り、人を斬る呼吸を会得《えとく》させてやるつもりだ」

なお、とくとくとしゃべる小腰に、栄一はたまりかねて腰を上げた。

「よし、喜作を呼ぼう。三人ですぐ出かけよう」

歩兵隊は、大徳寺の僧坊に分宿していた。その境内の美しい白砂利の道を抜ける。箒目《ほうきめ》の残った砂利に、ところどころ、松葉が忘れたように落ちている。鳩《はと》がのどかにとび立つ。修行僧が談笑しながら歩いて行く。いつもと変らぬ日常がそこに在るのに、道の行く手には、殺されるのを待つひとがいる。

栄一は、やりきれなかった。

処刑の場所は、境内を少し出はずれた竹藪《たけやぶ》の蔭《かげ》、何かの番所に使われていた建物であった。

畑川という処刑者は、栄一や小腰よりもさらに小柄で、眼だけ大きい貧相な男であった。

栄一たちを見ると、待っていたように命乞《ご》いをはじめた。

うぶだったため、京都で女にだまされ、金に困った。実家は武蔵《むさし》で油問屋をやっており、飛脚で金をとり寄せるつもりだが、それまでの一時的なつなぎとして、町人から金を出させた。強盗などとんでもない、と哀訴する。

だが、隊規によって裁かれる以上、訴えられても、栄一たちには筋ちがいで、手の出しようがない。

畑川は、土間の中央にひきすえられた。三方《さんぼう》にのせて、刀が出される。だが、畑川はおびえるばかりで、眼をやろうともしない。

「見苦しいぞ。畑川。せめても、往生ぎわぐらい、いさぎよくしろ」

「いや、いや……」

畑川は、首をはげしく横に振った。

「刀を持たせろ」

小腰が叱《しか》りつけ、隊員の一人が畑川の手に無理に刀をにぎらせたが、刀はすぐ土間に落ちた。

「切れ、切らぬか」

小腰は畑川にいい、同時に、畑川の背後で刀を構えている介錯の男にもいった。だが、その男も、「は、はい……」というだけで、手を小きざみにふるわせている。斬るのも斬られるのも、まるで百姓の顔であった。

「切らんか」

小腰は大声でどなった。だが、誰もがおびえるばかり。とても切腹も斬首もできる勢いでなかった。

小腰は、たまりかねたように土間にとび下りた。わざわざ栄一たちを検分役に呼んできたのに、面目まるつぶれである。新選組の向うをはって、隊内法度による処刑なども大言壮語したのに、手がふるえて切腹も斬首もできなかったとあっては、隊長格の小腰の立場はなくなる。

「こいつ、切らんのか」

小腰はうめくようにいうと、次の瞬間、畑川の首を両手でつかんだ。

「きさま、まだ往生できんのか」

首をしめながら、ゆさぶる。畑川はあばれた。生きたい一心である。

小腰は体をあずけるようにして、畑川におおいかぶさり、組敷いた。真田がそうであったように、道場破りのために、組打ちにも少しは自信があるのであろう。

畑川は、悲鳴をあげてもがいた。だが、小腰は力をゆるめず、しめつける。検分役とはいえ、栄一は見て居られない気がした。

その中、畑川はぐったりして動かなくなった。小腰は身を起した。顔いちめんに、あぶら汗をかいていた。

小腰は片膝《かたひざ》ついたまま、畑川の様子をうかがった。

落ちていた刀をひろい、畑川の手に持たせようとしたが、もちろん、死人の手に反応はない。それでも、小腰は畑川の手に刀の柄《つか》を包みこませ、その手をつかんで、畑川の脇腹《わきばら》に二度三度突立てた。血がにじみ出て、土間に流れた。

小腰はそこでようやく立上り、栄一たちに向直った。

「御覧の通り、畑川はようやく切腹をとげましたぞ」

声はかすれ、眼はあらぬ方を向いていた。

「か、介錯は……」

背後の隊員が思い出したようにいった。

「ばかもの。こうなってから、介錯ができるか」

小腰は汗を拭《ぬぐ》った。拭った後から、すぐまた汗がふき出てくる。

そのまま、誰も何もいわなくなった。動こうともしない。血だけが静かに土間ににじんでひろがって行った。

後味の悪い検分であった。帰り道も、その情景が思い出され、さすがの栄一も、口をきく元気もない。

歩いて行く先には、前年の戦争の焼跡がひろがっていた。仮小屋が建っているところもあれば、草原のようになっているところもある。華やかな京の町も、戦火にかかれば、暗い荒野と異ならなくなってしまう。

喜作が大股《おおまた》に歩きながら、思い出したようにいった。

「小腰もえらそうにしていたが、おれは、あの男は実際に人を斬ったことはないと見たな。それに、みごとに斬る自信もない。だから、あんな風にごまかして殺してしまったんだ。絞め殺すことなら、誰にだってできるからな」

「…………」

「あの男は道場破りのときもそうだが、いつも、うまく立廻って、その場をきりぬける。あの男こそ、武士らしくない」

「それも才能だろう。あの男だって、あれはあれで、けんめいなのだ」

「末世だな」

喜作はまだ腹を立てていた。床几廻《しょうぎまわ》りになってから、喜作はひときわ武ばった感じになっていた。

栄一は、永い間いっしょだった喜作と、ようやく歩いて行く道がわかれ出したのを感じた。

栄一は、その思いをこめて、つぶやいた。

「おれは、兵事には向かぬようだ」

「何をいう」

立止って目をむく喜作に構わず、栄一は歩きながら、つぶやき続けた。

「人を殺し身も殺すなどということより、おれはもっと他のことをやってみたい。そうすることで、人を殺し身を殺すこと以上の奉公ができると思うのだが」

栄一は、勘定方の改革のことを考えていた。

理財の仕事なら、栄一の性にも合う。自分の本領を生かして、一橋家の経済力の充実をはかる。そうすることで、いつか慶喜に心おきなく討幕の軍を起してもらうのだ。そのことの方が、一人や二人殺して廻るより、はるかに年来の理想達成に役立ちそうに思えた。

ただ、その辺のところは、まだ喜作には説明できない。

「おぬしもついに、長七郎と同じ京の臆病風《おくびょうかぜ》に染まったようだな」

喜作が肩怒らせていう。どこか得意そうな表情でもあった。栄一は、答えた。

「臆病かどうか。おれは、あまりに空《むな》しいものを見すぎた気がする」

天狗党《てんぐとう》もそうだし、長州の義軍もそうだ。いや、いま切腹させられた畑川にしても、切腹させた小腰にしても、空しく小さな流れの中をもがいている感じである。ただ、そうした感じは、やはり喜作には伝わらなかった。

喜作は、栄一を叱《しか》るようにいった。

「だから、おぬしは何もしないというのか」

「何もしないわけではない。……おぬしにできないことをする。いや、おれにしかできぬことをやる」

栄一は微笑していった。ようやく、いつもの栄一に戻っていた。

慶喜に建白した内容を、栄一は黒川や原にも度々具申していたが、まだ何の沙汰《さた》もない。果して栄一の希望通り、財政改革をやらせてもらえるかどうかは、明らかでなかった。

ただ、栄一はくよくよしなかった。その仕事がだめなら、また何か別の仕事、新しい仕事を見つけるまでだ。その気になれば、いくらでも自分に向く仕事をつくり出せそうであった。仕事は与えられるものではない。つくり出すものなのだ。建白のたねは、いくらでもあった。

歩兵取立て旅行からの収穫も、ただ財政改革のことだけではない。栄一は、領内各地で知った孝子、節婦、篤農家《とくのうか》などの事績を慶喜に報告し、あらためて慶喜から表彰してもらった。興譲館の漢学者阪谷を京都に招き、慶喜に進講させた。そのまま京都にとどめ、慶喜に侍講させるつもりであったが、阪谷が固辞するので、興譲館へ学業奨励のため資金を援助することになった。

誰もが、栄一を徳とした。領内の名主たちにも声望がある。

それに、関東関西の双方から集められた歩兵隊の隊員たちにとって、栄一は隊長以上の存在であった。隊員の中から努力して名を上げる者が出ると、それにつれてまた栄一の評判が上った。栄一は、もはや風来坊の軽輩ではなかった。ささやかながら集団を率いて立つ人間であった。

栄一に、とくにそこまでの計算があったわけではない。仕事らしい仕事をと、むきになっている中、わずかの間に藩内の人間関係に根を下ろしていた。上下の人間をしっかり掌握していた。

八月、栄一は勘定組頭《くみがしら》に任じられた。勘定奉行に次ぐ重職で、百人以上の役人と各代官を支配する勘定所の次官の地位である。慶喜が思いきった登用をしてくれたのである。

栄一は、播州や備中にも出かけ、かねて建白していた殖産興業策を次々と実行した。事業のためには元手が要るが、藩の金庫は豊かでない。このため、栄一は藩札（紙幣）を発行して工面することにした。

当時、他藩でも藩札を発行していたが、信用はなく、他領で通用しないばかりか、領内でも何割引とか何掛けとかいった風に額面金額以下にしか通用していなかった。金銀を持歩くより、紙幣の方が便利である。それが歓迎されないのは、正金との引換えが不十分なせいだと、栄一は考えた。

諸藩の会計方が、兌換《だかん》についてさまざまな制約をもうけたり、紙幣が焼けたり失《な》くなったりすればよいなどというけちな料簡《りようけん》を持ったりするからいけない。通貨は国の宝である。その価値が動揺しては困る。栄一は、堂々と額面通り通用する紙幣にしようとした。

まず大坂の豪商たちと交渉し、木綿取引を引当てに正金を準備させ、その準備額に等しいだけの藩札を発行させた。つまり、必ず正金に兌換できる紙幣という建前である。この工夫のため、一橋領の藩札は、どこへ行っても額面通りに通用し、一橋そのものの信用を高めることになった。

これらの仕事が一段落すると、栄一は今度は勘定所そのものの改革にかかった。

前例や慣習を洗い直す。重複する事務を整理し、人員も減らす……。

抵抗もあったが、栄一には、やり甲斐《がい》のある仕事であった。はり合いのある日々が続いた。

だが、そうした生活が、一年経《た》ったある日、突然くずれた。

慶応二年（一八六六年）七月二十日、将軍家茂《いえもち》が大坂城で病死した。

将軍継嗣《けいし》となるべき候補者は、田安家に三歳の男子があるのみである。このため、幕府の閣老や雄藩諸大名は、そろって、慶喜に将軍就任を要請した。

若州《じゃくしゅう》屋敷は、にわかに人の出入りがあわただしくなった。

「いよいよ、殿が将軍になられる」

用人はじめ一橋家の家来たちは、浮き浮きした。

その中で、栄一と喜作だけが沈んでいた。

栄一は、黒川や原市之進を通し、慶喜に将軍になるべきではないと、建白した。必死の思いの建白であった。

（幕府滅亡の日は遠くない。幕藩体制は古びて動きがとれなくなっている。将軍になったところで、何もできない。ただ崩壊に巻きこまれるだけである。それよりは現状のままで政局転換の主導権をとり、新しい時代の指導者となるべきである）

栄一にいわれるまでもなく、それは賢明な慶喜がすでに痛感していることであった。それに、慶喜は京都こそ制圧しているとはいえ、江戸大奥や旗本には反感を持たれていることも知っている。将軍になることは、火中の栗《くり》をひろうことであった。

将軍就任の要請を、慶喜は一週間にわたって、ことわり続けた。そのあげく、将軍職は空席のまま、徳川宗家十五代目のみは継ぐという答えを出した。家系は継ぐが、公職である将軍職には就任せぬという奇妙な答えである。いかにも慶喜らしい工夫をこらした答えに、幕府の関係者はとまどった。

割りきれぬ答えであるが、栄一はひとまずほっとした。慶喜の心中に何があるか知らぬ。ただ、いまの幕府を引受ける気はないという姿勢を打出したことは、たしかだと思った。

だが、ほっとする間もなく、慶喜は今度はいきなり、自ら総督になって、長州へ大討込みをかけるといい出した。長州再征軍は、小倉方面を除いて、連戦連敗を続けている。もはや諸藩連合軍はたよりにならない。自ら幕府直轄軍を率いて長州を討つ、というのだ。

閣老や雄藩諸大名たちは、またまた仰天した。

外国艦隊が迫っている折柄、内戦をひき起しては危険だと、慶喜はもともと長州再征には不乗気であった。内戦が進めば、物価も騰貴《とうき》し庶民のくらしも苦しくなる。百姓一揆《いっき》や都市での暴動が続発しかねない心配もあった。（何を好んで、慶喜卿自ら再征を——）と、あやしんだ。

慶喜には慶喜の計算と賭《かけ》があった。

慶喜は、天下を威圧した蛤御門《はまぐりごもん》の勝利の再現を夢見た。

西郷・大久保の薩摩は、このところ、不気味な動きを続けている。ひそかに長州と接触しているとのうわさもあった。このままずるずる新しい時代を迎えては、慶喜もまた集団指導者仲間のただの一人になってしまう。実力で慶喜自身の地位をきわ立たせておく必要があった。そのために、自らの手で長州を潰滅《かいめつ》させ、薩摩はじめ諸雄藩にあらためて慶喜を将軍としておしいただく気を起させねばと思った。西郷たちの幻とはり合い、もう一度英雄になるための慶喜のすて身の賭であった。

八月五日、出征宣言を行い、八日には孝明天皇にねがい出て、長州再征の勅語と節刀を受けた。あれよ、あれよという勢いであった。

一橋の家中では、また大さわぎになった。幕臣になれるとよろこんでいたのに、一変して、長州へ先鋒《せんぽう》として出陣するというのである。

出陣の供触れが出された。慶喜を大将に、総計千三百六十七人。栄一は御使役として本営付、喜作は俗事役として部隊付である。

奇兵隊はじめ新規の洋式装備の諸隊をそろえ、長州勢の精強ぶりは、京にまでとどろいていた。討手が慶喜とあっては、死にもの狂いで攻めかかってくるであろう。

それに、栄一たちにしてみれば、長州は攘夷《じょうい》討幕の多年の先達であり同志である。一時は亡命先にとまで考えていたところである。そこへ攻めこまねばならない。一橋勢の中には、栄一が関東や関西から集めてきた歩兵隊が、かなりの割合を占めている。いつかは討幕の主導権をとるためにと集めてきたつもりの軍隊であった。それを、佐幕のために使わねばならない。

皮肉なめぐり合せであった。空しいし、腹立たしい。いっそ死んだ方が気楽なほどである。（理財を通して御奉公を）という折角築き上げた生活設計も、いまとなっては、物笑いのたねでしかない。

栄一は、死を覚悟した。腰ぬけ武士といわれたくない。恩のある慶喜の馬前で、いさぎよく死のう。

「一筆申し上げ候《さふらふ》。そののちはうちたえ……」

栄一は、久しぶりに郷里の千代へ手紙を書いた。

（かねてから、おまえをこちらへ呼びよせようと思い、いよいよその時節になったとたのしみにしていたところ、はからずも、この度、長州へ御出陣のお供をすることになった。せっかくたのしみにしていたことも、残念ながら、しばらく見合せる他はない。いくさは武士の常であるから、自分はそれほどくよくよしてはいない。いずれ吉報を届けることになるであろうから、その日をたのしみに待つように）

書いている中《うち》、千代への不愍《ふびん》さがつのってきた。栄一は、なお書き続けた。

（永い間離れ離れにくらしていて、今度こそおまえに会え、山のような苦労について話合おうと期待していたが、その甲斐もなく、またまた、ここから二百里もの西へ出かけねばならぬ。何ともいいようのない気持だ。両親への孝行をおこたりなくたのむ。うたも日ましに成長しているとのこと。女の子であっても、たのもしく思っている。その中、会うこともできるであろう。話したいことは数々あるが、時間にせかれているので、これまでにしておく）

栄一は、そこで手紙を結んだが、思い出してまた筆をとった。京都で買求めた懐剣ひとふりを、手紙に添えて千代に送るつもりであった。

(この懐剣は、自分の形見であるから、大事にしてほしい。といっても、自分の消息がわからなくなったからといって、くれぐれもうろたえることのないように。もし戦死とはっきりわかったら、そのときはよく思案した上で、身のふり方をきめるように)

懐剣を送ったからといって、自害せよというつもりではなかった。夫が武士として戦死したこと、自分は武士の妻であること。それをせめても心の支えとして生きよという励ましのための懐剣であった。

ろくに夫婦生活も共にしないままに、老父母に仕え、子を育て、奥武蔵の風の中で黙々と働いてくれている妻。その妻に絶望を与えてはならない。栄一は、また書足した。

(とにかくめでたく勝利をおさめて帰るつもりだから、その節、山々話すことにしよう)と。

そこまで覚悟をきめ、最後の思いやりをこめた手紙を出したのに、事態はまた一転した。

八月十六日、慶喜は長州大討込みをやめにすると発表した。それまでただ一カ所、幕府側が善戦していた小倉が、奇兵隊など長州勢のため散々に打破られたという報告が届いたためである。四方八方総くずれである。長州勢は予想以上に精強で、しかも勢いにのっている。慶喜は、これでは自分が出馬しても、とても勝てぬと思った。出陣の目的が、自らの手で長州を撃破することで政局の主導権をにぎろうということであっただけに、勝目のないいくさに出ては、かえって目的に反してしまう。

天皇から節刀までいただきながら、慶喜はそこであっさり出陣をとり消してしまった。慶喜には、自分中心の臨機の判断があるだけで、恥とか外聞を考えるという感覚はなかった。閣老も諸大名も、あきれて物がいえなかった。「慶喜は腰ぬけだ」という声も出たが、慶喜は意に介さなかった。

勝つ将棋以外、慶喜は興味がなかった。

ただ、孝明天皇のお怒りだけには、慶喜は当惑した。幕府をたよりにして居《お》られる天皇は、将軍空位という事態についても、慶喜を責めて居られた。慶喜としては、実力で将軍位をかちとるつもりでいたが、いまは行きがかり上、将軍にならねばならなくなった（正式には、十二月五日、将軍宣下を受けた）。

慶喜には、慶喜なりの自信があった。

外国との折衝において、対宮中、対公卿《くぎょう》、対諸侯、そのいずれをとっても、自分ほど雄弁かつ強硬に交渉できる人材はいない。天皇の信任にこたえて難局をのりきれる将軍は、自分しかないと思った。

フランス公使も慶喜に肩入れして、援助を申出ている。将軍になったら、幕府直轄《ちょっかつ》軍を早急に洋式装備に再編成し……と、慶喜の夢はふくらむ。もちろん、慶喜は幕府の前途にある程度見切りをつけていた。いざとなれば、幕府も将軍職も投出す覚悟がある。他の将軍とちがい、水戸家の系譜を継ぐ自分であればこそ、そういう決断もできよう。

ただし、慶喜は、次の時代の新しい政体の指導者となるのも、また自分をおいて他にないと思った。諸侯は愚昧《ぐまい》だし、公卿は世間知らずだし、西郷・大久保などといった連中も、経歴に重みがない。自分が第一人者になるには、とりあえず将軍職についておいて、そのまま横すべりして行くのも一つの方法であると、慶喜は考えた。

慶喜は、自分だけのそうした抱負や計算で将軍に変身した。世間の評判など考えてもみなかったし、家中のことも念頭になかった。家臣たちは、よろこんでついてくるとした。

そこで困ったのが、両渋沢である。長州出陣とりやめとなって、栄一も喜作も命びろいした気になっていた。多年の盟友である長州を攻めるという苦汁もなめずにすみ、やれやれと思っていたところへ、慶喜の将軍就任である。腰を落着けたとたん、足をつかんでひきずり倒された感じであった。

栄一たちは、倒幕ひとすじに生きてきた。一橋家に仕えてからも、(慶喜の力によって、攘夷討幕の軍を起す)というのが、栄一の悲願であった。そのために、歩兵取立てにも、殖産興業にも、精を出してきた。

ところが、その慶喜そのひとが、将軍になってしまった。栄一たちの居るところが幕府なのだ。栄一は、討幕の志士どころか、幕臣そのものになる。

ひどい皮肉であった。生きている心地がない。生甲斐もなければ、面目もない。いっそ死神に会った方が、まだ始末がよかった。

「どうする」と、喜作。

「どうしようもない」と、栄一。

斬《き》りこみなり焼打ちなりとちがって、向うべき対象がない。向うとすれば、自分自身が相手である。

「浪人になるか」

「いまさら浪人になっても、行き場があるまい」

「あれから両三年生きのびた。もう生きるのは結構。何とか死ぬ工夫を廻《めぐ》らそうではないか」

喜作は、じりじりしている。

志の立てようもなく、生きる甲斐もないと思っている栄一だが、喜作がそんな風にあせるのを見ると、また、くそ落着きに落着く気になる。

「そう簡単に死ねるものか」

「しかし、どうする」

「……どうしようもない」

同じような問答をくり返す。

栄一としては、とくに忍耐する気もないのだが、結果的には、出奔もせず、忍耐していた。ただし、この先どうするというあてもない。さすがの栄一も、智慧《ちえ》がつきた。ただ溜息《ためいき》ばかりが出る。

その間に、栄一のまわりは、急速に変化していた。

まず、出仕先が大坂城になった。ただし、慶喜が京都に上ることが多いので、栄一たちも京都へお供をする。慶喜一行の京都での居所は、二条城である。

用人の原市之進は、目付《めつけ》に昇進した。その他、一橋家の家臣たちが幕府御家人となったが、その中に、栄一や喜作も加えられていた。忘れずに連れて行かれはしたのだが、栄一の役向きは、陸軍奉行支配調役で、身分はお目見以下。将軍になった慶喜とは、大きなへだたりができ、とてもお目通りもかなわぬことになってしまった。原とさえ、気軽には会えなくなった。栄一は、ますます、おもしろくない。仕事をする気にもならない。

陸軍奉行所は、軍人関係の元締めの役所だが、栄一はその庶務係で、書付けを書いたり、調べものをしたりという仕事。朝はおそく出勤し、出てからも、好きな本を読んだり、むだ話をしたりで、まるでやる気はない。

森という組頭は、要領よく立廻るだけの小利口な江戸っ子なので、栄一とは肌が合わない。その組頭の森が、ある日、栄一を呼んだ。「おまえを見こんで、格別のたのみがあるが」森は、せまい額に皺《しわ》を寄せていった。

禁裏御警衛に当っている大沢源次郎という御書院番士が、薩摩との間にひそかに文書のやりとりをしており、何事かをたくらんでいる。

京都町奉行所で吟味したいのだが、大沢は陸軍奉行所支配の者であり、陸軍奉行所の手でさし出すよう、かけ合いがきている——。

森は、栄一の顔色をうかがいながら話した。

「つまり、大沢をとらえてこいということですか」

「いや、それはそう簡単には行かぬ。大沢は腕の立つ男だし、共謀者もあり、武器も貯《たくわ》えているという話だ」

栄一は、まるい眼で森を見返した。小利口な上役が、自分にどんな危険な仕事を請負わせようとしているかがわかった。ふつうなら、何とか口実を設けて、ごめんこうむりたいところであるが。

栄一は、わざと上役に念を押してみた。

「重要な役目でございますな」

「うん」

「それなら、組頭御自身でどうぞ」

栄一はからかってみた。森はあわてて手を振った。

「わしはちょっと御奉行に約束した用向きがあって」森はそういってから、もっともらしく、「重要なだけに、人選には気をつかった。いろいろ評定もしてな。その結果、おまえに行ってもらうことに」

「なぜ、わたしに」

「……おまえなら、十分その役をやりとげられるだろうと」

「どうしてそのように」

「それは……」

　森は答えに窮した。栄一は微笑しながら、そうした森の顔を見ていた。

（渋沢は、こわいもの知らずの浪人上りだから）と、代って答えてやりたい気がした。また、幕府の役人など腰ぬけばかりだと、あらためて軽蔑《けいべつ》もした。

「弱りましたな。そのように、わたしを見こまれては」

　栄一は、わざと森をじらせた。

「いや、それほど気重に考えることはない。実は新選組を同道させる。というより、新選組に捕縛させるから、おまえはただ立会ってさえいればいい」

　新詰所の役人たちは、眼を合わさぬようにしながら、耳だけすましてきいている。新選組まで出動するとなれば、いよいよ物騒な相手ということである。

　森はせきこんで、

「万事は新選組がやってくれる。おまえはただ『御不審の筋があるから、捕縛して訊《じん》問《もん》する。さよう心得よ』と、それだけいって控えてればよいのだ」

　栄一はからんだ。

「それはおかしい。わたしが正使である以上、わたし自身が先頭に立って捕縛に向うべきではありませんか」

「建前はそうでも、新選組に任すのだ。当奉行所からも、そのように新選組隊長に申しつけてある」

栄一は、不服そうに、下ぶくれの顔をなおふくらませて黙った。

ただ、内心では笑っている。「何とか死ぬ工夫をしたい」などと喜作と話合っているこのごろである。たとえ死神に出会ったとして、もともとである。別にこわくも何ともない。こわいもの知らずというのは、考えてみれば、たのしい境地であった。

散々組頭をじらした上で、栄一は恩を売るようにしていった。

「よろしゅうございます。そうまで申されるなら、参りましょう」

栄一は、新選組本営に行き、隊長の近藤勇に会った。口数こそ少ないが、近藤の低く重い声には、ひとを安心させるものがあった。

近藤は、栄一に副隊長土方歳三《ひじかたとしぞう》と五人の隊士をつけてくれた。

夜ふけの道を、七人は北へ急いだ。途中、密偵から、大沢が外出していて、まだ宿に帰っていないという報《しら》せを受けた。

大沢は北野の小さな寺を宿所としている。栄一たちは、最寄《もよ》りの大徳寺の僧坊のひとつに入り、密偵からの次の報告を待った。

その間に、栄一と新選組との間に、口論が起った。大沢を捕えるのに、どちらが主導権をとるかについてである。

栄一が、あくまで自分ひとりで大沢に会って、逮捕する旨《むね》いいきかせるというのに対し、新選組隊士たちは、

（それでは大沢に斬られる。まず新選組がふみこんで大沢を捕縛するから、その上で、逮捕の趣旨を申しきかせるがよい）という。

栄一は、まるい顔を横に振った。

「おぬしたちは護衛。逮捕の申渡しはわたしの使命でござる。もし大沢が斬ってくれば、こちらにも受ける自信があるから、安心めされい」

栄一は胸をはった。

御家人の中でも剣の立つといわれた大沢である。田舎の撃剣の師匠を相手にするのとちがい、栄一の体当り戦術が通用するとは思えない。しかも、真剣の勝負である。

だが、栄一は頓着《とんちゃく》しなかった。（斬られて、もともと。それも、いまの自分にふさわしい最期《さいご》かも知れぬ）と、内心思っているだけに、平然として強がりがいえた。

栄一は加えていった。

「それに、もし大沢が斬りかかれば、自ら罪状のあることを白状するようなもの。たとえ斬られても、使命には好都合でござる」

隊士たちはとまどった。栄一が死神歓迎の気持で居ることなど、隊士たちは知るよしもない。珍しく、きものすわった幕臣が居ると、おどろきながらも、

「いや、貴殿に万一のことがあっては、われらの護衛の役が立たぬ。新選組の面目がまるつぶれになります」

そろいの浅黄《あさぎ》の羽織、そろって不敵な面《つら》がまえ。血のにおいのする男たちばかりである。

その男たちが、陽やけした額に筋を立ててつめ寄ってきても、栄一は平気であった。こわいもの知らずの栄一には、新選組も何もない。

「護衛が先か、使命が先か。おのおの方も武士なら、それくらいのことが、わからぬのか」

副隊長土方歳三は、腕組みして双方の言い分をきいていた。つやのある黒々とした総髪、役者のような顔。

土方は隊士たちを制し、腕組みをとくと、

「渋沢氏のお言葉、武士として、まことにおみごとでござる」

栄一に向って、ていねいにいった。

栄一の心中を知るはずもないので、すっかり感心していた。こわいもの知らずはたのしいと、栄一はまた思った。少しくすぐったい気がしたが、栄一はにこにこしてうなずいて見せた。

土方は続けて、

「それでは、せめて寺の門前まで、われわれの同道を許されたい。その上で、もしものことがあれば、直ちにわれわれがとびこむ」

「よろしかろう」

栄一は、おうようにうなずいた。賭《かけ》であった。一瞬の中《うち》に斬られるかも知れない。そのときには、土方は面目を失い、栄一は命を失う。

大沢が寺に戻ったと、密偵から伝えてきた。

栄一たちは腰を上げた。師走《しわす》に近い寒さ。月が出て、道が白く濡《ぬ》れている。松木立が黒々とそびえ、その向うに、左大文字山の稜線《りょうせん》が浮出ていた。風はない。

月光の中で、土方はじめ隊士たちは、緊張した顔をしていた。

栄一だけが屈託がない。殺されてもともと、月を眺めながら、京の道を行く。

茅《かや》ぶきの門が半ばくずれかかったような小さな寺へきた。くぐり戸も、こわれたままになっている。

「それでは、われらはここで」

土方が押殺した声でいい、門のかげに二人、裏手へ三人と、隊士を分けた。

栄一は、ひとり門内へ入った。石だたみの道が落葉に埋まっている。松林や竹藪《たけやぶ》の多い周囲は静まり返って、しっとりと月光に濡れている。月の光に酔う思いで、栄一はゆっくりと歩いた。共謀者が居て襲ってくれれば、それまでである。

栄一は、夢の中を歩いている気がした。いまは捕えに行って、殺されるかも知れぬ身。だが、つい三年前は、捕えられて殺されるかも知れぬと、おびえていた。寒々とした行灯《あんどん》、木枯しの中での密議。いつ捕吏にふみこまれるか知れぬという気分は、いやなものであった。それが、いまは逆の立場に在る。大沢に斬られても、文句はいえぬとも思った。

栄一は、小さな玄関に立った。

「大沢源次郎は居るか」

声は月光の中にひびいた。

二度目の声で、中から答えがあり、寝巻姿の大沢が顔を出した。ねむそうな眼で栄一を見る。

栄一は名のってから、

「陸軍奉行の名代《みようだい》で参った。御不審のかどがある故《ゆえ》、捕縛して訊問するから、さよう心得よ」

大沢の顔を見ながら、ゆっくりいった。芝居のせりふでもいっているような気持であった。

大沢はおとなしそうな顔つきだが、その眼に光がさした。じっと栄一をにらむ。

栄一は、大沢を虚心に見返した。一瞬のち、大沢は小さくうなずいた。戸を開けたまま、無言で身をひるがえす。

栄一は、大沢について、中へ入った。こわれた雨戸から月光がさしている。ふとんが一重ね。その枕《まくら》もとに、両刀がある。大沢はそこまで行って立ちどまり、ふたたび栄一を見た。手をのばし、両刀をとる。（斬るなら、斬れ）と、栄一は思った。

大沢は両刀を持ったまま、一度眼をとじてから、黙って栄一にその両刀をさし出した。

栄一は、そこで土方たちを呼び、手荒に扱わぬよう注意して、縄を受けさせた。

土方たち新選組が大沢をとりまき、町奉行所へと護送して行った。

栄一は、結果を陸軍奉行に報告するように命じられており、ひとり深夜の町を歩いて、奉行を宿所に訪ねた。

丑三《うしみ》つ（午前二時半）を過ぎたころであったが、陸軍奉行溝口伊勢守《みぞぐちいせのかみ》はまだ寝ないで報告を待ちわびていた。奉行には、それほど気がかりな一件でもあったわけだ。

奉行は、栄一の報告に満足し、羅紗《らしや》の羽織を当座の褒美《ほうび》として栄一に渡した。栄一は、うれしくも何ともなかった。ただ、気がぬけた。

（また死神にも見放された。さて、あとはどうして生きるか）

月光にさえる京の道を、ぶらぶら歩いた。くさる心に、月はにくいほど明るい。羅紗の羽織が手に重かった。それが浮世のしがらみの重さにも思えて、うっとうしくもあった。

それから数日後、小腰から真田範之助の法要に招かれた。

「命日は年明けての二月だが、またそのころには、何かが起りそうな気がする。小康状態のいまの中に、くり上げて三回忌をすませておきたい」

と、小腰は仔細《しさい》らしくいう。

「何が起るか」

「わからぬ。しかし、たしかに何かが起る」

喜作が口をはさんだ。

「何でもいい、起ってほしい。このままでは、おれはくさってしまう」そういって、仏前に目をやり、「真田は幸せだった。とにかく天狗たちは、尊王攘夷《じょうい》の旗印の下で死んだからな」

「どこに尊王攘夷が実現した。犬死ではなかったのか」

と、栄一。

「生きながらくさって行くより、死んだ方がましだ。早く死ぬ工夫はないか」

死にたい気持もある栄一だが、喜作にそんな風にいわれると、つい、開き直る。

「死ぬことが、そんなによいことだと思うのか」

「よいとか何とかでなく、死ぬべきなんだ」

栄一はうなずいて見せてから、

「なるほど、おれたちは何度も死を覚悟してきた。だが、あまり度々なので、おれには、死がさほど価値のあるものに思えなくなってきた。生きようが死のうが、どうでもよい。死をたいそうなことと思えなくなった」

冷たい隙間《すきま》風《かぜ》が吹きこみ、灯明がゆれた。線香の煙が横に流れる。

「おぬしは、いつも気勢を殺《そ》ぐ。おれは、そういう考えは好かん」

喜作はそういうと、小腰に向直った。

「どうだ、何かを起すのは、長州ではないか。征長軍を撃破した余勢をかって、いよいよ外国艦隊に向って、大々的な攘夷をやるのではないか」

「長州は、もう攘夷はせん」

と、小腰は自信ありげにいった。

「どうしてだ」

「外国の強さを骨身にしみて知った。だから、いまは外国と手をにぎろうとしている。イギリスから新式銃や軍艦を買入れてもいるそうだ」

「ばかをいえ。長州の旗印は、いまも尊王攘夷のままだ」

「唱えてはいるが、空念仏だ。それに、長州は尊王攘夷で天下の志士の同情を集めてきた。いまさら看板を下ろすわけには行かぬ。見せかけだけ攘夷を唱えているのだ」

小腰は相変らずの情報通であった。

「御殿山の英国公館を焼いた井上とか伊藤とかいう男たち。ああいう過激派が外国留学から帰って、藩論を開国に導いている」

「激派の志士が留学だと」

「長州だけではない。薩摩も何人もの若者をイギリスへ送っているそうだ」

「まさか……」

「貿易すればもうかる。新式の武器も手に入る。開国して損はひとつもない。だから、薩長だけでなく、天下の諸侯が開国を急ごうとしている。攘夷など本気で信じているのは、匹夫《ひっぷ》激徒の類《たぐ》いだけ。それに、世間知らずの宮中の公卿《くぎょう》どもばかりだ」

「おぬし、何をいう」

「ありのままをいっているだけだ」

小腰は、二人に向って続けた。

「おれは京都へきてから、尊王攘夷の実体は何だろうと、おれなりにいろいろさぐってみた。誰も彼もが、尊王攘夷を唱えている。あの壬生《みぶ》の新選組だって、尊王攘夷といっていた。そうして、尊王攘夷の志士を殺している。つまり、尊王攘夷は、念仏にしか過ぎぬというわけだ。なむあみだぶつ、なむあみだぶつ」

小腰は思い出したように、真田の位牌《いはい》に向って手を合わせた。

喜作は、膝《ひざ》の上にこぶしをにぎりしめ、小腰をにらみつけている。

小腰は、また二人を等分に見ていった。

「慶喜公にしても同じではないか。横浜鎖港などといわれながら、その横浜から、せっせと洋物を運ばせて居られる。長州大討込みのときは、まるで外国の大将のような服装で御進発になるはずであった。誰にも負けぬ洋物好みなのだ」

小腰は相槌《あいづち》を求めるように、じろりと栄一を見た。栄一は目をそらせた。

半月ほど前、栄一は原市之進に呼ばれ、二条城に出かけたところ、思いがけず、将軍慶喜の居る本丸御殿の書院に通された。そこに見知らぬ男が二人居て、ロシヤからの贈り物という電信機なる機械の実験をしていた。慶喜は、直接、栄一に声をかけなかったが、原を通し、電信機の技術を習得するようにとのことである。

慶喜が栄一のことをおぼえていてくれたのは光栄であったが、こともあろうに、外国人のつくったわけのわからぬ機械を習わせようというのには、栄一は頭をかかえたい思いがした。幸い、その日は機械の調子がよくなく、修理に日がかかるというので放免になったが、栄一には宿題が残った。喜作とはちがって、栄一は西洋の新しい文物にふれたいという気がないではない。だが、これまでの行きがかりや、まわりの空気を思うと、ふんぎりがつかなかった。下城してからも、栄一はそのことをまだ誰にも話してないが、早耳の小腰に感づかれたかとも思った。

喜作はふきげんに黙り、小腰がまた、もっともらしく念仏を唱えはじめる。

底冷えのする京の寒さ。だが、真田たちは、これよりなお寒い雪の北陸路で裸にされて幽閉されたあげく、斬殺《ざんさつ》された。思い出すのも無慙《むざん》で、はかない。

「なむあみだぶつ、なむあみだぶつ」

栄一も合掌した。「なむあみだぶつ」と「尊王攘夷」は同じなのか。空念仏でしかないのか。いまは位牌になってしまった真田範之助に問いかけるように、栄一はまるい眼を大きくして、灯明をみつめた。

次の日、喜作が江戸へ発《た》った。

栄一が捕縛した大沢源次郎を江戸へ護送する用をいつかったのだ。

栄一は、喜作がうらやましかった。さし当っての任務があることがうらやましいし、旅に出れば、少しは気の晴れることもあろう。どんな風に変ったか、しばらくぶりに江戸、そして、横浜も見てきたい気がする。小腰は、「京都の次は横浜が舞台だ」といっていた。直観のよく当る男の言葉だ。

「帰途、横浜に立寄ってみたら」

と、栄一は喜作にすすめたが、喜作は色をなして、とり合わなかった。

栄一は、とり残された。

別天地

その日も、うす暗い陸軍奉行詰所で、栄一はぼんやり京の灰色の空を眺めていた。

建白魔といわれたほどの栄一だが、もう何の思案も浮んでこない。それに、慶喜《よしのぶ》は将軍として雲の上に在り、お目見以下の身分では建白のしようもない。いや、建白など、どうでもよい。将軍慶喜に仕えていてよいかどうかが、問題なのだ。小腰は、「尊王攘夷《じょうい》はもはや匹夫激徒の念仏だ」といった。いやしんでいったのであろうが、べんべんとして生きている栄一にしてみれば、「匹夫激徒」というはげしい罵《のの》りに満ちた身の方が、まだしもましなように思える。浪人に戻り、はじめの志を立てるところから、やり直すべきではないだろうか。

悶々《もんもん》としているところへ、組頭の森がきた。

「目付原市之進さまから、急のお呼びだ」

栄一は、やれやれと思った。ロシヤの電信機が修理されて、その取扱いをおぼえよというのであろう。志が問題だというのに、わけのわからぬ機械に仕えさせられるようで、情けない。それならいっそ国へ帰って、藍玉《あいだま》でもつくって両親に孝養をつくしていた方がよい。

栄一は、さえない顔つきで、原の前に出た。

「実は、内々おまえの意見をきいておきたいことがある」

原は栄一の顔を見るなりいった。栄一は、おや、と思った。機械いじりのことではないらしい。

「今度フランス国で博覧会が開かれ、各国の帝王や名代《みようだい》の方が出席される。日本からも将軍の親戚《しんせき》を派遣されるようにと、フランス公使からの申出があった。このため、種々評議の末、上さまの御弟、清水昭武《あきたけ》さまをおつかわしになることになった」

「はあ」

栄一は気のない返事をした。「慶喜公は洋物好み」と小腰はいっていたが、弟をはるばる博覧会見物にやるとは、いよいよ本物の洋物狂いだと思った。

「上さまの思召《おぼしめ》しでは、博覧会の終った後、ヨーロッパの国々を廻り、三年ないし五年、昭武さまをフランスにとどめて学問させようとのことである」

「はあ」

「ところが、水戸の家中が反対じゃ。ようやく申しきかせて異議をおさえたが、多勢の家臣が護衛につかなければ心もとないという。これも説得して、やっと七人におさえ、付添いとして昭武さまのお手もとの用を足すことにした」

「はあ」

「だが、この七人が、まるで洋学の志もなければ、外国人を禽獣《きんじゆう》のように思っている攘夷論の亡者《もうじや》ばかりだ。こういう連中がついて行ったのでは、先々のことが案じられる」

「はあ」

栄一に七人を教育してやれとでもいうのかと思った。

「幕府からは使節随員として、外国奉行向山隼人正《むこうやまはやとのしよう》ほか何人かの幕臣が同行する。開明な連中だが、これとて果して水戸の七人をおさえられるかどうか疑問だし、まかりまちがえば、互いに反目衝突しかねない」

「はあ……」

栄一は相変らず気のない返事をした。自分と関係もなさそうなそうした話を、なぜ原が細々とするのか、あやしんでもいた。退屈でもあった。

だが、原の次の一言で、栄一はその場にとび上るほどのおどろきに打たれた。

原市之進は、いった。

「そこで、お上の御内意では、渋沢を一行に加えて派遣せよとのことである」

「はあ?」

栄一は、耳を疑った。思わず大きな声を出してから、

「わたしにでございますな」

おそるおそる念を押した。原は大きくうなずいて、

「上さまの思召しなのじゃ」

「しかし、どうしてわたしに」

栄一は、まだ信じられない。原の白い聡明《そうめい》な顔が、自分をからかって、何かをためそうとしているように思える。

原はいった。

「上さまのお考えでは、渋沢はかつて攘夷論者であったりするから、調停の役にも立とうとのこと。それに何より上さまは、渋沢は将来有為の人物だから、渋沢自身のためにも海外に遊学せしむべきだと仰《おお》せられた」

「ははあ」

栄一は、眼に見えぬ慶喜に向って、頭を下げた。

原は続けていう。

「水戸家中でもなく、また外国方でもないおまえを加えるについては、庶務会計の適

任者が居ないので、とくに起用するという体裁じゃ」

「はい」

「わしは、上さまの御人選に感服したぞ」

（わたしも感服しました）と、栄一は平伏して申しのべたい気がした。

原は栄一を深々と見て、眉《まゆ》を寄せた。

「おまえはこの話をお受けしてくれるだろうな」

「もちろんでございます。ありがたくお受けいたします」

栄一は、言下に答えた。原は満足そうにうなずいてから、

「後になっていやだと申すようでは、困るぞ」

「いえ、決して。まちがいなくお受けいたします」

栄一は声を強めていった。

「それならいい」

原はそこではじめて微笑を浮べ、

「おまえは、上さまのお考えのように攘夷論者であった。あるいは、上さまのお考え以上に攘夷論者であるやも知れぬ。だから、この話は受けないかも知れぬ。説得にはかなり手こずるであろうと、わしは覚悟していたのじゃ」

「申訳ございません」

「ところが、おまえはとびつくようにして受けてくれた。少々意外でもあったな」

「おそれ入ります」

栄一は小さくなった。

原は皮肉をいっているのではないが、栄一には耳が痛い。たしかに、栄一は自分でも意外なほど、とび立つような思いになった。おかしいといえば、おかしい。自分の立場では、受けるべきではなかったかも知れぬ。だが、そうは思ってみたものの、もちろん栄一には、とり消す気はなかった。思いがけず恵まれたただひとつの活路である。ひとに何と思われようと、とび出して行くことだ。

栄一は、尊王攘夷の亡者の衣を、さらりとぬぎすてた。

「正直に申上げます。わたしはこのごろ、全く志がはずれて、いっそ死のうか、郷里へ帰って百姓でもしようかと、迷っていたところでございます。生きるすべを見失っておりました。この生活からぬけ出せることが、何よりうれしゅうございます」

「攘夷にこだわらぬというのだな」

「西洋には、兵制、医学、船舶、機械など学ぶべきものがあると、きいております。彼地《かのち》に行けば、それを親しく見聞できるわけですから、攘夷がよいか悪いかは、その上で自《おの》ずと判断が出てくると考えます」

答えを逃げたわけではない。栄一は、本気でそう考えていた。

「尊王攘夷は空念仏」という小腰の声が耳によみがえってもくる。

原はうなずいて、

「上さまには、そのように申上げよう。ただし、年が明けると早々の出発なので、あと一月もない。早急に用意をいたすように」

「かしこまりました」

栄一は、また平伏した。

建白魔といわれるほど、夢中になって仕事をつくり、業績を上げてきたことは、むだではなかった。高いところからだが、慶喜も原も見ていて、おぼえていてくれた。

慶喜がありがたく、また、原がありがたかった。原の背後に、平岡円四郎の笑顔が浮んでいるような気もした。士はおのれを知る者のために死すという。この主君や上役のためには、できる限りの奉公をしなければならぬと思った。

宿に帰ってからも、栄一はうれしさで茫然《ぼうぜん》としていた。(人というものは、ふいに僥倖《ぎょうこう》がくるものだ)と、しみじみ思った。

志の立つ立たぬはさておき、現実の身のふり方としては、幸運の一語に尽きる。そのままでいれば、幕府の尋常一様の小役人として、栄達の道もない。いや、その幕府も動乱にまきこまれて亡《ほろ》びるかも知れない。やがて起るであろう政変の結果がどんな風になるか知る由《よし》もないが、どういう政体になるにせよ、外国との関係は深くなるであろう。外国の学問が必須《ひっす》のものとなることは、明らかである。こうした時勢に、騒乱を避け、しかも、外国の形勢を知り修学の機会を与えられるということは、ねがってもない幸運であった。

ただ、栄一に気がかりなのは、喜作のことであった。横浜焼打ちの企て以来、一心同体となって行動してきた従兄《いとこ》の喜作。その喜作を放り出し、ひとりフランス国へ逃げ出す自分を、喜作にどう説明し、どう納得させればよいか。

栄一はとりあえず、江戸の喜作へ飛脚を出し、留学の君命のあったことを伝えた。喜作がどういうにせよ、日数は限られており、出発ときめて準備にかかる他ない。

西洋行きの服装としては、まず手を廻して、だぶだぶの古靴一足を手に入れた。ついで、上役の一人が、横浜で燕尾《えんび》服《ふく》の上着を手に入れて持っているのを知った。碁の好きな上役であった。勝負事に強い栄一は、この上役に賭碁《かけご》を挑んで勝ち、その燕尾服を手に入れた。古びた上着だけでチョッキもズボンもないが、それだけで燕尾服の用をたすと思った。他に黒羽《は》二重《ぶたえ》の羽織と、義経袴《よしつねばかま》一着。それで栄一自身の身支度は終りだが、庶務会計方としては、ただ自分の用意だけではすまない。たとえば、随行の者は髪を自分で手入れするが、若殿の月代《さかやき》をそったり髪を結ったりするには、本職の髪結を連れて行かねばならぬ。また、汚れた着物を洗いはりしたり、新しい着物をつくったりするのに、仕立屋をつれて行く必要もある。といって、髪結と仕立屋の二人を連れて行く予算はない。（その辺のところは、おまえが心配せよ）という命令なので、栄一はあちこちとび廻って、ようやく仕立てもできる髪結職人をさがし当てた。綱吉という名の水戸の者で、少々がんこだが、これを説得して連れて行く他なかった。

そうこうしているところへ、大沢護送の任を果して、江戸から喜作が戻ってきた。短気な喜作がいつ怒り出すかと、顔色をうかがいながらも、栄一はひととおりの説明をした。喜作は黙ってきいていてから、ぽつりといった。

「ありがたい殿様だな」

栄一はうれしかった。思いがけぬ言葉であった。そういってくれる喜作こそ、ありがたい。栄一は黙って頭を下げた。

喜作は、さらにいった。

「留守中は、おぬしの分も、おれが御奉公しよう」

「かたじけない」

栄一は喜作の手をにぎった。胸がいっぱいになった。

「外国へ行くなどといえば、おぬし怒って、おれを斬《き》るかと思った」

「問題は、そんな簡単なことではあるまい。それに、おれも、そんな簡単な人間ではないつもりだ」

喜作は、珍しく分別くさい顔でいった。栄一の手紙を受けとってから、喜作は喜作なりに考えをまとめてきたのであろう。これがぶっつけであったら、少しは反応がちがっていたかも知れぬ。とりあえず手紙を出しておいてよかったと、栄一は思った。そうすることで、喜作は心の用意ができただけでなく、栄一の誠意をくみとってもくれた。

ただ、喜作の顔からは、すぐ、その分別くささが消えた。

「それにしても、これからおれは、どうして生きて行けばよいのかな」

正直に弱音を吐いた。喜作はくさっていた。それは、つい先ごろまでの栄一自身の姿であった。いや、ひとり置いて行かれるとあって、いっそう、くさってもいた。

栄一は、声を励ましていった。

「いっそ運を天に任せて、慶喜公にすべてを捧《ささ》げてお仕えし、少しでも公のお側近くの地位に進むようにしたらどうだろう」

少しつき放したいい方かも知れぬが、栄一がいろいろ思案してみても、いえることはそれだけしかなかった。

「それは、そのとおりだ。おぬしの分まで奉公すると、さっき、おれもいったではないか」

と、喜作。しかし、さえない顔つきである。栄一は、喜作の心中を察して、いたわるようにいった。

「慶喜公にお仕えするといっても、幕府そのものは、衰運に在る。そこが、おぬしにも問題であろう」

喜作はうなずいて、栄一の顔を見た。

栄一は、いった。

「幕府に万一のことがないとはいえぬ。そのときは、もちろん海外に居るからといって、おれとて無事にはすむまい。場所は隔たっても、お互いに武士らしく末路をいさぎよくしようではないか」

「なるほど、武士らしくか」

喜作は、ようやく大きくうなずいた。

「武士として、死ぬべきときは、生き恥をさらさずに死ぬのだ」

栄一は重ねていった。

「そうだ。たしかに、そうだ」

喜作はまた大きくうなずいた。

「武士として」という言葉に、ようやく満足を見出《みいだ》した顔であった。

あわただしい正月になった。

栄一は、千代へ手紙を書いて、フランス行きを告げた。栄一自身はとび立つ思いだが、残る千代のことを思えば、何とも書きづらい手紙である。

栄一は、つとめてさりげなく書いた。

「上様御弟子様へ御付添、フランス国へ御つかひ仰せつけられしにつき、両三年、かの国へまゐり候《さふらふ》間、このだんさやう御承知なされたく存じ上げ候」

承知も不承知もない。その手紙がつくころには、栄一はもう日本から何千里も先へ行ってしまっている。

「誠におもひがけなき事にて、さぞさぞ御たまげなさるべく、さりながら月日のたつははやきものに候へば、いづれそのうち御めもじいたすべく存じをり候あひだ、それをたのしみになされるやう、たのみ上げ候」

同じような文句の手紙を、栄一は何度したためたことか。いや、何度も読まされる千代の身になってみれば、あきれて、あいた口もふさがらぬところである。

栄一はさすがに千代があわれになったのか、紙入れなどを千代におくったが、それとて、未亡人になったときの覚悟にと短刀をおくったときから、まだ半年と経《た》っていない。

一度手紙を結んでから、栄一はまた書足した。

「此方《こなた》には更にわすれ申し候日もこれなく候あひだ、御まい様《ママ》にも御みさを御つのり成されるやうたのみ上げ候」

一日とて千代のことを忘れたことはない。いっそうしっかり貞操を守ってくれ、というわけである。

この手紙を出してから、栄一はまた、同じ日の中《うち》に千代へ手紙を書いた。留守中の見立養子のことであるが、その手紙の終りにも、また栄一は書く。

「月日ははやきものに候あひだ、その中にはかへり申すべく、それまでを御楽み御待ちなされたく候、申しこし度き事は山々御座候へども、とりいそぎあらあらふでとめ申し候」

千代をいとおしく思っても、出てくる言葉はまた、これまで再三再四書いたなじみの言葉ばかりであった。

見立養子とは、海外などへ出る者で相続する男の子のない場合、もしものことがあれば、そのまま家名断絶となってしまうので、あらかじめ縁者の男子を養子として届け出ておくという制度である。早く家を出た栄一に、子供は歌子ひとりである。このため栄一は、千代の弟で、かねてから期待していた尾高平九郎を養子として、京都で届け出た。急なことなので、栄一の独断でやり、千代にも、当の平九郎にも相談していない。ただ事後承諾を求める手紙であった。

この一通の手紙が、二十歳の若者平九郎の一生を拘束し、にわかな死をもたらすことになる。

喜作は喜作で、（栄一の分まで慶喜に奉公する）といってくれたが、このことも喜作の人生を拘束し、苦難の歳月を過す結果となる。

栄一に遊学の内命を伝えてくれた原市之進は、この後、まもなく非業《ひごう》の死を遂げる。

そして、この後、将軍慶喜をゆさぶった酷薄な運命については、いうまでもない。

僥倖なのは、栄一ひとりであった。

これらの手紙を、栄一は一月九日、横浜で書いた。そして、その二日後、フランスの汽船アルヘー号で、一行二十八人は横浜を発《た》った。上海《シャンハイ》に寄港して、香港《ホンコン》。ここで船をのりかえ、サイゴン、シンガポール、アデン。スエズ運河はまだ工事中なので、汽車でカイロからアレキサンドリアへ。ふたたび船でマルセーユ、そして汽車でパリへ。

この長い道中、栄一たちは進んだ西洋文明を随処に散見して、目をみはった。大砲、汽車、ガス灯、潜水夫、工事中の大運河、新聞、顕微鏡……。大きなものから小さなものまで、すべてが栄一にはおどろきの的であった。

同行の侍たちの多くが、異国の風俗習慣になじまず、白い目を向けている中で、栄一は進んでその新しい世界の中へとびこんで行った。とにかく西洋をよく知ること。批判はその次だと思った。

知るためには、一々通訳の手を介して居られない。

船が横浜を出ると同時に、栄一は文法書などを手がかりに、フランス語の独学をはじめた。海は荒れ、小さな船はゆれがはげしい。そうした中で、なれない横文字の本を読もうとするのだから、たちまち船酔いにかかった。そして、船酔いのくせは、この外遊中、たびたび、ぶり返した。

それでも栄一は元気を失わず、洋風の食事にもとびついた。

栄一は、外国奉行支配調役の杉浦愛蔵（靄山《あいざん》）と共同で航西日記を書き続けたが、たとえば、朝食で、

「牛の乳の凝りたるをパンへ塗りたるもの」は、「味甚《はなはだ》美」であり、カッフェ（コーヒー）は、「頗《すこぶ》る胸中を爽《さわやか》にす」というわけで、よろこぶばかりで、少しも違和感がない。正式の夕食ともなると、「まことに、うもうござんした」が、終りかと思うと、また次の料理が出てきて、果てしがない思いがした。

もちろん、失敗も多かった。上役から賭碁でせしめた燕尾服の上着を得々と着たのはよいが、そろいのチョッキもズボンもつけずに上陸しようとして、「その服装は、あまりにおかしい」と、フランス人に注意されたりした。

失敗は、栄一だけではない。

スエズを汽車で横断していたとき、「ちょっときてくれ。あなたの一行の者が、車中でけんかをはじめた」と、フランス人通訳に呼ばれた。

行ってみると、問題を起したのは、髪結兼仕立職人の綱吉で、隣席の大男の西洋人とはげしくいい争っていた。

「この男が、ミカンの皮をわたしにぶつけてくる。何度注意しても、やめない」

と、西洋人は怒る。

「なぜ、そんなことをするのか」

と、栄一が綱吉をとがめると、綱吉は口をとがらせた。

「冗談じゃありませんよ。わたしは、おとなしくひとりでミカンを食べていたんです。すると、この異人が、わたしの腕をおさえて、ミカンをとろうとするんです」

栄一が西洋人に問いただすと、

「この男は、直接わたしに皮をぶつけたのではない。ガラス窓にぶつけ、はね返ってわたしの方へくるように投げ、知らん顔をしている。実に陰険な男だ」

と、ぷんぷんしている。そこで、ようやく事情がわかった。綱吉は、そこにガラス窓があることも、またガラスが何であるかも気づかず、皮を外へ投げすてたつもりでいたのだ。


パリ到着は、一八六七年（慶応三年）三月七日。

三月二十四日には、ナポレオン三世に謁見《えつけん》。その後、博覧会見物をふり出しに、観劇会、舞踏会、大観兵式、競馬等々、はなやかな歓迎行事の中にまきこまれ、まるで別天地にあそぶ思いであった。

栄一は目を大きくして感嘆しているのだが、一方、攘夷《じょうい》の亡霊にとりつかれたままの水戸七人の侍は、腹ばかり立てていた。せっかくの一連の国際親善の行事についても、「ナポレオン三世は、おごりたかぶった暴君だ」としか見ない。

動物園を見物すると、「いたずらに珍獣奇獣を集めて、ぜいたくをつくしている」と、ののしる。

さらに彼等は日常生活でも、がんこに日本の習慣を守ろうとした。ボーイが昭武にコーヒーなど持ってくると、大手をひろげて、立ちふさがる。「若殿さまに直接に給仕してはならぬ。われわれがおとりつぎをいたす」けんかして、ボーイを追返してしまう。

「ここは外国だから、外国のしきたりに従え」と、外国奉行が注意すると、

「われわれは日本人だ。日本人としてきている以上、日本の習慣にそむくことは許されぬ」と、くってかかる。

身分的には外国奉行がはるかに上位だが、七人の侍は永らく昭武に近侍として仕えており、年少の昭武にたよりにされている。その辺の事情を逆用し、「気に入らなければ、われわれは帰国する」と、おどす。昭武は心細くなって眼に涙を浮べたりする始末なので、奉行も強くは出られない。結局、そのとりなしというか、押え役に、い

つも栄一がかり出された。

侍だけでなく、髪結の綱吉も相変らず気が強く、フランス人とけんかばかりしている。その調停役も、いつも栄一の仕事であった。さらに、外国奉行の向山は、フランスよりイギリスを高く評価し、遊学先をイギリスへ変えようというはらづもりがあったので、フランス政府との間は、必ずしも、うまくは行かなかった。このため、八月には日本から栗本安芸守《くりもとあきのかみ》が着任、向山が帰国させられるというごたごたもあった。

栄一は忙しかった。これらもろもろの調停役の仕事に加え、本来の庶務・会計の仕事がある。一行の荷物や宿の世話、フランス側との事務連絡、金の出し入れ、日々の記録と、仕事はいくらでもある。一行中ではいちばん忙しい身の上であったが、それにもかかわらず、いちばん熱心に、そして精力的に、見物し勉強して廻った。

八月二日、栄一は向山とともに帰国する杉浦に託し、故国の尾高新五郎宛《あて》に一書を認《したた》めた。

「実ニ西洋の開化文明は承り及び候よりいや増し、驚き入り候ことどもにて、真ニ天下の気運所詮人智《しょせんじんち》の知り得る処《ところ》にこれなく候」

と、まず、おどろきの念を率直に伝え、

「水火の運用便利なるハ如何《いか》にも驚愕《きょうがく》、全都地中すべて水火道にて、火はガスと申し形なくして燃え、光焔《こうえん》もつとも清明、夜は満面に照映して市街道途とも昼にことならず、水はすべて噴水にて、ところどころ小さき吐水これあり、その口より水をそそいで塵《ちり》を鎮し、人家八七八階、大概石にて築《つ》き立て、その座敷の壮麗は公侯の居所も及び難く、婦人の美麗なること、実に雪の如《ごと》く玉の如し」
などと書いた。文明がすばらしければ女性まですばらしいといった最大級の感嘆ぶりであった。

しかし、栄一はただ圧倒され、茫然《ぼうぜん》としているだけでなく、（物価は日本より五、六倍高い。金銀融通は自在だが、最も紙幣が流通し、それも正金以上の信用を得て通用している）との趣旨を述べ、その兌換《だかん》の模様にも書及んだ。西洋文明を手放しでほめるだけでなく、それを成立たせている基盤やからくりを、少しでもつかんでおこうとする栄一であった。

見物見学先についても、栄一はフランス側の用意したところだけでなく、自分から希望して、病院・貯水池、さらに地下下水道まで見て廻った。くさくてたまらぬ見学行で、いつも同行する案内役のフランス人も逃げ出した後、栄一は下水道の役人にせがみ、汚水が泡立って流れる暗渠《あんきょ》の中を、歩いたり小舟にのったりして、くまなく見て廻った。栄一は、その下水道の模様も細かく日記に描写したが、最後に一筆つけ加えずには居られなかった。

「洞中《どうちゆう》陰々として臭気鼻を穿《うが》つ。漸《やうや》く日を望むを得て大に快然たり」と。

帰国後役立ちそうだと思われることは、何でも細かく記録し、書写しておく。ホテル住まいでは金がかかるからと借家に移った際、家主との契約書にサインしたが、その賃貸契約書にも関心を持ち、全文を翻訳して、記録に残したりもした。心を海綿のようにして文明を吸いとろうとする栄一であった。

千代が、フランスの栄一から受けとった最初の手紙は、五月十五日付のものであった。パリに着いて二月余になろうというのに、その手紙には、フランスの様子は何ひとつ書いてなかった。ごくいつもながらの手紙である。

「夢にさへも届きかね候波路、しかし、わかれあれば逢《あ》ふ事もある世の道理」

とか、

「国の為《ため》とぞんじ候ハバ、辛抱もなるべく、能々御了簡《よくよくごりようけん》御短気なきやう」

などという言葉ばかり。両親を大切に、歌子をたのむ等々と、京都あたりから送ってきたのと、まるで変らない。

自分によけいな心配をさせまいとして、いつもと変らぬ手紙を送ってきたのだと、千代は思った。

はるかなフランス国では、きっと不愉快なことばかり多いのであろう。だから、その様子にふれたがらぬのかも知れぬと、ひそかに心を痛めもした。

その千代をおどろかせたのは、やがて送られてきた二葉の写真であった。一枚は若殿である昭武の写真。いま一枚は夫の近影であったが、見た次の瞬間、千代は目をそらせ、写真をとり落した。昭武がまだ、まげをつけたままなのに、栄一はまげを切り、異人そっくりの髪かたちになっていた。

千代は、写真をひろい上げ、もう一度、こわごわ見た。なつかしい夫。顔つきこそかわらないが、髪といい服装といい、そっくり異人の猿まねである。

千代は声が出なかった。(何という夫だろう)と思った。(武士の妻である誇りと覚悟を持て)と懐剣を送ってきたのは、つい先年のことである。その御本人が、さっさと武士のしるしを切り落し、かねが軽蔑《けいべつ》していた西洋人そっくりの姿になりすましている。

「どういう恰好《かっこう》だろうねえ」

えいは小首をかしげながらも、しげしげと写真に見入る。

「ふうん」

市郎右衛門は腕を組み、むつかしい顔をしている。

千代は、身がちぢんだ。何ともあさましい夫の姿である。できることなら、その写真をひったくって破りすてたかった。誰の目にもふれさせたくない。

だが、えいは二枚の写真を大事に飾り、陰膳《かげぜん》を供え出した。そして、えいの口からであろう、その写真のことが隣人たちに伝わった。

ある日、本家の宗助が、あから顔の高い鼻をうごめかしてやってきた。

「とんだくわせ者のせがれだったが、とうとう魂まで売渡してしまったか」

宗助は、写真につばでも吐きかけんばかりにしていった。

「尊王攘夷などとたいそうなことをいっておいて、いざとなると、命が惜しくて一橋公に仕える。それでもまだ志はすてぬとほざいていたそうだが、この写真はどうじゃ」

市郎右衛門に写真をつきつけていう。市郎右衛門は黙ってうなだれていた。

宗助は、今度は千代に向き直った。

「おぬしの祝言《しゅうげん》の席で、栄一はわしを半人前とぬかし居った。この親たちは、そんな栄一をなお増長させて、あげくの果てがこの始末だ」

宗助はまた市郎右衛門にたたみかけた。

「あのとき、雄気堂々などと大きな声でうたったのは、どこの誰だったかね。雄気どころか、臆病風《おくびょうかぜ》に吹かれるばかり。京都へ逃げ、フランス国まで逃げ出し居った。親が益体《やくたい》もないからといって、よくまあ、せがれをここまでおとしたものじゃ」

市郎右衛門は、うなだれたまま、一言も答えなかった。

千代はつらかった。宗助にいわれるまでもない。すべて夫の不心得のせいである。考えてみれば、夫にははらはらさせられどおしである。それでも、栄一のいってきたように、「その中によきこともある」と思って、千代はこらえ、留守をまもって苦労してきた。それなのに、夫のこのあさましい姿。千代は、栄一がにくかった。

江戸で杉浦という幕臣に会い、フランス国の様子をきいてきた兄新五郎が村に戻ってくると、千代は話をきくより先に、その写真のことや、宗助にののしられた口惜しさをこぼした。

新五郎は、落着いて答えた。

「気にすることはない。栄一が一橋家に仕官したのは、命が惜しいためだけでなく、慶喜公という名君を奉じてお国につくそうとしたためだ。それに、われわれが攘夷を唱えていたのは、世間知らずで、ひがんで外国のことを考えていたせいもある。別に外国が攻めてきもしないのに、打払うこともなかった。まして外国は文物のすべてが進んでいる。その様子を細かに見て、進歩した技術を習得しておけば、今後交わる上ではもちろん、仮に戦争をするときでも、お国のためになる。そうした大鵬《たいほう》の心が、村の雀《すずめ》どもにはわかっていないまでだ」

「でも、兄さん、このあさましい姿を」

千代は新五郎に写真をつきつけた。だが、新五郎はおどろく様子もなかった。

「外国のことを知るには、その国の人と親しくなることが必要だ。ひとり異様ないで立ちをしていては、とても人々の間にとけこめまい。それではかえって役目を果せなくなる。姿がどんなであろうと、栄一はやまと心を失うような男ではない。つまらぬことにくよくよするな。村雀《むらすずめ》には勝手にさえずらせておくのだ」

「だって、兄さん……」

理窟《りくつ》としてはそうかも知れぬが、千代はおさまらない。女々《めめ》しい思いにさせてはと、めったに手紙を出さぬ千代であったが、居たたまれぬ思いで筆をとった。

（あまりにあさましくて、見る目もつらいお姿です。色々といわれても、これだけは心外で、気が休まりません。どうか、もとの姿になって下さい。殿様の御命令とか、全員がそうしなくてはならぬとあれば、いたし方ありませんが、あなたおひとりがそういう様子であっては、よけい心が痛みます。どうか昔の勇ましい姿に戻って、写真

を送って下されば、この上なくうれしく思います。くれぐれもおねがいいたします）

パリで千代のうらみごとを読んで、栄一は笑った。おかしくもあり、千代が気の毒にもなった。たまたま昭武の古い写真を送ったため誤解されたが、すでに昭武は栄一と前後してまげを切っていた。随行の者たちのほとんどがまげを落し、残しているのは、水戸七人の侍と、髪結の綱吉だけであった。まげがあろうとなかろうと、栄一には、たいしたことには思えなかった。

まげを切るとき、栄一には格別の感慨もなかった。むしろ、めんどうくさくなくっていいと思った。それに外人とつき合うのに、一々奇異の目で見られないですむ。

栄一は、実際的であった。ただ、千代にくよくよされては困るので、折返しそうした事情を知らせてやった。

脱走の勇者

渋沢喜作は、監察支配書記役となった。堂上方へのお使いが、その仕事である。

喜作も、すっかり武士が身についた。大柄でいかつい顔。イチかバチか賭《か》けてみようとする気象。栄一が居なくなって、喜作はいっそうのびのびその気象のままに生きた。

無気力でおっとりした幕臣たちの中で、どこか野性のにおう喜作の生き方は、人目をひくようになった。喜作はそのため、ますます野性的に生きようとしていた。

千代の弟平九郎は、栄一の見立養子となり、給与の一部も渡されるので、江戸へ出、本銀町《ほんしろがねちょう》に家を借りてくらすことにした。幕臣の養子であるのに、はるか奥武蔵でのんびり過しているわけには行かぬと思ったためである。喜作に負けぬ大男だが、顔立ちは整い、まだ独身の美丈夫である。剣の腕は立つし、学問もおさめている。それでいて人柄はすなおで、たかぶらない。その平九郎が江戸へ出るとあって、近所の娘たちは、大さわぎをした。

かつて若者たちの夢であった次兄長七郎は、相変らず乱心のまま、座敷牢《ろう》に入れられ、うつろな眼で空行く雲を眺めていた。

変化らしい変化もない村だが、病みほうけのりんが、その年の夏の暑さに耐えかねるようにして、ついに死んだ。

疫病神《やくびょうがみ》がようやく居なくなったと、村人たちは、むしろほっとした表情であった。泣きながら野辺の送りを出してやるえいを、むしろ、けげんな眼で眺めた。

凶事は京都で起った。

慶喜の腹心であり、栄一をパリへ送り出してくれた目付原市之進が、京都二条の邸《やしき》で斬殺《ざんさつ》されたのだ。

八月十四日朝、原は出仕しようとして、髪を結っていた。本圀寺《ほんこくじ》遊撃隊士と称する二人の侍が面会を求め、家士《かし》が次室に案内したところ、二人はいきなり刀を抜いて原の部屋におどりこみ、背後から斬《き》りつけ、首をとって去った。家士たちはこれを追い、一人を斬り、一人をとらえた。いずれも幕府の小臣で、原暗殺の理由は、「先帝の叡慮《えいりょ》を顧みず、公をして兵庫《ひょうご》開港の勅許を奏請せしめたるは、乱臣賊子なり」ということであった。

その年五月、慶喜は精力的な弁舌をふるって、公卿《くぎょう》および諸侯を説得し、兵庫開港を実現したが、その実際の推進者は原であるといわれた。緻密《ちみつ》な頭脳の持主の原は、感情を表にあらわさず、着々と実績を上げて行く男なので、江戸の幕臣たちには脅威を感ずる向きもあった。暗殺者も、実は山岡鉄舟が放った刺客だとも、また高橋泥舟《でいしゅう》が煽動《せんどう》した壮士であったともいわれる。（かつて中根長十郎を横死させたのは、平岡円四郎の言葉であり、平岡を横死させたのは、原市之進の言葉である。その原が殺されたのは、汝《なんじ》に出《い》ずるものが汝に帰った結果である）と、うわさする者もあった。

原市之進は、ときに三十八歳の働きざかり。原は折衝役としても有能で、岩倉はじめ公卿たちとも、また雄藩筋とも、たくみに接触し、慶喜のための情報収集役をもつとめていた。

その原の死は、慶喜にとって、大きな痛手となった。先に平岡を失い、いま原も失って、慶喜は手足をもがれ、耳目をふさがれる形となった。

一方、栄一にとっては、平岡も原も、窮境に活路を与えてくれた恩人であった。そして、二人とも、栄一の出張中、横死することになった。

この八月十四日、栄一はスイスのベルンにいた。フランスでの一通りの行事を終った後、一行はスイス、オランダ、ベルギーへの巡遊に出かけ、スイスでは、大統領の謁見《えつけん》をはじめ、時計工場などの視察、それに雪をいただいた山々や湖の美しさをたんのうしていた。皮肉というか、因縁というか、この日、はるばる原からの御用状が届き、栄一は返書を認めた。当の原がすでにその朝落命したことを、もちろん栄一は知る由《よし》もなかった。

それから二カ月して大政奉還。

このとき、栄一たちはマルタ島に居て、明るい陽光の下で、砲台、製鉄所、ドックなどを見学して廻っていた。

日本での政変のニュースは、新聞に小さく出た。誰もが首をかしげる中で、栄一だけはそのニュースを信用した。幕府衰亡は時の勢いである。慶喜なら、その動きを先取りし、政権を返上できる人だと思った。

年が明け、日本から大政奉還についての報告が届き、追いかけるようにして、鳥羽《とば》伏見《ふしみ》の敗報、将軍謹慎の報《しら》せがあった。

パリでは外国方が漸次帰朝し、栄一たちが小人数で「専心修学」の態勢に入ったところであった。(朝意に服するつもりなら、なぜ鳥羽伏見の戦いを開いたのか。それとも、朝廷とはいっても、つまり薩長《さつちょう》二藩のことで、その討滅をはかるというなら、あくまでも戦い抜いて、勝利を手中にすべきではなかったか。西洋の諺《ことわざ》でも、「力は正義なり」といっている。それには、戦略的にも大坂城を中心に大坂湾一帯を制圧して、本格的な戦闘に入るべきではなかったか)というのが、幕軍敗走の報せを受けたときの栄一の感想であった。切歯扼腕《やくわん》する思いであったが、それはそれとして、現実の判断としては、栄一は「老練」であった。栄一は、今後どうすれば、自分たちにとっていちばん得策なのか、ということを、もっぱら考えた。

あわてて日本へ帰ったところで、慶喜は謹慎中であり、その弟の昭武にも、これといった役目があるわけではない。むしろ、禍乱に巻きこまれて、右往左往することになりかねない。それよりは、むしろ祖国の内乱には目をつむって、そのまま留学し、どの方面でもよいから、技術なり学芸を修得した上で帰朝した方が、はるかに得策であり、国のためにもなるのではないか。外国にきていたことは、願ってもない幸運であった。いよいよもって、留学を続けるべきである。

用心深い栄一は、それまでの故国からの送金の中から倹約することで、かなりの額を積立て、これを国債および鉄道債に投資しておいた。随員数をさらにしぼれば、あと二年は留学できる。

留学継続がいちばん得策という栄一の判断は、かなり自己中心的でもあった。

当時、イギリスやフランスへは二十人あまりの留学生がきていたが、こうした留学生はすべて帰国させることにした。資金のめどがつかない以上、彼等には「得策」を選ぶ資格がないし、そこまで面倒は見られないというわけで、これも栄一流の実際的な判断であった。

栄一は次に、外国奉行栗本安芸守《くりもとあきのかみ》に帰国してもらうことにした。それというのも、混乱した幕府でも、あちこち工面すれば、まだ送金の余地もあろう。金を送らせて、少しでも永く留学しようという計画である。その代り、留学生たちの帰国旅費は、それまでの栄一の積立金の中から出してやった。

こうして、祖国の内乱にもかかわらず、パリでは、規則正しい留学生活が続いた。朝の乗馬訓練にはじまり、日中は各種の学科、それに美術などを教えに、入れ代り教師がやってくる。フランス政府は相変らず好意的で、ナポレオン三世の狩猟行や大演習に招待してくれたりした。また週に一度は、競馬やサーカスなどへ出かけた。平和で優雅な生活を、意識して続けていた。

このころ日本では、喜作、新五郎、平九郎らが、栄一不在のままに、そろって「禍乱」の中に巻きこまれていた。

三月八日付で喜作と平九郎は、フランスの栄一宛《あて》に手紙を書送った。まず、喜作は書いた。

（すべて薩長土の「奸策《かんさく》暴威」にもとづくことであり、鳥羽伏見の戦いも、突然、薩長が伏兵を配してきたから、「武門の習いでやむを得ず」開戦したまでのこと。薩長はこれに乗じて討幕の「偽勅」を出し、諸藩もやむを得ず追随して関東に攻め上ってきた。あまりの薩長の専横に自分は憤激し、旗本御家人《ごけにん》で死生を共にしようという四百人を集め、いま浅草本願寺に駐屯している。慶喜公は尊王の大義に背いているところは少しもなく、「天道清明」である。いつかそれが明らかになることもあろうが、事の成行きしだいではどうなるかわからぬ。そのときにはどうか、慶喜公はじめ忠臣たちの遺恨をすすいでくれるよう、遺言代りにたのんでおく）

栄一の義弟であり養子でもある平九郎の手紙は、さらに悲壮であった。

「尚々《なほなほ》左の手には大刀の鯉口《こひぐち》をあひにぎり認め申し候《さふらふ》。何も何も申し上げず候」

という劇的な筆致で、

「徳川氏滅亡仕《つかまつ》るべく候。もはや此《この》書面御覧の頃は、御国はいかやうのことに相成候や、明日の事計り難く、唯々《ただただ》血涙のみに候……実に闇世《あんせい》とは関八州の今日の事かと存じ奉《たてまつ》り候」

と書く。

ただ、期待をつなぐのは、薩長その他が「大暴」であるため、関八州の人心は遠からず離反するにちがいないこと。そのため一度は薩長に征服されても、必ず大きな内乱が起る。その機会を察知したら、断然帰朝してほしい。自分も草間に潜伏しても生きのびるつもりである。ただ、いまの状況では手のほどこすべもないので、早々帰朝されない方がよい――。

末尾に「此《この》寸書御名残《おなごり》」と書き、死を覚悟した別れの手紙であった。

このとき、喜作は彰義隊頭取であり、平九郎は、隊士の一人であった。尾高新五郎もまた、郷里を出奔して参加していた。ただし、彰義隊は「幕臣に限る」という建前なので、正式に隊員として登録されてはいない。

新五郎の参加は、従弟《いとこ》も弟も慶喜公の家臣であるという因縁からだけでなく、喜作たちの憤激に共鳴したためである。

（大政奉還した慶喜は、尊王の人である。その慶喜に賊名をきせて追討してくる薩長こそ、不義の軍ではないか。慶喜の無実を認めさせたい。もし認められぬとあれば、死を賭《と》しても、正義を明らかにしたい）

そうした忿懣《ふんまん》を、江戸で喜作は幕臣たちにぶつけて廻った。共鳴者が次々に現われ、百人二百人とふくれ上り、大きな寺でなくては集まりきれなくなり、隊名も「彰義隊」と名づけた。そして、投票の結果、喜作が頭取に選ばれた。

喜作は、慶喜に近侍してきた武臣であり、身に硝煙《しようえん》のにおいをつけて帰ってきている。武士であることにこだわるだけに、生来の武士より武士らしく振舞おうとするところがある。勝負師であり、親分肌でもある。押出しは堂々としているし、何より、やる気十分である。それやこれやで、動揺している旗本御家人たちを圧倒してしまった。

喜作はとりあえず次の三カ条を提議し、隊の中合せとした。

「第一　死生を共にする事
第二　方向を一定する事
第三　方向は衆議を以《もっ》て之を決せん事」

具体的な行動は、官軍の出方しだいだが、もちろん一戦は覚悟していた。

江戸は戦場としては不向きである。山岳を背後にした要害の地でこそ、大軍を相手に決戦を挑むことができる。喜作は、主戦場を日光に想定した。かつて長七郎たちが夢見た日光挙兵のことが、頭のすみにあった。

次に喜作は、挙兵には何より軍資金の用意が必要だと考えた。天狗党《てんぐとう》が資金の手当もないまま挙兵し、農民から徴発したりして、すっかり民心の支持を失ったさまを、かつて喜作はその目で見ている。このため、喜作は江戸の豪商の何人かを呼出し、御用金調達を申しつけた。

だが、このことが、副頭取天野八郎にあげ足をとられる原因になった。(渋沢は彰義隊を利用して私腹を肥やそうとしている)と、天野は喜作を非難した。

もともと喜作が武州の百姓町人上りであるところから、天野の非難は説得力があった。しかも、天野は「戦うなら江戸だ」という考え方であった。(旗本御家人たるもの、将軍のお膝元《ひざもと》である江戸を逃げ出せるか)という意見である。これもまた、幕臣である隊士たちには説得力があった。

隊士たちは、熱病からさめたように、喜作を見直した。

(渋沢とは何者だ。ただの成上りではないか)

こうして頭取などの役員は、あらためて知行高に応じてきめようということになり、喜作は頭取の座から、ひきずり下ろされた。

このため、喜作は別に一隊を組織した。

天野派は、なお喜作をじゃま者と見て、再三、喜作を襲って殺そうとした。一方、江戸に入城した官軍もまた、喜作を危険人物と見て捕殺しようとする。

喜作は幾度となく白刃の下を逃れた。

(むだに死にたくはない)

喜作は隊を率いて江戸を離れ、田無《たなし》に屯営を構えた。江戸での襲撃の危険をまぬがれるためだけでなく、江戸市中では隊の統制がとりにくいこと、それに、戦略として、江戸郊外に兵力を温存しておいて、いざというときに官軍の側面をつこうというねらいであった。

隊士は最初は二百名ぐらいであったが、「幕臣に限る」などという制限をしなかったので、続々義勇兵がふえ、倍近くにふくれ上った。隊名は、新五郎が「振武軍《しんぶぐん》」と名づけた。

ついで、喜作は屯営を箱根ヶ崎に移した。田無では新宿から四里、官軍にふいに夜襲をかけられる距離である。十里近く離れていれば、迎撃もできるし、江戸へも出撃できるという判断であった。

五月十五日、上野の山で天野八郎らの彰義隊は戦闘に入った。報せをその日おそく受けとった喜作は、翌朝早く、これに呼応して江戸へ向って出撃したが、途中で彰義隊が一日で潰滅《かいめつ》したことを知った。もはや、側面攻撃はできない。

逆に、官軍が勢いにのって、振武軍めがけて殺到してきていた。喜作は、飯能《はんのう》の羅《ら》漢山麓《かんさんろく》の能仁寺を新しい本陣として、官軍を迎え撃つことにした。

二十二日夕刻、入間川辺で小競合《こぜりあ》いがあり、夜半には伏兵と伏兵が衝突、二十三日は夜明け前から激戦となった。

官軍は、薩摩、大村、佐賀、福岡、広島、鳥取、前橋、忍《おし》、川越の九藩三千余。主力は洋式装備の火器を持った精鋭部隊であった。喇叭《らっぱ》を吹鳴らし、大砲小銃を休みなく浴びせかけ、三方から飯能市内に攻めこんだ。

市内の振武軍陣地はひとつひとつ攻め落され、辰《たつ》の刻《こく》（午前八時）には、本陣の能仁寺が総攻撃を受けた。頭取の喜作、参謀の新五郎、軍目付の平九郎はじめ、振武軍の将兵は善戦し、四時間余にわたってもちこたえたが、すでに兵力は百に過ぎず、そこへ砲弾二発がたて続けに能仁寺本堂に命中し、猛火に包まれた。もはや、最後である。喜作たちは山道をちりぢりに逃げのびた。

すでにまわりの村々には、「落武者はことごとく討ちとるべし」との布令が出ていた。

ただ、そのあたりは一橋領でもあったところから、義侠心《ぎきょうしん》のある農民がいた。喜作や新五郎らの六人は、運よく、そうした農民に助けられ、宿を借りたり、道案内をしてもらったりしながら、間道から間道へと逃げのびることができた。

不運なのは、平九郎であった。平九郎はただひとりで山道を逃げ、ようやく顔振《こうぶり》峠《とうげ》にかかった。弁慶も顔を横に振ったという伝説のあるけわしい峠である。

茶店の老婆《ろうば》は、平九郎を徳川の落武者と察した。平九郎が向おうとする越生《おごせ》への道には、すでに官軍が入ってきている。尾根づたいに秩父《ちちぶ》へ逃げるようにすすめたが、平九郎は首を振った。大刀を老婆にあずけ、身なりを変えて、峠を下った。

長い峠道を黒山村へ下りた。早朝から何も食べて居《お》らず、空腹であった。立寄った民家にも食物はなく、そのまま歩いて行く中、官軍である広島藩の斥候三名に行会った。

三名の兵にとりまかれた平九郎は、

「自分は神主のせがれだ」

と、いいはったが、あやしまれるばかり。本営にひき立てられようとしたので、懐《ふとこ》ろにかくしていた短刀をふるって、立向った。

剣には自信がある。一人を倒し、二人に傷を負わせたが、すぐに三十名ほどの官軍がかけつけてきた。平九郎を手ごわいと見て、遠まきに布陣し、鉄砲を浴びせかけてきた。

一弾は平九郎の太股《ふともも》を貫いた。もはやこれまでと覚悟をきめ、平九郎は路傍の岩に腰かけると、腹真一文字にかききって果てた。その姿勢のまま、なお倒れなかったため、官軍はさらに射撃を集中した上で、ようやく首をとり、越生へ持帰ってさらした。

黒山の村人たちは、若い落武者の奮戦ぶりと最期《さいご》を目撃し、官軍の去った後、その遺体をひそかに寺に埋葬した。名前もわからぬままに、寺の住職は、「真空大道即了居士」と戒名をつけた。

後に村人たちは、「脱走の勇者」の勇気にあやかろうと、神さまのようにしてまつるようになった。

平九郎の享年《きようねん》二十一。フランスに在る養父栄一に代り、慶喜のために身をすてたわけである。

パリに居る栄一は、もちろん平九郎の悲運を知る由もなく、この平九郎落命の日には、次のような短い日記を書いていた。

「五月廿三日　晴日
朝御乗切　コロネル御供、八時過御帰館
夜山高石見守《いはみのかみ》罷出《まかりで》る、夜雷気無雨」

慶喜公の水戸での謹慎、田安家達《たやすいえさと》による宗家相続、東北諸藩の官軍への反抗など、日本からの報せが思い出したように届き、また、フランスの新聞にも小さく報道された。

栄一は、しかし、こうした報道を気にかけることなく、「専心修学」の日課を推し進めた。朝の馬術の訓練にはじまり、各学科の教師が入れ代り進講に現われる。変化といえば、美術の教師が病気になって退き、代りに水泳の訓練がはじまったことぐらいである。

平凡で優雅な日課が続いた。たまには、市中の散歩、あるいはルーブルやパンテオンの見学。六月に入ってからは、十日間にわたって国内旅行にも出た。

一万里もへだたったところで心を労しても、どうにもならない。最初に立てた実際的判断どおり、学問技芸を少しでも多く習得することだと思った。

この間にも、さまざまな形で帰国の指示や勧誘があったが、腰を上げようとはしなかった。「専心修学」も御奉公であると、割りきった。その態度を続けることは、栄一にはひとつの「堪忍《かんにん》」でもあり、「老練」の修行でもあった。

栄一が彰義隊敗走の報せをきいたのは、七月も半ばを過ぎてからであったが、喜作らの振武軍については、帰国するまでついに知ることもなかった。

後に栄一は二度にわたって黒山村の平九郎自刃《じじん》の地を訪れ、愛する義弟の霊をとむらった。

栄一はまた、平九郎について、晩年次のような談話を残している。

「何でも川があつて、そのあたりに石がある。そこが平九郎の切腹の場所だと聞いた。今から考へると、振武軍のやり方は少々拙《まづ》かつたのではなからうか」

栄一は振武軍を批判していう。

「うぬぼれるわけではないが、私だつたらもつと他にやり方もあつたらうと思ふ。平九郎にしても早まり過ぎはしなかつたか。軽率に失したとの憾《うら》みはないでもない。今から考へると、残念千万である。平九郎の人となりについては、風采容貌《ふうさいようぼう》ともに秀《ひい》でて誠に気立てが善《よ》かつた。然《しか》し磊落《らいらく》とかいつた点はなく、深い思慮の念を欠いて居つた」

と。

わたしも二度にわたって、黒山村の平九郎自刃の地を訪ねてみた。

栄一が通ったであろう越生側から入ると、道は有名な梅林沿いに進み、田や畠《はたけ》の中をほぼ平坦《へいたん》なまま山間《やまあい》に入る。黒山三滝を目前にし、バス道路の終ったすぐ先の川べりに、自刃の碑と平九郎が腰を下ろして割腹したという岩があった。

だが、この同じ自刃の地にくるのに、平九郎がたどったように、飯能から顔振峠越えでくると、道の様相は一変する。距離はほぼ五里と、越生側からの約三倍。羅漢山からはじまる秩父山系の高い峰続きで、街道は川沿いに蛇行《だこう》する。当時街道は官軍の制圧下に在ったわけであるから、平九郎らは山肌をはうようにして逃げのびたことであろう。

顔振峠は海抜五百メートルだが、急勾配《きゆうこうばい》の連続。峠からの下りもまた、ほとんど平らなところがなく、細くくねった杣道《そまみち》が山肌をつたってかけ下りて行く。上りもつらいが、下りも容易ではない。

美しく深い杉林。くもの巣が絡《から》み、下枝や下草が足に纏《まと》いつく。杉のにおい、草のにおい、苔《こけ》のにおい。山々はひっそりと静まり返り、まるで地の底にでもいるようで、ドームのような空にときどき、うぐいすや名も知らぬけたたましい鳥の声がこだまする。

苔に足のすべるところがあり、岩肌の露出したところがある。そうした山道の中腹に、役行者《えんのぎょうじゃ》の奇怪な碑が苔むして立っていて、ひやりとさせる。昔、修験者の入りこんだ跡で、山のけわしさを語るものでもあろう。

足には多少の自信のあるわたしだが、峠から下りるだけでも、途中何度か休息し、一度は足をすべらせて、したたかに腰を打った。渓流の音のきこえる黒山に近づいたときには、蘇生《そせい》する思いをしたのである。

わたしの歩いた数倍の距離を、平九郎は早朝から空腹のまま、数時間の戦闘を終えた身でたどっている。若いとはいえ、精根尽き果てていたことが、想像される。峠の頂上にたどりついたとき、平九郎はもう慾《よく》も得もない気持であったにちがいない。

尾根づたいに秩父へといわれても、道もなく、方向さえ不案内。暗く荒い海へ身を投げるようなものである。それに、もはや、体がいうことをきかぬ。黒山へは、とにかく山道がある。そして、越生へ出れば、その先は北関東の平野が開け、熊谷、深谷も遠くはない。官軍が居るときかされても、戦場は飯能周辺だけであり、よもやという思いがあった。むしろ、祈りといってもよい。それに、その道を他の落武者が通って行った形跡はなく、変装して行けば、官軍に見つかっても何とかいい逃れできるのではないか。

こうして、渇《かわ》いた人間が、朦朧《もうろう》としてただ水の在処《ありか》にだけひかれて行くように、平九郎は黒山へ向って行ったのであろう。ただ「軽率に失した」とか「思慮の念を欠いた」というだけでは、説明のつかぬものがある。

「軽率に失した」という栄一の批評は、喜作に向けられ、また、平九郎が喜作に随行して戦ったことを指しているのであろうか。

飯能での迎撃戦は、天下に大義を明らかにするというにしては、あまりにも地方的な戦いで、はじめから呼応する声を期待できなかった。事実、彰義隊の華やかさにひき比べ、ほとんど世間から忘れられている。いまは、羅漢山麓のうす暗い木立の中に、「唱義死節」(義を唱え節に死す)という顕彰碑が一基、見る人もなく立っているばかりである。

彰義隊が潰滅し、官軍の大軍が真正面から向ってきている以上、江戸の官軍の側面をつくという戦略もすでに御破算になっている。振武軍が、訓練もろくにできていないよせ集めの混成部隊であるのに対し、官軍の兵力は質・量ともに圧倒的に優勢であった。本陣である能仁寺への集中砲火は、「百雷一時に落ちるか」と思わせるすさまじさであったという。

能仁寺は、杉林や竹藪《たけやぶ》など、ひろい境内を持つ美しい寺である。だが、そこから伐《き》り出《だ》される木材には、いまも弾丸がふくまれていて、よい値では売れぬという話もきいた。とにかく、はじめから、勝負になる戦争ではなかった。「老練」な栄一が居たなら、たしかに他の方法をとっていたであろう。

栄一は居らず、喜作は分の悪いことは承知の上で、激発を選んだ。喜作には、横浜焼打ち以来のついぞ戦わなかったことへのやりきれない気持があった。自分が頭取の身であれば、なおさら不発といういまわしい思いを重ねたくなかったことでもあろう。

敗走過程においても、喜作は軽率といえば軽率といえた。ほとんど秩父街道沿いに逃げた。いきなり村人たちの前に姿を現わし「逃走を助けろ」とおどしたのは、イチかバチかの賭《かけ》であった。幸い、喜作は、賭に勝った。その村人たちが、命がけで官軍の見張りをあざむいてくれるほどの俠気《きょうき》のある男たちであったからだ。散々やっかいになったあげく、上州方面へ脱出するにあたって、喜作は、「刀は武士の魂だから」と、腰の大小の隠匿《いんとく》と保管を、口やかましくたのんだ。こうした状況に在りながらも、喜作はふつうの武士以上に武士たることにこだわり、また誇りとした。おかげで、村人たちは苦労して山奥の穴にかくしただけでなく、昼も夜もひそかに交代で見張りを立て、喜作の使者がとりにくるまで、大事にその刀を守ってくれるという始末であった。

そうした喜作に比べ、平九郎はあまりにも運がなかった。思慮深く身をかくして、ひとり山道を逃げた。山から山へのどうにもならぬ疲労に耐えかね、戦場を遠く離れたところで、変装して近道を選んだとき、命を落す羽目になった。

(抵抗せず捕虜になっておけば)と、栄一はいいたかったのかもしれない。だが、平九郎には、幕臣渋沢栄一の見立養子としての進退が、まず頭に在った。すでに江戸を発《た》つとき、障子に大きく辞世の詩を書残してきている。

若き養子平九郎は、こうして、死ぬべくして死んだ。

宝台院の夕暮れ

パリでの「専心修学」を打切って、栄一が昭武を奉じて帰国したのは、昭武の兄である水戸藩主が死に、昭武が家督相続せねばならなくなったためである。

帰国は、年号も改まった明治元年十一月三日。横浜の港では、新政府の役人の厳重な取調べを受けたが、途中、香港《ホンコン》や上海《シャンハイ》で日本の状況をきいて予想していたことなので、栄一はたいして気にもかけなかった。それより、ほぼ二年ぶりの故国がなつかしかった。横浜や江戸で、先に帰国していた留学生や旧幕臣と会い、毎日のように話しこんだ。

榎本武揚《えのもとたけあき》らの一派が幕府海軍を中心に箱館《はこだて》にたてこもってはいるものの、世はあげて薩長の天下となっていた。「薩長が横暴だ」と悲憤慷慨《こうがい》する声を毎日のようにきいた。そうかと思うと、新政府に仕えて羽振りのよい旧知にも出会った。たしかに「御一新」の世であった。

ただ、栄一はパリを出るときから、身のふり方をきめていた。慶喜によって命を救われ、数々の恩義を受けてきた。その慶喜が駿府《すんぷ》(静岡)に退隠している以上、自分も駿府におもむき、おそば近くで慶喜を見守ってくらすのが筋ではないかと。

水戸へ去るにあたって、昭武は栄一にいった。

「おまえも承知のように、水戸藩は前々から騒動の多い藩である。余が帰って相続するにも、この先のことが思いやられる。それに、水戸家中には、余がたのみに思う藩士も少ない。なんとかして、おまえに水戸にきてもらいたいのだが」

まだ十六歳の昭武は、いかにも心細そうであった。

栄一の静岡行きの気持が変らぬのを見て、昭武は栄一に兄慶喜宛《あて》の手紙を託した。

「留学の委細は渋沢を以《もつ》て申上げる旨《むね》、この手紙に認《したた》めておいた。御無事の御様子を拝して、仰《おお》せごともあるであろうから、それを水戸へ伝えにきてくれ」

謹慎中の慶喜は、ひとを避けていた。弟とはいえ、水戸藩主を引見することはできない。栄一でさえ、しばらく時間をおいて、様子を見ることが必要であった。

その間に栄一は、海外留学中の一行の旅費について詳細な決算をした。茶碗《ちやわん》ひとつに至るまで書出した。

留学継続のつもりで節約し、また利殖もはかってきたので、残金はまだ一万六千両もあった。栄一は、その中《うち》、七千両あまりでスナイドル銃一個小隊分を買って、水戸への土産として昭武に持たせてやった。

さらに、パリの宿舎の前払家賃を回収し、家具什器《じゆうき》を売払った代金の一万五千両が、フランスの名誉総領事から送金されてきた。新政府は、これを国庫に入れようとしたが、栄一は、それはあくまで徳川家から昭武のために出された金であるといいはって、とうとう自分の手で受けとり、そのすべてを江戸の神田錦町《にしきちよう》に在る静岡藩の役所へ引渡した。

「奇特な男だ」

と、立場はちがっても、新政府の役人も、静岡藩の役人も、目をまるくした。動乱の最中である。帰国者の中で旅費の精算書を出す者は、ほとんどなかったし、経費が不足して自弁したからと請求にはきても、あまったからと返しにくる者など居なかった。

もちろん、栄一は奇をてらうつもりはなかった。

(どんな場合でも、けじめだけは忘れまい。動乱は動乱、精算は精算。預かった金は、その預け主に返すべきだ)という栄一なりの筋をとおしたまでのことであった。

この静岡藩の役所で、栄一は勝海舟にも会った。将軍家が格別の懲罰も受けず、七十万石の静岡一藩を賜わったのも、勝海舟の力だと、たいそう評判になっていたひとで、威勢もよかった。

栄一に対して、勝は、

「わけのわからぬ輩《やから》も居たであろうに、昭武さまを首尾よく帰国させ、大儀であった」

と、おうようにねぎらった。

栄一は、まるで小僧あつかいされたような気がした。旧幕臣の中で、それほど元気よく、気魄《きはく》のあるひとを見たのは、はじめてであった。

静岡藩の役所には、いろいろなひとが出入りしていた。新政府の役人もくるし、箱館の密使らしい男もくる。さまざまの情報が入り、誘いもあったが、栄一は、自らを鈍くすることにつとめた。この際、栄一が心がけたのは、（一をきいて、十を知るまい）ということであった。

平岡円四郎も原市之進も、一をきいて十を知る聡明《そうめい》なひとであった。相手の顔色を見ただけで用件がわかるといわれた。先が見えすぎ、ひとの先廻りをする。そのため、かえって、ひとにきらわれるという面もあった。藤田小四郎も、よく似た賢いひとであった。栄一がたずねようとすることを、先に察して話してくれた。

そうした彼等が、そろって非業《ひごう》の死をとげている。

（鈍くなることだ。せいぜい、子貢《しこう》のように、一をきいて二を知れば、十分ではないか）

栄一は自分自身にいいきかせた。新しい世界を見てきたからといって、にわかに新しくなることもない。むしろ、土の中へしっかり根を下ろしてかかろう。

江戸や横浜での先走りする情報から逃れるように、栄一は数日のひまをつくって、郷里の血洗島へ帰った。ただし、このときは、旧幕臣だからといって、うらぶれた姿にはならなかった。むしろ、勝の気魄にあやかるように、堂々と威勢のよいところを見せた。黒いつややかな髪を短く切って後ろへなでつけ、羽織袴《はかま》で、腰には黄金をちりばめた大小をさした。先触れを立て、供をつれて、くりこんだ。

そうした栄一を、えいや千代たちは目をあつくして迎えた。

栄一は帰ると、すぐその足で、手計《てばか》の尾高家の墓地へ出かけた。

その半月ほど前、千代の母のやえと、長七郎が続けて死んでいた。長七郎は、死期まぎわになって、ようやく正気をとり戻したようで、病床に青く澄んだ目を開き、

「喜作や平九郎の出陣は、成行き上、是非もない。だが、兄上が、さほどの縁故があるわけでもないのに、もともと倒すつもりであった幕府に殉じて身をかえりみられぬのは、いかに俠気《きようき》といっても、ほどがある」と、つぶやいた。

それが、長七郎の最後の言葉であった。享年《きようねん》三十一。

からっ風の吹く中で、栄一は墓前にしばらくひざまずいていた。

雪もよいの風は、頰をそぐように冷たい。櫟《くぬぎ》や欅《けやき》の裸になった梢《こずえ》が、風にふるえる。桑畠《くわばたけ》のひろがる向うには、上州の山々が白金色に光っていた。

故郷の山河は、栄一が出奔したときと少しも変っていなかった。だが、世の中は変り、ひとびとは去って行った。わずかの年月の間ではあったが。

やえや長七郎だけではない。病みほうけのりんも死んだ。平九郎は飯能の戦《いくさ》で討死したし、喜作は箱館で勝目のない戦いの中に在る。その喜作に対し、栄一は江戸から、

「せめて、いさぎよい最期《さいご》をとげるように」

と、書送っておいた。

それにしても、帰国以来、栄一は原市之進はじめどれほど多くの知人の死をきかされたことであろう。近藤勇はじめ新選組隊士の多くもまた死んでいた。故郷の風に吹かれて墓前にぬかずいていると、さすがの栄一も、あらためて無常の思いに誘われた。ふしぎに、ひとり、命ながらえた。もはや、多くを望むまい。もちろん新政府に仕官する気もない。慶喜の側《そば》でひっそり暮そうという気持を強めるばかりであった。

神木の榎《えのき》が黒々とそびえる鹿島《かしま》神社の前を過ぎ、血洗島の家へ着いた。玄関へ入ると、市郎右衛門が苦笑しながら、土間のすみをさした。竹の先を鋭く斜めに切落した竹槍《たけやり》が数本、そこに立てかけてあった。

「この一、二年は世間が物騒でな。打ちこわしという乱暴者が諸処方々に起って、近くの村でも家をこわされたり、焼かれたりするところが出た。もしこの村へきたら、わたしは男たちを集めて防ぐつもりで居たのじゃ」

「歌子も不安がって、フランスの父さまに早う帰ってもらうよう、手紙を書けとせがんでのう」

と、えい。その歌子は、六つ。えいのかげにかくれ、ふしぎなもののように、栄一を見ている。

「飯能の戦があってしばらくの間は、家中が青い顔をして沈んでいましたものねえ。歌子は幼な心にも、尋常でないことがわかったのでしょう。つられて、かわいい眼に涙をためていたりするのです。だから、わたしがおぶって、諏訪《すわ》神社の森へあそびに行ってやりました」

と、貞。

「夕方になって、まわりの森がだんだん暗くなってくる。遠い西の山の上だけがひところ明るくて、その空をめざすように、烏《からす》がないてとんで行きます。そうすると、背中で歌子がいうのです。『ねえ、叔母さん。父さまのいらっしゃるフランスという国は、日の入る空のあちらだといいますね。烏はその方へ行くではありませんか』と。歌子にそんな風にいわれると、わたしまで悲しくなって、『烏に言伝《ことづ》てをたのみましょう。故郷では悲しいことばかり起っています。早く帰ってきてください』と、ついいったものです」

栄一は、何度もうなずいて、きいた。自分ひとりヨーロッパに遊学している間に、家郷はどんな様子であったのかを、あらためて思い知らされた。

栄一は、千代に眼を向けた。いちばんつらい思いをしていたであろう千代。その千代は、胸がいっぱいで、口がきけないでいる。

家へ入って次に栄一が気づいたのは、奥の蔵のひとつが焼け落ちていたことである。

前年の暮、泥棒が入り、物色している中、あかりをとりおとし、火が出た。市郎右衛門は、下男をたたき起し、近くの村人を呼立て、火を防いだが、そうした間にも、何度か家人たちのところへ走ってきて、「歌子は居るか、けがはさせるな」と、くり返した。

市郎右衛門は寝ていた床の下に、大金を入れた胴巻を置忘れていた。貞が気づいて、それをしまっておいたが、市郎右衛門はその胴巻を受けとると、ほっとした顔になっていった。

「ありがたい。これさえあれば、さしあたり、歌子に食べさせるのに不自由はない」

と。

「よほど孫が可愛《かわい》かったのね」

と、貞がいうと、

「それもあろうが、わしは栄一に、女房子供のことは心配するな、まちがいのないようわしが預かってやる、と約束しておいた。その約束を守りたかったまでじゃ」

市郎右衛門は、まじめな顔で答えた。

相変らず四角四面な市郎右衛門。だが栄一はそこに父親の健在なのを感じた。そうした話の中に、いかにも家へ帰ってきたという実感もあった。

千代と向い合ったのは、その夜もふけてからであった。今度こそ誰にも追われず、ゆっくり語り合うことができる。山々話すことのあるはずであったが、何から話してよいか、わからない。

栄一はまず、さし当っての生活設計を話した。静岡でくらす。それも、無禄《むろく》移住の旗本たちのように、静岡藩にすがって食いつなごうというのではない。何か商売をするか、できなければ、百姓をする。そうしながら、慶喜公の行く末を見守る。家の手当ができしだい、千代と歌子を呼寄せ、親子水入らずでくらそうという計画である。

千代は、栄一にじっと眼を当ててきいていた。それまでと同じように、別に疑いもしなければ、また、とくにせがむ風でもない。忍従になれたのか、それをたしなみと心得ているのか。

栄一は、少し物足りない気がした。冗談めかして、

「千代、おまえは情がうすいのか」

「なぜでございます」

「……たとえば、フランスでおまえからの便りを待っているというのに、ずいぶんと無音《ぶいん》であったからな」

「めっそうもない。わたしはどれほど……」

千代は、せきこんだ。

「でも、たとえ夫婦であろうと、あまりになれなれしいと見られては、あなたのお為《ため》にならぬと思って、それに、こちらでも、度々手紙を書きますと、留守居のさびしさから、女々《めめ》しいぐちをいってやるのだろう、情けないやつだと思われそうで。それやこれや考えて、三度に一度の御返事を出すことで、辛抱していたのでございます」

千代は顔を赤くし、うらみっぽい眼でいった。栄一は、千代が可愛かった。

「もうよい。もう二度と、おまえに手紙を書かせる羽目にはせん」

「うれしゅうございます」

千代は、祈るように眼を閉じた。

触れたくないが、触れねばならぬ話題もあった。平九郎のことも、そのひとつであった。

「わたしはあの子にくれぐれも申しきかせておいたのです。『渋沢の養子となって将軍家の禄をいただく以上、事あるときには渋沢に代って忠義を尽しなさい。決して臆《おく》病《びょう》な振舞いをしてはなりませぬぞ』と」千代は、まぶたをおさえて話した。「わたしがくどいほどに注意したため、平九郎が一途《いちず》に死を急いだような気がしてならないのです」

栄一としては、慰める言葉もなかった。ただ、やさしく千代の肩をなでてやるばかりであった。

栄一はまた、小腰平助が半年ほど前、血洗島にきたことも知った。中仙道を京から落ちてきた小腰は、三人の隊士を連れ、尾高新五郎の家に二晩とまって行ったという。小腰は、渋沢の家にやってきて、栄一についていろいろほめそやした後、軍資金の無心を切出した。「薩長の横暴は許せぬ。上さまを擁して一戦をまじえる」というのだ。

火事の後で、千代たちが帯一本買うのも惜しんで節約につとめているときであったが、市郎右衛門は五十両の金を渡した。小腰はこの他、かいわいの豪農をたずね、都合二百両あまりの金をこしらえて行ったという。

「その後、あのひとはどうされているのでしょう」

きかれて、栄一は小首をかしげた。

彰義隊にも、また箱館の榎本軍の中にも、小腰の居る様子はなかった。といって、静岡藩の役所に顔を出してもいない。もっとも、静岡藩役所は旧幕臣のあつかいだけでも手いっぱいで、小腰のような一橋家の新規召抱えの歩兵の面倒まで見るゆとりはなかった。

小腰は、どこへ行ったのか。栄一は、いつか喜作とともに立会わされた隊員処刑の場面を思い出した。勝手な資金調達をとがめて、小腰は畑川とかいう隊員の首をしめて殺したあげく、切腹に見せかけた。隊規による処刑といったが、その小腰が軍資金調達とは——。

栄一は、いやな気がした。と同時に、二年間の留守中、動乱の嵐がどのようにこの田舎を吹きすぎて行ったかがわかる気がした。

栄一は、三日ほどして江戸に戻り、十二月十九日、静岡に着いた。

旗本御家人やその家族が、街に溢《あふ》れていた。いずれも、生気のない顔、不安に包まれた顔である。ただ静岡藩にすがりついてさえいれば、何とか食って行けようと、あてもなく集まってきている。気候までが不順で、富士は見えず、毎日のように暗い冷たい雨が降り続いた。

いまは「前様《さきさま》」と呼ばれる慶喜に拝謁《はいえつ》したのは、静岡に着いて四日目の夕方であった。

東海道寄りに、徳川家の菩提寺《ぼだいじ》である宝台院という大きな寺があった。慶喜は、その寺にひきこもって謹慎していた。

その日、雨は上っていたが、星は見えず、静岡には珍しく底冷えのする寒さがした。山門には、申しわけのように警固の武士が三人、提灯《ちょうちん》をともして立っていた。

ひろい境内は、静まり返っている。寺僧に案内され、玉砂利の小道を渡った。まるで人気のない館《やかた》にきたようで、境内にも、警備の武士の姿はない。

途中、ただ一人、六尺棒を小脇《こわき》に巡回してくる大男に会った。寺僧の提灯の光に浮んだその役者のような横顔を見て、栄一ははっとした。それは、町方火消の親方である新門辰五郎であった。老人ながら背筋をのばした新門辰五郎の姿は、すぐ夕闇《ゆうやみ》の中に消えて行った。

本堂脇に在る書院風の部屋へ導かれた。

部屋の中央にほの暗い行灯《あんどん》が一つ。寒々とした灯の色であった。栄一は正坐《せいざ》して、お呼びを待った。

しばらく時間が経《た》ったとき、その灯影《ほかげ》にたぐりこまれるように、音もなく誰かが入ってきた。近習が呼びにきたのかと見すえると、それが慶喜であった。お供は誰もいない。行灯の向うに、慶喜はしょんぼりと坐《すわ》った。

栄一は、胸がつまった。用意してきた挨拶《あいさつ》の言葉の代りに、思わず、

「かようなお姿を拝することになりましょうとは……」

平伏していうと、行灯の向うで、慶喜は長い顔をゆっくり横に振った。

「おまえのぐちをきくために会うのではないぞ」慶喜は静かにいった。「おまえが昭武のフランス滞在中のことについて報告にきたというので、会うことにしたのではないか」

「はい……」

答えながらも栄一は、慶喜には感情がないのではないかと思った。幕臣たちのうらみつらみの声を、どれほど栄一は耳にしてきたことであろう。いや、幕臣だけでなく、たとえば新五郎のように義憤にかられて立上った者まである。当の慶喜にしてみれば、どれほど口惜しいことであろうと思うのだが、慶喜はまるで無表情、無感動であった。

「おそれ入りました。もう何も申上げますまい」

栄一はふたたび平伏し、一言だけでもと、腹の底からしぼり出すような声でいった。

「さぞかし御無念でございましたでしょう」

それに対しても、行灯の向うからは、

「ふん」

というつもの慶喜の声がきこえただけであった。

栄一は、昭武からの親書をさし上げた。慶喜は長い首をのばすようにして、行灯の灯にかざして読んだ。
一、二度、うなずき、
「ふん、おまえの話をきこう」

栄一は使節としての諸国の見聞、さらに、パリ留学の模様などを、つとめて要領よく報告した。

「ふん」「ふん」

思い出したように、慶喜の声が返ってくる。言上しながら栄一は、三、四年前に逆戻りしたような錯覚がした。

それにしても、宝台院の夕暮れは、あまりにも暗く、わびしかった。ひとつだけの行灯は、ときどき、ふっと消えそうになる。

相変らず、まわりからは何の物音もきこえない。栄一が黙ると、たちまち主従もろとも、深い闇の底に滅入《めい》りこんでしまいそうであった。

「ふん」「ふん」とだけきいていた慶喜は、最後に、「おまえの苦労に礼を申す。昭武には手紙をつかわす」

それだけいうと、きたときと同じように、ふわりと行灯のかげから居なくなった。

翌日から栄一は、宿で慶喜の返書のできるのを待った。

二日経ち、三日経っても、音沙汰《おとさた》がない。弟へ手紙を書くことまで忘れてしまわれたのかと、栄一が嘆いていると、四日目に藩庁から呼出しがあった。

「御用召しである。礼服を着て、勘定所へまかり出るように」

返書を受けとるだけなのに大げさな話だと思いながらも、礼服を借りて出頭すると、いきなり、

「静岡藩勘定組頭《くみがしら》を命ずる」

という辞令書を渡された。思いがけぬことであった。栄一は、めんくらった。ありがたいより、腹が立った。

「わたしは、そのつもりで静岡に参ったのではありません。くらしの道は別に考えますし、さしあたっては、前様から昭武さまへの返書をいただき、水戸へ復命しなければなりません。いまこのような御任命は、むしろ、はなはだ迷惑。おひき受けいたしかねます」

きっぱりといった。

「水戸への返書は別に出すから、おまえが復命するには及ばぬ。それに、この役は藩として必要があって任じたのだから、すみやかにお受けいたすように」

と、勘定頭。

栄一は、辞令を投出した。

「わたしは何も七十万石という限られた藩禄《はんろく》をむさぼりにきたのではありません。海外で苦労したから、その褒美《ほうび》ということなら、それはそれで、やはりお受けいたしかねます。わたしはただお役目をお役目としてつとめたまでのことですから」

栄一は勢いにのって、しゃべり出した。いまは勘定頭の頭の上をとおり越して、目に見えぬ慶喜に向って、しゃべっていた。

「高貴のお方は人情がうすいと申します。前様までが、そうなのでございますか。昭武さまは、前様のこの上もない御苦心と今日のお立場に置かれた御無念を、どれほど気にかけ、お慰めにこようとされたかわかりません。それもかなわず、せめて、わたしをとおして、前様にそのお心を伝え、同時に前様の御様子をうかがってくるようにと、兄弟の情をこめておつかわしになったのでございます。それを『復命に及ばぬ。別に使者をやる』とは、何事でございますか」

栄一は、そういってから、今度は勘定頭たちにくってかかった。

「たとえ、前様の御命令があろうと、お側についている方々のお心が合点が行きません。方々には、人情とか道理とかが、少しもおわかりにならぬようだ。だからこそ、世の判断をあやまり、上様をはずかしめ、国を削らせるような情けないていたらくになったのではありませんか」

やつあたりであった。しかも、あまりに語気がはげしいので、勘定頭もてあました。どうにも手に負えぬというので、次の日は、中老からの呼出し。

栄一は、同じように、中老にもくってかかった。

中老大久保一翁《いちおう》は、栄一をたしなめた。

「おまえの怒るのは、内部の事情を知らぬからだ」

今回の任命は、「渋沢に藩庁で何か職務を与えるよう工夫しろ」との慶喜の内命による。このため、一橋以来の実績を勘案し、勘定組頭にとり立てることにしたという。

だが、そうきかされても、栄一は釈然としない。その慶喜の内意自体が気にくわない。

「けしからぬことを申すな」

と、大久保は栄一の不満を叱《しか》ってから、慶喜の内意の奥にあるものを話してくれた。

「実は、水戸から渋沢をぜひくれと、再三かけ合いがきている。ここで渋沢を使いに出せば、しばらくでも、水戸にとどまる。すると、自然に情がうつって、水戸から離れられなくなる。昭武は渋沢をたよりにしているので、重く用いようとする。だが、水戸はもともとねたみの強い土地柄。血の気も多いので、登用されたあげくは、平岡や原の二の舞いになり、害される心配がある。害されまいとすれば、重用されぬわけだから、渋沢としても働き甲斐《がい》がなく、ただ飼殺しにされることになる。いずれにせよ、渋沢にとっては、ためにならぬ結果になる。だから、渋沢は当藩に必要があるからやれぬということにし、決して水戸へ発《た》たせてはならぬという前様のお考えなのだ」

栄一は、頭を下げた。

「さようなしだいでございましたか」

「どうだ。これでも、道理も人情もわきまえぬ仕業と申すのか」

「おそれ入りました。一言もございません」

栄一はまた、慶喜に負け、慶喜に恩を負ったと感じた。

虚脱した人間のようでいて、慶喜は見るところは見、考えるべきところは考えている。それだけに、ひたすら謹慎という慶喜の姿勢に、あらためて重みが感じられた。

「それでは、異存なく勘定組頭を引受けるであろうな」

と、大久保。

「いえ、それはお待ち下さい」

「なんだと」

「前様のお心にしたがって、水戸へは参りません。しかし、仕官いたす気は、毛頭ございません。わたしは世すてびとになり、かげながら前様にお仕えするつもりでございます」

「なぜ、そういうことをいう」

「ここで仕官すれば、前様にお仕えするというより、禄に仕えることになり、わたしの気がすみません。何と申されても、お受けするわけには参りません」

栄一は固辞した。慶喜や大久保に感謝はしながらも、それはそれとして、断乎《だんこ》として辞令を受けとらなかった。

辞退したのは、大久保にいったとおりの理由からであるが、もちろん、ただそれだけではない。新しい広い世界を見てきた栄一は、いまさら藩という小さな枠《わく》の中にはめこまれるのは、かなわぬという気がした。まして静岡藩は、江戸からの旧幕臣中心の寄合世帯である。栄一などには以前以上に働きにくいことが予想された。また、藩士となれば、藩への忠誠という問題が出てきて、いや応なしに政治とかかわることになる。横浜焼打ちの企て以来の紆余《うよ》曲折、さらに平九郎たちの悲劇を見るにつけ、栄一は、政治はもう結構だと思った。それに、藩制そのものが、永く続くとは思われない。どう考えても、いまさら静岡藩士になる理由はなかった。

対照的に、栄一には、ヨーロッパで見た意気さかんな実業家たちのことが、念頭に在った。

パリでの栄一たちの一行には、日本の名誉総領事をしているフロリ・ヘラルドという銀行家がつきそって、世話をしてくれたが、これとは別に、ナポレオン三世から昭武の教育監督役としてヴィレットという騎兵大佐が派遣されてきた。

日本流にいえば、一商人に対し、かなり高位の武士というわけで、大佐は尊大で、銀行家は小さくなっていていいはずなのに、二人はまるで平等で、ときには友人同士のように、肩をたたき合って話しこんだりした。重要な用件をきめるときには、むしろ大佐の方が遠慮して、銀行家の意見に従うという風であった。

少年の日、代官にいばりちらされたのをはじめ、栄一には、武士に対する屈辱的な思い出が多い。知識や能力がなくても、武士であればいばり、町人はいつも小さくなる。そうした日本の風習は、遠からず、新しい世界の前に消えて行くであろうし、また、消して行かねばならない。洋行帰りの栄一あたりが、まず、その先頭を切って行くべきだと思った。官民の別をなくすだけでなく、実業そのものを尊ばなくてはならない。

ベルギーを訪問し、じまんの製鉄所を見学した後、国王に謁見した。

このとき、ベルギー国王は栄一たちに教えさとすようにいった。

「鉄の産出の多いのと、その使用量の多い国が、富み、かつ強くなるものです。日本は鉄が少ないようだから、他国から買入れて、たくさん使う必要があります」

国王はそういってから、真剣な顔になって続けた。

「ところで、ベルギーの鉄は、品質は良いし、値も安い。ぜひ、わが国の鉄をたくさん買いつけるようにねがいたい」

栄一たちは唖然《あぜん》とした。

(国王ともあろう人が、商人のような口をきく。そうして、国を富まそうとしている――)

このことも、栄一には、外遊中、最も強い教訓となる出来事であった。経済というものを、それほど、どこの国でも大切にしている。西洋諸国の武力がすぐれているのも、そういう経済の裏づけがあってのことである。その意味でも、新しい日本は、大いに経済に力を入れ、また、人材を実業界に送りこまねばならぬと思った。

栄一の仕官辞退は、単に個人的・消極的な理由によるだけでなく、もっと前向きの力強い意味合いを持つものであった。それに栄一は、ただ観念的に商人にならねばと思っているのでもなく、また、細々とした小商いの店を出してでもといった風に感傷的になっていたのでもない。栄一の中には、すでにひとつの確乎とした「実業」の腹案があった。

中老大久保に正式に辞令を突返した翌日、栄一はまた、のこのこと勘定所に出かけて行った。勘定頭は、栄一が考え直して仕官する気になったのかと思い、引見した。

栄一は、小肥《こぶと》りの体をまるめ、にこにこしていった。

「昨日までのことは、お許しねがいます。ところで、今日はわたし、別の話で参上いたしました」

勘定頭はがっかりし、

「なんだ、仕官にきたのではないのか」

「はい」

「それなら……」

いいかける先を遮《さえぎ》り、

「これは、当藩にとって重要な話でございます。急がなければならぬ話でもございます」

「なぜ、それならいままでの間に話さなかったのか」

「昨日までは仕官の話でございました。だから、けじめをつけるために、今日こうして別にまかり越したしだいでございます」

「勝手なやつだ」

勘定頭は苦笑し、

「何か知らぬが、申してみい」

「はい。重ねて申上げますが、これは藩の理財のため、きわめて大切なこと。勘定頭には、どうか終りまでおききねがいとうございます」

十分に釘《くぎ》をさしておいてから、栄一はその事業計画を話しはじめた。

折から新政府は、財政難のため、五千万両に上る紙幣を発行して軍費その他にあてようとしていたが、全国的には一向に流通しない。このため、新政府は、ひとつには、紙幣の全国流通を促進するため、ひとつには、諸藩の財政窮乏を救うため、新紙幣を諸藩の石高に応じて、年三分の利子、十三カ年賦《ねんぷ》で貸しつけることにし、すでに静岡藩へも五十万両を越す石高拝借金が着いていた。

栄一の提案は、この拝借金運用についてである。拝借金を藩庁の一般経費でつかってしまうと、もともと静岡藩は領地もせまく、歳入も少ないので、返済の見込みが難かしくなり、財政危機に陥る心配がある。これを防ぐため、拝借金は別途会計にして、殖産興業に当て、それから生ずる利益を返納金に振向ければ、藩のためにもなるし、領内をうるおすことにもなる――。

ここまでは、栄一でなくとも考えることだが、栄一のねらいは、その先に在った。

事業というものは、多勢の資本を持寄って、力を合わせてやった方が、効果が上る。そこで、石高拝借金を基礎に、藩内士民の出資金をこれに合わせ、合本《がっぽん》組織による商会をつくってやって行こうというのである。士民の出資は、利益配当をめあてにする営業資本（株式）としての出資と、預金利子を目的としての出資に分ける。危険はあっても、事業の成績に応じた配分が欲しいという者は前者に、ただきまった利子が欲しい者は後者に出資すればよい。つまり、株式会社組織の銀行に似た形である。金を貸すといえば、高利貸のような形がふつうであった当時においては、全く新しい出資形態であった。事業としては、商工業者への貸付けと、商業。銀行と商社を合わせたような活動をする。監督には勘定頭。実際の経営を栄一に任せてもらえば、責任を以《もっ》て人材を選抜し、経営を成功させようという――。

勘定頭は、黙ってきいていた。栄一が「建白魔」だということは、勘定頭も、かねて耳にしていたが、栄一の提案は、一々もっともであった。それに、石高拝借金のことは、勘定頭が当面、頭を抱えている問題でもあった。勘定頭は、栄一の計画に興味を持った。できるだけくわしく書類にして提出するよう、栄一に命じた。

栄一は、呉服町の大きな履物屋の二階に部屋を借りていたが、勘定所から帰ると、早速、書類づくりにかかった。それも、ただ建前や組織についての作文をするだけではない。栄一は、起りそうなさまざまの運営方針について、実際にどういう結果が得られるかをすべて試算し、数字にして出すことにした。

作業量は厖大《ぼうだい》なものとなった。履物屋の若主人が十露盤《そろばん》が達者だときいて、栄一は応援をたのんだが、栄一がそれ以上に十露盤上手なのを見て、若主人がびっくりするということもあった。

明治二年。元旦《がんたん》も見込書づくりで一日を終った。勘定頭の邸《やしき》へも出かけたが、これは年始のためではなく、見込書の作成状況の報告のためであった。

二日、留学生仲間を呼んで、智慧《ちえ》を借りた。

三日、めぼしい町人を呼んで、意見を求めた。

四日、政庁へ出て、厚さ三尺にも及ぶ厖大な見込書を提出した。

十日、中老衆列席の座に呼ばれ、見込書についての説明を求められた。

十二日、今度は栄一の方から中老衆へ、「商法会所の件は、いかがなりましたか」と、催促に出た。栄一の方から、政庁を追立てる形になった。自由人であるから、できることでもあった。

大久保一翁はじめ中老たちは、協議を重ねるまでもなく、十五日、栄一の提案を認めた。もともと彼等は理財に暗い上、変動期のため、よけい自信を失っている。そこへ厖大な見込書を出され、こと細かに自信を以て説明されれば、納得するほかはなかった。

彼等は、栄一を人材とみた。洋行帰りで新知識の持主というだけでなく、二万両あまりの金を残して帰ってきた経済家である。一橋時代には、財政改革を行なった実績があり、慶喜の信任も厚い。反対すべき理由は、何もなかった。（とにかく、渋沢にやらせてみよう）ということになった。

栄一はすぐさま、かねて目をつけておいた紺屋町の代官屋敷に商法会所を置き、御用商人の主だった者を選抜して役目を割当てた。十七日一日だけは、東照公（家康）の忌日のため、履物屋の二階で細かい規則の作成に当ったが、十八日以降は、連日、商法会所へ出勤するという機敏さであった。

二月（旧暦）に入ると早々、栄一はたかぶった気分のまま、千代へ筆を走らせた。

「梅散じ桃ひらくの時候、御かはりなう御くらしなさるべく芽出度《めでたう》ぞんじ候《さふらふ》。こなた無事勤めをり候あひだ、御あんじなさるまじく候。さて此度《このたび》は御用向きにて東京までまかり下り候あひだ、そこもとうた等引取りたきにつき、亀太郎さし越候間、匆々《そうそう》御支度なされ一日も早く東京迄《まで》御越なさるべく、何分急御用に候まま御急ぎ御こしのほどたのみ入候。御支度も有合《ありあはせ》にてよろしく何か東京にてととのへ申すべく候あひだ、其辺《そのへん》の儀にて御手間取りなさるまじく候……」

あわただしく、浮立つような筆の走りである。

（早く、早く、早く。ありあわせでよい。身支度など、どうでもよい）

と、呼びかけている。

千代に対し栄一は、それまで幾度、「その中《うち》、呼寄せるから」と、あてもなく書送ったことであろう。いずれも不渡手形となる罪な手紙ばかりであったが、今度ばかりはそうでない。栄一自身、それが悪夢となって消えない中に、一刻も早く手もとにたぐり寄せておきたい気持であった。郷里まで迎えに行く余裕はない。ひとをやって、着のみ着のままでもよいから、東京まで連れて来させ、東京出張の栄一がそのまま静岡へ連れて帰るという段取りであった。

妻子を呼ぶということは、静岡を定住の地として選んだということである。栄一は静岡に根を下ろし、本腰を入れて、商法会所の仕事にとりくむことにした。

栄一を頭取に、商法会所は活潑《かっぱつ》に動きはじめた。とりあえずの資本金は三十万両弱。藩からの拝借金には、栄一がフランスから持帰った二万両もふくまれていた。栄一が苦労して残してきた金だから、資金としてつかえという大久保たちの思いやりである。御用商人たちを中心に、一般士民からの金も集まった。もっとも、資本の大部分は、石高拝借の政府紙幣である。新政府としてはこれを流通させたいのだが、栄一は少しでも早く物にかえ、あるいは正金にかえておくのが有利だと考えた。

東京出張も、その用件のためで、三井の三野村利左衛門にも会い、二割ほど安い額の正金にかえてもらったりした。

そのとき三野村は、栄一のはじめた商法会所について、

「素人《しろうと》のくせに、うまく行くのか」

と、危ぶんだ。

「素人だって、できぬことはない。だいたい、日本の商売の仕方がまちがっているのだ」栄一は昂然《こうぜん》といい返した。「われわれは、一般士民の資金を運用し利殖をはかる。三井や鴻池《こうのいけ》のように一人が金持になるというのでは、民業の発展にはならぬのだ」

などと、合本組織の長所を吹聴したりもした。

栄一の眼中には、新しい明日の姿だけがある。（豪商、何するものぞ）という意気ごみであった。

貸付・預金業務の他に、商法会所は多方面にわたって、めざましい活動をはじめた。米穀や肥料を関西その他で大量に買いつける。旗本御家人などの大群が移住してきたため、静岡は人口が急増し、米不足であり、同時に仕事不足であった。栄一の商法会所は、こうした人々のために米の手当をする一方、製茶・養蚕などをはじめる事業資金を用立てた。かつて幕府を倒そうとした栄一が、いまは、いちばん親身になって旧幕臣たちの生活の面倒を見てやる形になった。

農民たちのためには、それまでの中間搾取《さくしゅ》を排して、割安に肥料を配給してやった。

商機をたくみにつかむため、大坂へ駐在員を出し、相場の変動や一般の商況を刻々、報告させた。清水に倉庫を建て、米穀などを貯蔵するとともに、数隻《せき》の舟を買入れ、自らの手で回漕《かいそう》業もはじめた。また、それまで集荷にくる商人に買いたたかれていた蚕卵紙や繭《まゆ》などは、商法会所でまとめて、横浜へ売りこむことにした。

横浜には活気があった。外国の汽船が何隻も入って、船員や外国商館の手代たちが、にぎやかに歩いている。見物にくるお上りさんもあれば、外人めあてに人形や茶碗《ちゃわん》などを商う大道商人も出ている。生れたばかりの雑然とした港町には、新しいものへの好奇心が、はりつめていた。

本場の西洋を見てきた栄一にも、そうした横浜の風は新鮮であった。(この横浜を焼かなくてよかった)街を歩きながら、栄一はにが笑いを浮べた。

生糸問屋のひとつで、栄一は思いがけぬ人物にも会った。本家の宗助である。血洗島から出てきて、小さな問屋を開いたところであった。

栄一はおどろいたが、宗助は、

「いずれ、おぬしには顔を合わせることになると思っていた」

と、口もとに深いしわをつくって、照れくさそうに笑った。

「世の中がすっかり変った。年寄りとて、田舎でぼんやりしては居《お》れん。えいっとばかり、横浜へ出てきたのじゃ」

郷里血洗島は、気象のはげしいところ。藍《あい》や生糸の商いを手がけて、商売気のある土地柄でもある。それにしてもと、栄一はあきれる思いで宗助を見ていた。

若者顔負けのいち早い転身である。岡部の代官に平身低頭した宗助、栄一たち若者の動きをいつもおさえにかかった宗助。その同じ人間が、こんなに変ってしまうのか、変えるほど時代は動いたのか。

「無茶をする老人と笑わんでくれ」

宗助は、半ば白くなった眉をくもらせた。

「わしも、昔はおぬしらの無茶をとがめ立てもした。だが、悪気があって、したことではないのだ。下手な謀反では、身を滅ぼすだけだからな」

「御一新とて、大謀反ではありませんか」

「……これは、時代の流れじゃ。その流れに逆らうことが謀反。つまり、いまは天朝さまに逆らうことこそ、謀反なのじゃ」

　身勝手な理窟《りくつ》ではあるが、いまさら老人相手に議論する気にもなれない。それより、えこじな老人をこんな風に走らせた時代に打たれた。

「謀反はいつの世でも、よくない。その証拠に、平九郎を見い。おぬしの身代りになって死んだぞ。喜作だって、いまに平九郎の二の舞いだ」

　沖で汽笛がきこえた。説教調になりかかった宗助は、はっとしたように、天狗鼻《てんぐばな》を外に向けた。

「喜作は勝負好きの男だ。生糸の商いでもやらせたら、おもしろいのになあ」

　店先を声高に話しながら、三人ほどの男がとおり過ぎて行った。宗助は、半白の眉をしかめた。

「御一新になっても、変らぬものがあるぞ、栄一」

「何です」

「役人どものいばってることじゃ。運上所の役人など、いばりくさって居る」

はらにすえかねたように、いった。

栄一は、宗助を相手に、繭の売りこみにかかった。商売は商売。宗助は、しぶい値をつけてきた。栄一は、宗助とやり合った。もはや、年齢も身分も過去もない。がんこ者の老人と、売った買ったではり合うのは、たのしかった。いかにも、新時代の足音の中にいる気がした。

若き神々たち

千代と歌子は静岡に移り、六年ぶりに親子水いらずの生活に入った。

商法会所の建物は代官屋敷であっただけにひろく、奥の方には、五部屋ほども家族用の部屋がとれた。庭には大きな池があり、鯉《こい》がたくさん居た。

栄一は、朝早くから夜おそくまで、表の会所へ出る。千代や歌子は、たまには、安《あ》倍《べ》川《かわ》のひろびろとひらけた白い河原へ出たり、浅間神社に詣《もう》でて、大きな石灯籠《いしどうろう》の列に目をみはったりした。

町の三方をやさしい風情《ふぜい》の山々がかこみ、吹く風もやわらか。緑も血洗島あたりに比べると、ひときわ濃く、あざやかであった。街のはずれには、青い海の破片が光って見えたりもした。千代にしてみれば、夢の世界に迷いこんだような思いであった。

(夢ならば、さめぬように)と祈ったのだが、その夢は半年あまりでこわれた。

十月も末、静岡藩庁を通じ、朝廷から栄一に召状がきた。東京に出て、新政府に出仕せよというのだ。

「とんでもない話です」栄一は、はげしく首を横に振った。「前様《さきさま》の思召《おぼしめ》しにそむいてまで藩庁づめを辞退したわたしです。どちらへも仕官する気のないことは、よくおわかりではありませんか。まして、薩長の新政府になぞ、つとめる気はありません」

栄一は、中老の大久保一翁につっかかった。大久保はにがい顔をしながら、

「問題は、おまえの気持がどうこうということではない。渋沢をさし出すようにと、おまえを名指しで当藩に朝廷から達しがあったということだ。おまえに行ってもらう他はない」

「合点が行きません。わたしは新政府にこれといった知己があるわけでなし、もちろん、何ひとつたのんだおぼえもありません。何かのまちがいではありませんか」

「こちらでは様子も事情もわからぬ。とにかく東京へ行ってくれ」

全く迷惑千万な話である。苦労した商法会所がようやく動き出したところではないか。静岡に住んで商人として一生を終る決意で居ることを、大久保も知っているはず。あたりちらしたい気持をこらえて大久保をにらんでいると、大久保は沈痛な顔つきで、また口を開いた。

「仮におまえがその気持だとしても、とにかく一度、東京へ出て新政府に顔出ししてくれ。さもないと、こちらにたくらみがあって、おまえの出仕を妨げているように思われる。朝旨にそむいて、有用な人材を隠蔽《いんぺい》したということになる。それでは当藩にも前様にも迷惑を及ぼす。前様のためにも、行ってくれないと困るのだ」

栄一にとっては、いちばんの泣きどころである。慶喜が迷惑するとあっては、いたしかたなかった。

「それでは、東京へ出て、ことわって参りましょう」

栄一はやむなく上京し、太政官《だじようかん》弁官の指示により、大蔵省に出頭した（当時は民部省と一体になっており、翌年に完全に分離して大蔵省となった）。

出頭したとたん、栄一は、

「租税正《そぜいのかみ》に任ず」

という辞令を渡された。

租税正とは、租税司という租税関税の担当部局の役人の筆頭で、いまなら大蔵省主税局長に相当する（もっとも、当時、新政府の所管するのは、まだ旧幕府の所領地だけであった）。

栄一は当惑した。「朝旨」というので、これまでのように辞令を突返すわけに行かない。文句をいっても、役人たちは、

「上できめられたことだから、われわれ事務段階はあずかり知らない」

と突っぱねる。当の租税司へ行ってみると、新参者がいきなり自分たちの上役になるというので、栄一を見る目は冷たい。というより、そっぽを向いて、目を合わそうとしない。

ただ、その中で、あきらかに、敵意をこめて栄一をにらみつけてくる男がいた。栄一より十四、五歳も年長の玉乃世履《せいり》という男である。旧岩国藩士の儒者で、学問もあり、早くから新政府に仕えていた。そうした玉乃の上に、なぜ渋沢などという百姓上りの旧幕臣をすわらせるのかと、不平をみなぎらせた顔である。

その男を頭領に、部下一同、露骨に栄一を忌避し、栄一が口をきいても、ろくに返事もしない。何か用をたのんでも、やってくれない。

栄一は、ますます腹が立った。おもしろくない。自分こそ被害者ではないか。ところで、文句をいって辞令を突っ返そうにも、相手の正体がわからない。（いったい、責任者は誰なのか。誰が自分を推挙したのか）

最高の責任者は大蔵卿《きよう》の伊達《だて》宗城《むねなり》だが、これは旧宇和島藩主という身分を背景にした門閥の人。その下に、民部大輔《みんぶのだいふ》兼大蔵大輔が肥前出身の大隈《おおくま》重信、大蔵少輔《しようふ》が長州出身の伊藤博文。このあたりが、人事の実権をにぎっている。

役所ではなかなか会えないので、栄一は築地《つきじ》に在る大隈の邸《やしき》へ出かけて行った。まだ腰に両刀をさしたままである。話の成行きしだいでは、刀の柄《つか》に手をかけかねぬといった憤然とした顔つきである。

省内では、大隈の邸を「築地の梁山泊《りようざんぱく》」とうわさしていた。一癖も二癖もありそうな連中が、全国から何十人も集まり、酒をくらい天下国家を論じてごろごろしているという。

大隈が政府の高官だとはいっても、まだ三十を少し出たところ、しかも、討幕運動にのりおくれた佐賀藩士の出である。それほどのゆとりも人気もあるはずはないと思ったのだが、築地本願寺の隣に在るその邸にきて、「なるほど」と、栄一は目をみはった。維新前は旗本の戸田播磨守《はりまのかみ》の邸であったという、堂々たる大邸宅である。すぐ並びに伊藤博文や井上馨《かおる》の家があるが、それがまるで門番の小屋のように、小さく見えた。

栄一は、一度はおどろいたが、次には、腹が立ってきた。新政府の高官だからといって、何というぜいたくなことをすると思った。

栄一は、まだ大隈の性格を知らない。

佐賀の砲術家の家に生れ、子供のころは餓鬼大将。母親がまた、何かといえば、すぐ、ぼたもちなどをつくって来客をよろこぶといった気風。このため、大隈も客好きで、万事、派手好みで、開放的であった。

大隈は、人が集まれば、よろこんだ。まして、隣家の伊藤や井上はじめ、前田正名（後の農商務次官）、五代友厚（後の政商）、大江卓（後の自由民権運動家）などといった若い論客が全国から集まって、新しい天下国家の在り方について、わが屋敷で日夜議論し合うというのだから、大隈としては、きわめて愉快であった。「梁山泊」の評判が高くなって、木戸孝允《たかよし》、大久保利通《としみち》といったおえら方が眉をしかめているときいたが、気にもとめない。三十人から五十人という食客たちのために散財がかさんで、毎月月末には、台所では頭をかかえているのだが、大隈の頭の中には、天下国家を論ずる気概だけしかない。

栄一がたずねてきたときいて、大隈はすぐ会った。栄一の辞意は、すでに大隈の耳に入っていた。「すぐやめさせろ」と、直談判《じかだんぱん》にきたのであろう。

果して栄一は、けわしい顔つきで現われた。小ぶとりで、色白のふっくらとした丸顔を不平でいっぱいにふくらませ、まっすぐ大隈を見つめる。栄一は三十歳。

大隈は、栄一とは対照的に、骨ばった体つき、頬骨がはり、眉の濃い精悍《せいかん》な顔で、栄一を迎えた。大隈は三十二歳。

「自分は静岡で商売をはじめたところです。外国へ行ったからといって、租税をとるなどということは、何も知りません。何の知識も経験もないのに、いきなり租税正をやれといわれても、ただただ迷惑するばかりです」

栄一が、一息つくと、大隈がいきなり大声を出した。

「八百万《やおよろず》の神達、神計りに計りたまえという文句を、きみは知っているか」

何をいい出すのか、用件をそらす気かと、栄一は不満な顔で、

「知ってはいます。祝詞《のりと》の文句ではありませんか」

大隈はうなずき、

「いまの日本が、その状態なのだ」

「はあ?」

「新政府のやろうとしていることは、すべて知識も経験もないことばかり。何から手をつけてよいかわからぬのは、きみだけではない。誰もが、わからん。わからん者が智慧《ちえ》を出し合い、これから相談してやって行こうとしている。つまり、われわれみんなが八百万の神々なのだ。きみも、その神々の中の一柱として迎えた」

栄一は、大隈の話にひきこまれた。

「知らぬからやめるというなら、みな、やめねばならぬ。やめたら、国はどうなる」

「はい……」

「いかにして財政をやるか、租税をとるかということを、わかっている者は一人も居ないといってよいだろう。われわれで相談し勉強してやって行く他はない。若い八百万の神々が集まって、新しい国をつくって行くのだ」

「………」

「きみは、慶喜公のお側に居て、見守りたいという。だが、慶喜公には、側に居ないでも、尽そうと思えば尽せるではないか。わたしは、慶喜公を存じ上げている。二年も前、脱藩の身であったとき、原市之進殿にたのんで、お目どおりねがい、大政奉還をなさるよう進言した」

栄一には初耳であった。

大隈が慶喜に会ったというのは、栄一がヨーロッパ滞在中のことであろう。栄一は、にわかに大隈に親しみをおぼえた。

「慶喜公はいかがでした」

「わたしの意見に、ふん、ふんと感心してうなずかれた」

それは慶喜のくせであって、必ずしも感心したわけではない。だが、大隈は栄一の表情には目もくれず、大きな声で話し続けた。

「慶喜公は英明なお方だし、朝廷に対しては恭順の意をつくして居《お》られる。自分ひとりのため、きみを静岡にとめおこうなどと思われるはずがない」

「………」

「なるほど、きみは丹精して商法会所とやらをこさえた。だが、そこで努力しても、せいぜい静岡一藩内の利益にとどまる。日本全体から見れば、とるに足りぬことである。それに比べれば、われわれがやろうとしているのは、日本という一国を料理しようという大仕事だ。小をすて大につくすことこそ、われらの本懐ではないのか」

大隈は、いかにも心地よさそうな調子で、ぐんぐんきめつけてくる。

理窟《りくつ》はそのとおりであり、しかも、大隈の勢いにおされて、栄一は反論のきっかけがつかめない。

大隈は、さらにたたみかけた。

「なるほど、きみのいうように、民業の振興も大切だ。だが、民業をさかんにするためには、まず財政がととのい、経済の仕組がつくられるのが順序ではないか。貨幣はどうする、その融通はどうするということさえ、きまっていないのが、いまの日本である。それでは、商工業の成立つはずもない。民業のために租税正を辞したいというきみのような考え方は、先を知って本を知らぬということにはならぬのか」

栄一は閉口した。参った、参った、と、頭をかかえこみたい気持であった。

大隈はまた、栄一を登用することにきめたのは自分だ、といった。郷《ごう》純造という男が、栄一の人物をほめた。大隈は、郷を人材を見る目があると買っていた。事実、前島密《ひそか》はじめ郷の推薦してきた人材にまちがいはなかった。そこで大隈は、会ったこともない栄一を登用することにきめたという。栄一は、郷という人物を知らない。互いに闇《やみ》をへだててさぐり合うような出会いなのだが、神々の出会いとは、そうしたものなのであろう。

だが、神話は俗人に通じない。この冒険に類した人事に対して、果して省の内外から猛反対の声があがった。栄一の古い仲間であるはずの旧幕臣の者たちまで反対した。

「あんな百姓上り浪人上りを、われわれの上に抜擢《ばってき》するとは何事だ」

と、玉乃世履などは、血相を変えて大隈につめ寄った。

「渋沢ごときを登用するなら、われわれは一切仕事をやらん」

ともいった。だが、大隈はとり合わなかった。野方図《のほうず》に、まだ見ぬ栄一の人物に賭《か》けた。

「われらにとって人材こそ神である。その神の一人として、きみを招こうというのに、なぜ、ことわるのか」

栄一には、もう答えがなかった。

「八百万の神達、神計りに計りたまえ」

と、最初にやられたことが、頭にひびいている。その一言で、栄一の調子はすっかり狂ってしまった。これまで栄一は、議論で負けたことがない。それが、大隈相手では、負けるというより、議論を挑むことさえできなかった。まるで一方的に、意見をきかされた。（建白魔の自分が、こんなことがあってたまるか）と思ったが、それでいて、不愉快な感じはなかった。

大隈は熱弁であったが、それは、ただ弁舌が立つというのではない。国づくりの熱意から溢《あふ》れ出てくるような雄弁である。その熱気に打たれた。大隈の邸を出るときには、何となく夢でも見ているような、一種高揚した気分にさせられていた。栄一は、大隈をふしぎな力を持つ男だと思った。新政府には、こうした人材が集まっているのであろう。たしかに、八百万の若い神々の集《つど》いなのかも知れない。それに比べれば、静岡は――。

東京となった江戸の街々には、ふたたび活気がみなぎっていた。

ざんぎり頭とちょんまげ姿がまじり、府兵が行き交い、人力車が走る。石町《こくちょう》の宿屋に帰り、畳の上にねころんでいると、新時代の足音がじかに耳にひびいてくるようであった。それでいて、この新しい国は、まるで混沌《こんとん》としている。大隈のいうように、順序もきまっていない。先だけあって、本ができていない。これでは、日本そのものがどうかなってしまう。

（わからん者が智慧を出し合い、相談し合ってやって行こう）

（若い八百万の神々が集まって、新しい国をつくるのだ）

大隈の元気のいい声が、また耳もとにきこえてくる。どう考えてみても、大隈のいうのが正しかった。それに、栄一の逃げ口上は、すべて完全に封じられている。ことわる理由はなかった。

栄一は、二つ年長の大隈のそれまでの人生を考えてみた。

大隈の幼名は八太郎。「八」の字は末ひろがりで発展家を意味すると、自分で気をよくしてきたような男。万事、積極的であった。佐賀藩の若侍たちの勤王運動の首領になったが、藩学弘道館を退学処分になった後、長崎への遊学を藩に建白した（その後も、建白につぐ建白で、建白魔であることは、栄一と似ていた）。

「大隈ごときを長崎にやっては、虎《とら》を野に放つようなものだ」

と反対されたが、藩主鍋島閑叟《なべしまかんそう》の英断で同志三十名とともに、長崎に出た。宣教師フルベッキについて、ヨーロッパの政治経済法律の猛勉強をする。先を見る勘のようなものがあって、蘭学《らんがく》だけでなく、英学を学んだ。藩に戻って蘭学寮の教授となり、さらに長崎で藩の貿易にたずさわり、進んで藩の財政や軍事の改革をはかった。とにかく、じっとして居ない。古い枠《わく》に自足して居られない。建白しては、次々と新しい仕事を手がけて行った。

維新前夜、大隈はまたまた建白魔となり、藩主を説いて朝廷と幕府との間の調停にのり出させようとしたが、藩主は動かなかった。

「それなら自分ひとりででも」

と脱藩し、京師で奔走していて捕えられ、帰国の上、閉門を命じられたりした。幕府が倒れて、長崎奉行は逃亡した。長崎での政務をとりあつかうため、西南諸藩から人を出し、長崎会議所を開いた。大隈は佐賀藩の代表となって加わった。

「御老中でも手を出せないのは、大奥、長崎、金銀座」

といわれた長崎で、大隈は新政府から派遣された鎮撫使《ちんぶし》参謀井上馨らといっしょに、着々と改革を行なった。もっとも、井上のやり方があまりにきびしいので、「非常に切れるけれども、肴《さかな》の身のみにあらず、俎《まないた》までも切る」と、かげ口をきかれた。その井上が大隈の人物を買った。

参与職外国事務判事に推され、横浜へ赴任しようとするとき、事件が起った。

維新後も、キリスト教は禁制のままであったが、長崎では浦上村をはじめとして、教徒たちが公然と教会を建て、礼拝をするようになった。そこで新政府では、主だった教徒をとらえ、厳罰に処そうとしたところ、イギリス公使のパークスが、「排外主義のあらわれだ」と激怒し、即刻、その処分の全面的撤回を迫ってきた。

三条実美《さねとみ》、岩倉具視《ともみ》ら新政府の首脳は、もともとパークスには頭が上らず、その顔色をうかがうようにしていただけに、このきびしい抗議を受けて、うろたえた。

といって、国内では、まだ攘夷《じょうい》の気風も強い上、廃仏毀釈《きしやく》などで仏教までおさえておいて、あきらかに禁制であるキリスト教を大目に見るわけには行かない。とにかく、大坂東本願寺の掛所で日本政府と外国公使団の談判を持つことになったが、日本側は、みな逃げ腰であった。

現地の事情にくわしいからと、大隈が呼出され、結局、日本側の全権のようになって、パークスたちと向い合った。

パークスは、まだ無名の若い大隈をばかにし、代表と認めようとしない。

「天皇の代表である自分を認めないなら、あなたをイギリス皇帝の代表と認めないし、したがって、あなたの抗議をきくわけに行かない」

大隈は、ひるまずに立向った。パークスは折れた。

大隈が、国法による処分は内政問題で、干渉するのがすじちがいだと述べると、パークスは宗教の自由の原則を持出した。大隈はすかさず、

「自分は聖書も祈禱書《きとうしょ》も十分に読んで、キリスト教の何たるかは知っている」

と、大見得をきり、キリスト教の史上における罪過を列挙し出した。パークスたちは、しぶい顔をする。

「いたずらに外国の指揮に従うというのは、国家滅亡のときです。われわれのことは、われわれの手で解決するものです」

という論旨を、大隈は終始一貫、堂々と押しとおした。

パークスら外国公使たちは、この若者相手に、昼食ぬきで議論する羽目になり、午

前十時から夕刻の四時まで激論し合い、結論が出ないままに、抗議は立消えの形になった。

「これまで日本において、大隈のような者と談判したことはない。日本の外交官に対し、少し尊敬の気持を持つようになった」

パークスが側近にそんな風に語ったということが、やがて、三条、岩倉らの耳に入った。

新政府部内で、大隈は必要な男、たよりにされる男になった。この後も大隈は、横須賀《よこすか》製鉄所の回収問題、長崎での英国人殺傷事件の跡始末など、難かしい外交問題にとり組んで、ひとつ、またひとつと解決して行った。

「一介の書生が突然、志を得て此《こ》の難局に当る。快は則《すなは》ち快なりと雖《いへど》も、国家人民に対する責任を顧みるときは、実に竦然《しょうぜん》として謹まざるべからず」（『大隈伯昔日譚《たん》』）

と、後に大隈自身、当時を回想している。格別の知識や経験があったわけではない。情熱だけで手さぐりでやってのけた形であったが、とにかくそれで新しい日本の路線が少しずつつくられて行った。（自分たちが神になって国づくりをしている）というのは、その意味では、大隈の実感でもあったのだ。

こうした実績によって、大隈は新政府に仕えてわずか一年足らずの間に類例のない栄進をとげ、外国官副知事（外務次官）になった。

大隈は、外国相手の交渉を進める過程において、日本の通貨制度がみだれ、各種の悪貨が氾濫《はんらん》していることが、大きな障害であるのを感じた。急いで幣制を改革せねばならぬと、一元的な通貨制度の樹立について建白すると、「それも、おまえがやれ」と、会計官副知事兼任にされた。とにかく、神々が不足しているのである。さらに大隈は、大蔵大輔《たいふ》（大蔵次官）に任じられた。

大隈はたよりにされる男ではあったが、財政経済の問題となると、今度は誰かをたよりにしたくなった。物色している中、郷の推薦で浮び上ったのが、栄一であった。長崎で勉強しただけの大隈とちがい、栄一は二年もヨーロッパへ留学している。しかも、帰国後の旅費精算はきわめて正確で、理財にくわしいという。いますぐ役に立つ知識がなくとも、専門的な勉強をさせれば、十分にやって行くであろうと見こみをつけた。

そうきめこんでしまった大隈だから、省内外にどんな反対があろうと、きく気はない。もと百姓であろうと浪人であろうと、関係はない。もちろん、栄一の辞任を認める気などない。神々の仲間入りを真剣になってすすめた。とにかく財政経済の神々は手薄なのである。

たよりにされている大隈という男に、それほどに見こまれたとあっては、栄一としても、ひっこみがつかない。かつて慶喜の知遇にこたえたように、今度は大隈の知遇にこたえねばならない。まして、そのことが慶喜のためになるとあっては、ことわる理由はなかった。

栄一は、新政府に出仕することにきめた。志をひるがえしたように見られるかも知れぬが、大隈同様、思いきり能力の開花できる仕事にたずさわれるのは、人間としての生甲斐《いきがい》である。一柱の神として、国づくりをどこまでやれるか、ためしてみたい。

（下巻に続く）

雄《ゆう》気《き》堂《どう》々《どう》（上）

新潮文庫　し-7-3

昭和五十一年五月三十日　発　行
平成十五年八月二十五日　四十刷改版
令和　三　年　三　月　五　日　六十三刷

著　者　城《しろ》山《やま》三《さぶ》郎《ろう》

発行者　佐藤隆信

発行所　株式会社　新潮社

郵便番号　一六二―八七一一
東京都新宿区矢来町七一
電話　編集部(〇三)三二六六―五四四〇
　　　読者係(〇三)三二六六―五一一一
http://www.shinchosha.co.jp

価格はカバーに表示してあります。

印刷・錦明印刷株式会社　製本・錦明印刷株式会社

ISBN978-4-10-113303-4 C0193